DE I

II

GERMAINE DE STAËL

DE L'ALLEMAGNE

II

Chronologie et préface
par
Simone Balayé

GF-Flammarion

Dans la même collection :

DE L'ALLEMAGNE I

DE LA LITTÉRATURE

ISBN 2-08070-167-3

DEUXIÈME PARTIE

LA LITTÉRATURE ET LES ARTS

(Suite)

CHAPITRE XXV

DIVERSES PIÈCES DU THÉÂTRE ALLEMAND ET DANOIS

Les ouvrages dramatiques de Kotzebue sont traduits dans plusieurs langues. Il serait donc superflu de s'occuper à les faire connaître. Je dirai seulement qu'aucun juge impartial ne peut lui refuser une intelligence parfaite des effets du théâtre. *Les Deux Frères*, *Misanthropie et Repentir*, *Les Hussites*, *Les Croisés*, *Hugo Grotius*, *Jeanne de Montfaucon*, *La Mort de Rolla*, etc., excitent l'intérêt le plus vif partout où ces pièces sont jouées. Toutefois il faut avouer que Kotzebue ne sait donner à ses personnages, ni la couleur des siècles dans lesquels ils ont vécu, ni les traits nationaux, ni le caractère que l'histoire leur assigne. Ces personnages, à quelque pays, à quelque siècle qu'ils appartiennent, se montrent toujours contemporains et compatriotes ; ils ont les mêmes opinions philosophiques, les mêmes mœurs modernes, et soit qu'il s'agisse d'un homme de nos jours ou de la fille du Soleil, l'on ne voit jamais dans ces pièces qu'un tableau du temps présent naturel et pathétique. Si le talent théâtral de Kotzebue, unique en Allemagne, pouvait être réuni avec le don de peindre les caractères tels que l'histoire nous les transmet, et si son style poétique s'élevait à la hauteur des situations dont il est l'ingénieux inventeur, le succès de ses pièces serait aussi durable qu'il est brillant.

Au reste, rien n'est si rare que de trouver dans le même homme les deux facultés qui constituent un grand auteur dramatique ; l'habileté dans son métier, si l'on peut s'exprimer ainsi, et le génie dont le point de vue est universel : ce problème est la difficulté de la nature humaine tout entière; et l'on peut toujours remarquer quels sont, parmi les hommes, ceux en qui le talent de la conception ou celui de l'exécution domine; ceux qui sont en relation avec tous les temps ou particulièrement propres au leur : cependant c'est dans la réunion des qualités opposées que consistent les phénomènes en tout genre.

La plupart des pièces de Kotzebue renferment quelques situations d'une grande beauté. Dans *les Hussites*, lorsque Procope, successeur de Ziska, met le siège devant Naumbourg, les magistrats prennent la résolution d'envoyer tous les enfants de la ville au camp ennemi pour demander la grâce des habitants. Ces pauvres enfants doivent aller seuls implorer les fanatiques soldats, qui n'épargnaient ni le sexe ni l'âge. Le bourgmestre offre le premier ses quatre fils, dont le plus âgé a douze ans, pour cette expédition périlleuse. La mère demande qu'au moins il y en ait un qui reste auprès d'elle; le père a l'air d'y consentir, et il se met à rappeler successivement les défauts de chacun de ses enfants, afin que la mère déclare quels sont ceux qui lui inspirent le moins d'intérêt; mais chaque fois qu'il commence à en blâmer un, la mère assure que c'est celui de tous qu'elle préfère, et l'infortunée est enfin obligée de convenir que le cruel choix est impossible, et qu'il vaut mieux que tous partagent le même sort.

Au second acte, on voit le camp des Hussites : tous ces soldats, dont la figure est si menaçante, reposent sous leurs tentes. Un léger bruit excite leur attention; ils aperçoivent dans la plaine une foule d'enfants qui marchent en troupe, une branche de chêne à la main : ils ne peuvent concevoir ce que cela signifie, et prenant leurs lances, ils se placent à l'entrée du camp pour en défendre l'approche. Les enfants avancent sans crainte au-devant des lances, et les Hussites reculent toujours involontairement, irrités d'être attendris, et ne comprenant pas eux-mêmes ce qu'ils éprouvent. Procope sort de sa tente; il se fait amener le bourgmestre, qui avait suivi de loin les enfants, et lui ordonne de désigner ses fils. Le bourgmestre s'y refuse; les soldats de Procope le saisissent, et dans cet instant les quatre enfants sortent de la foule et se précipitent dans les bras de leur père. — Tu les connais tous à présent, dit le bourgmestre à

Procope; ils se sont nommés eux-mêmes. — La pièce finit heureusement; et le troisième acte se passe tout en félicitations; mais le second acte est du plus grand intérêt théâtral.

Des scènes de roman font tout le mérite de la pièce des *Croisés*. Une jeune fille, croyant que son amant a péri dans les guerres, s'est faite religieuse à Jérusalem, dans un ordre consacré à servir les malades. On amène dans son couvent un chevalier dangereusement blessé : elle vient couverte de son voile, et, ne levant pas les yeux sur lui, elle se met à genoux pour le panser. Le chevalier, dans ce moment de douleur, prononce le nom de sa maîtresse; l'infortunée reconnaît ainsi son amant. Il veut l'enlever : l'abbesse du couvent découvre son dessein et le consentement que la religieuse y a donné. Elle la condamne, dans sa fureur, à être ensevelie vivante; et le malheureux chevalier, errant vainement autour de l'église, entend l'orgue et les voix souterraines qui célèbrent le service des morts pour celle qui vit encore et qui l'aime. Cette situation est déchirante : mais tout finit de même heureusement. Les Turcs, conduits par le jeune chevalier, viennent délivrer la religieuse. Un couvent d'Asie, dans le treizième siècle, est traité comme les *Victimes cloîtrées* pendant la révolution de France; et des maximes douces, mais un peu faciles, terminent la pièce à la satisfaction de tout le monde.

Kotzebue a fait un drame de l'anecdote de Grotius mis en prison par le prince d'Orange, et délivré par ses amis, qui trouvent le moyen de l'emporter de sa forteresse, caché dans une caisse de livres. Il y a des situations très remarquables dans cette pièce : un jeune officier, amoureux de la fille de Grotius, apprend d'elle qu'elle cherche à faire évader son père, et lui promet de la seconder dans ce projet; mais le commandant, son ami, obligé de s'éloigner pour vingt-quatre heures, lui confie les clefs de la citadelle. Il y a peine de mort contre le commandant lui-même, si le prisonnier s'échappe en son absence. Le jeune lieutenant, responsable de la vie de son ami, empêche le père de sa maîtresse de se sauver, en le forçant à rentrer dans sa prison au moment où il était prêt à monter dans la barque préparée pour le délivrer. Le sacrifice que fait ce jeune lieutenant, en s'exposant ainsi à l'indignation de sa maîtresse, est vraiment héroïque; lorsque le commandant revient, et que l'officier n'occupe plus la place de son ami, il trouve le moyen d'attirer sur lui, par un noble mensonge, la peine capitale portée contre ceux qui ont tenté une seconde fois de faire sauver Grotius, et qui y ont enfin réussi. La joie du jeune homme, lorsque son arrêt de mort lui garantit le retour de l'estime de sa maîtresse, est de la plus touchante beauté; mais, à la fin, il y a tant de magnanimité dans Grotius, qui revient se constituer prisonnier pour sauver le jeune homme, dans le prince d'Orange, dans la fille, dans l'auteur même, qu'on n'a plus qu'à dire *amen* à tout. On a pris les situations de cette pièce dans un drame français; mais elles sont attribuées à des personnages inconnus; et Grotius ni le prince d'Orange n'y sont nommés. C'est très sagement fait, car il n'y a rien dans l'allemand qui convienne spécialement au caractère de ces deux hommes tels que l'histoire nous les représente.

Jeanne de Montfaucon étant une aventure de chevalerie de l'invention de Kotzebue, il a été plus libre que dans toute autre pièce de traiter le sujet à sa manière. Une actrice charmante, Mad. Unzelmann, jouait le principal rôle; et la manière dont elle défendait son cœur et son château contre un chevalier discourtois faisait au théâtre une impression très agréable. Tour à tour guerrière et désespérée, son casque ou ses cheveux épars servaient à l'embellir; mais les situations de ce genre prêtent bien plus à la pantomime qu'à la parole, et les mots ne sont là que pour achever les gestes.

La Mort de Rolla est d'un mérite supérieur à tout ce que je viens de citer; le célèbre Sheridan en a fait une pièce intitulée *Pizarre*, qui a eu le plus grand succès en Angleterre; un mot à la fin de la pièce est d'un effet admirable. Rolla, chef des Péruviens, a longtemps combattu contre les Espagnols; il aimait Cora, la fille du Soleil, et néanmoins il a généreusement travaillé à vaincre les obstacles qui la séparaient d'Alonzo. Un an après leur hymen les Espagnols enlèvent le fils de Cora qui venait de naître; Rolla s'expose à tous les périls pour le retrouver, il le rapporte enfin couvert de sang dans son berceau; Rolla voit la terreur de la mère à cet aspect. « Rassure-toi, lui dit-il, ce sang-là, c'est le mien! » et il expire.

Quelques écrivains allemands n'ont pas été justes, ce me semble, envers le talent dramatique de Kotzebue; mais il faut reconnaître les motifs estimables de cette prévention; Kotzebue n'a pas toujours respecté dans ses pièces la vertu sévère et la religion positive; il s'est permis un tel tort, non par système, ce me semble, mais pour produire, selon l'occasion, plus d'effet au théâtre : il n'en est pas moins vrai que des critiques austères ont dû l'en blâmer. Il paraît lui-même depuis quelques années se conformer à des principes plus réguliers, et loin que son talent y perde, il y a beaucoup gagné. La hauteur et la fermeté de la pensée tiennent toujours par des liens secrets à la pureté de la morale.

Kotzebue et la plupart des auteurs allemands avaient emprunté de Lessing l'opinion qu'il fallait écrire en prose pour le théâtre et rapprocher toujours le plus possible la tragédie du drame; Gœthe et Schiller, par leurs derniers ouvrages, et les écrivains de la nouvelle école, ont renversé ce système : l'on pourrait plutôt reprocher à ces écrivains l'excès contraire, c'est-à-dire une poésie trop exaltée, et qui détourne l'imagination de l'effet théâtral. Dans les auteurs dramatiques qui, comme Kotzebue, ont adopté les principes de Lessing, on trouve presque toujours de la simplicité et de l'intérêt; *Agnès de Bernau*, *Jules de Tarente*, *Don Diégo et Léonore* ont été représentés avec beaucoup de succès, et un succès mérité; comme ces pièces sont traduites dans le recueil de Friedel, il est inutile d'en rien citer. Il me semble que *Don Diégo et Léonore* surtout pourrait, avec quelques changements, réussir sur le théâtre français. Il faudrait y conserver la touchante peinture de cet amour profond et mélancolique qui pressent le malheur avant même qu'aucun revers l'annonce; les Ecossais appellent ces pressentiments du cœur *la seconde vue de l'homme;* ils ont tort de l'appeler la seconde, c'est la première et peut-être la seule vraie.

Parmi les tragédies en prose qui s'élèvent au-dessus du genre du drame il faut compter quelques essais de Gerstenberg. Il a imaginé de choisir la mort d'Ugolin pour sujet d'une tragédie, l'unité de lieu y est forcée, puisque la pièce commence et finit dans la cour où périt Ugolin avec ses trois fils; quant à l'unité de temps, il faut plus de vingt-quatre heures pour mourir de faim; mais du reste l'événement est toujours le même, et seulement l'horreur croissante en marque le progrès. Il n'y a rien de plus sublime dans le Dante que la peinture du malheureux père qui a vu périr ses trois enfants à côté de lui, et s'acharne dans les enfers sur le crâne du farouche ennemi dont il fut la victime; mais cet épisode ne saurait être le sujet d'un drame. Il ne suffit pas d'une catastrophe pour faire une tragédie; la pièce de Gerstenberg contient des beautés énergiques, et le moment où l'on entend murer la prison cause la plus terrible impression que l'âme puisse éprouver, c'est la mort vivante; mais le désespoir ne peut se soutenir cinq actes; le spectateur doit en mourir ou se consoler; et l'on pourrait appliquer à cette tragédie ce qu'un spirituel Américain, M. G. Morris, disait des Français en 1790, *Ils ont traversé la liberté.* Traverser le pathétique, c'est-à-dire aller au-delà de l'émotion que les forces de l'âme sont capables de supporter, c'est en manquer l'effet.

Klinger, connu par d'autres écrits pleins de profondeur et de sagacité, a composé une tragédie d'un grand intérêt, intitulée *les Jumeaux.* La rage qu'éprouve celui des deux frères qui passe pour le cadet, sa révolte contre un droit d'aînesse, l'effet d'un instant, est admirablement peinte dans cette pièce : quelques écrivains ont prétendu que c'est à ce genre de jalousie qu'il faut attribuer le destin du Masque de fer : quoi qu'il en soit, on comprend très bien comment la haine que le droit d'aînesse peut exciter doit être plus vive entre des jumeaux. Les deux frères sortent tous les deux à cheval; on attend leur retour, le jour se passe sans qu'ils reparaissent; mais le soir on aperçoit de loin le cheval de l'aîné, qui revient seul dans la maison du père : une circonstance aussi simple ne pourrait guère se raconter dans nos tragédies, et cependant elle glace le sang dans les veines : le frère a tué le frère, et le père, indigné, venge la mort d'un fils sur le dernier qui lui reste. Cette tragédie, pleine de chaleur et d'éloquence, ferait, ce me semble, un effet prodigieux s'il s'agissait de personnages célèbres; mais on a de la peine à concevoir des passions si violentes pour l'héritage d'un château sur le bord du Tibre. On ne saurait trop le répéter, il faut pour la tragédie des sujets historiques, ou des traditions religieuses qui réveillent de grands souvenirs dans l'âme des spectateurs; car dans les fictions, comme dans la vie, l'imagination réclame le passé, quelque avide qu'elle soit de l'avenir.

Les écrivains de la nouvelle école littéraire en Allemagne ont plus que tous les autres *du grandiose* dans la manière de concevoir les beaux-arts; et toutes leurs productions, soit qu'elles réussissent ou non sur la scène, sont combinées d'après des réflexions et des pensées dont l'analyse intéresse; mais on n'analyse pas au théâtre, et l'on a beau démontrer que telle pièce devrait réussir, si le spectateur reste froid, la bataille dramatique est perdue ; le succès, à quelques exceptions près, est dans les arts la preuve du talent ; le public est presque toujours un juge de beaucoup d'esprit quand les circonstances passagères n'altèrent pas son opinion.

La plupart de ces tragédies allemandes, que leurs auteurs mêmes ne destinent point à la représentation, sont néanmoins de très beaux poèmes. L'un des plus remarquables, c'est *Geneviève de Brabant*, dont Tieck est l'auteur : l'ancienne légende, qui fait vivre cette sainte dix ans dans un désert avec des herbes et des fruits, n'ayant pour son enfant d'autre secours que le lait d'une biche fidèle, est admirablement bien traitée dans ce roman dialogué. La pieuse résignation de Geneviève est peinte avec les couleurs de la poésie sacrée, et le caractère de l'homme qui l'accuse, après avoir voulu vainement la séduire, est tracé de main de maître : ce coupable conserve au milieu de ses crimes une sorte d'imagination poétique qui donne à ses actions comme à ses remords une originalité sombre. L'exposition de cette pièce se fait par saint Boniface qui raconte ce dont il s'agit, et débute en ces termes : « Je suis saint Boniface qui viens ici pour vous dire, etc. » Ce n'est point par hasard que cette forme a été choisie par l'auteur ; il montre trop de profondeur et de finesse dans ses autres écrits, et en particulier dans l'ouvrage même, qui commence ainsi pour qu'on ne voie pas clairement qu'il a voulu se faire naïf comme un contemporain de Geneviève ; mais, à force de prétendre ressusciter l'ancien temps, on arrive à un certain charlatanisme de simplicité qui fait rire, quelque grave raison qu'on ait d'ailleurs pour être touché. Sans doute il faut savoir se transporter dans le siècle que l'on veut peindre ; mais il ne faut pas non plus entièrement oublier le sien. La perspective des tableaux, quel que soit l'objet qu'ils représentent, doit toujours être prise d'après le point de vue des spectateurs.

Parmi les auteurs qui sont restés fidèles à l'imitation des Anciens il faut placer Collin au premier rang. Vienne s'honore de ce poète, l'un des plus estimés en Allemagne, et peut-être depuis longtemps l'unique en Autriche. Sa tragédie de *Régulus* réussirait en France si elle y était connue. Il y a, dans la manière d'écrire de Collin, un mélange d'élévation et de sensibilité, de sévérité romaine et de douceur religieuse, fait pour concilier ensemble le goût des Anciens et celui des modernes. La scène de sa tragédie de *Polyxène*, où Calchas commande à Néoptolème d'immoler la fille de Priam sur le tombeau d'Achille, est une des plus belles choses qu'on puisse entendre. L'appel des divinités infernales, réclamant une victime pour apaiser les morts, est exprimé avec une force ténébreuse, une terreur souterraine qui semble nous révéler des abîmes sous nos pas. Sans doute on est sans cesse ramené à l'admiration des sujets antiques, et jusqu'à présent tous les efforts des modernes pour tirer de leur propre fonds de quoi égaler les Grecs n'ont point encore réussi; cependant il faut atteindre à cette noble gloire; car non seulement l'imitation s'épuise, mais l'esprit de notre temps se fait toujours sentir dans la manière dont nous traitons les fables ou les faits de l'antiquité. Collin lui-même, par exemple, quoiqu'il ait conduit sa pièce de *Polyxène* avec une grande simplicité dans les premiers actes, la complique vers la fin par une multitude d'incidents. Les Français ont mêlé la galanterie du siècle de Louis XIV aux sujets antiques; les Italiens les traitent souvent avec une affectation ampoulée; les Anglais, naturels en tout, n'ont imité, sur leur théâtre, que les Romains, parce qu'ils se sentaient des rapports avec eux. Les Allemands font entrer la philosophie métaphysique ou la variété des événements romanesques dans leurs tragédies tirées des sujets grecs. Jamais un écrivain de nos jours ne pourra parvenir à composer de la poésie antique. Il vaudrait donc mieux que notre religion et nos mœurs nous créassent une poésie moderne, belle aussi, par sa propre nature, comme celle des Anciens.

Un Danois, Œhlenschläger, a traduit lui-même ses pièces en allemand. L'analogie des deux langues permet d'écrire également bien dans toutes les deux, et déjà Baggesen, aussi danois, avait donné l'exemple d'un grand talent de versification dans un idiome étranger. On trouve dans les tragédies d'Œhlenschläger une belle imagination dramatique. On dit qu'elles ont eu beaucoup de succès sur le théâtre de Copenhague : à la lecture, elles excitent l'intérêt sous deux rapports principaux; d'abord, parce que l'auteur a su quelquefois réunir la régularité française à la diversité de situations, qui plaît aux Allemands; et secondement parce qu'il a représenté d'une manière à la fois poétique et vraie l'histoire et les fables des pays habités jadis par les Scandinaves.

Nous connaissons à peine le Nord qui touche aux confins de la terre vivante; les longues nuits des contrées septentrionales, pendant lesquelles le reflet de la neige sert seul de lumière à la terre; ces ténèbres qui bordent l'horizon dans le lointain lors même que la voûte des cieux est éclairée par les étoiles, tout semble donner l'idée d'un espace inconnu, d'un univers nocturne dont notre monde est environné. Cet air si froid qu'il congèle le souffle de la respiration fait rentrer la chaleur dans l'âme, et la nature dans ces climats ne paraît faite que pour repousser l'homme en lui-même.

Les héros, dans les fictions de la poésie du Nord, ont quelque chose de gigantesque. La superstition est réunie, dans leur caractère, à la force, tandis que, partout ailleurs, elle semble le partage de la faiblesse. Des images tirées de la rigueur du climat caractérisent la poésie des Scandinaves : ils appellent les vautours les loups de l'air; les lacs bouillants formés par les volcans conservent pendant l'hiver les oiseaux qui se retirent dans l'atmosphère dont ces lacs sont environnés : tout porte, dans ces contrées nébuleuses, un caractère de grandeur et de tristesse.

Les nations scandinaves avaient une sorte d'énergie physique qui semblait exclure la délibération, et faisait mouvoir la volonté comme un rocher qui se précipite en bas de la montagne. Ce n'est pas assez des hommes de fer de l'Allemagne, pour se faire l'idée de ces habitants de l'extrémité du monde : ils réunissent l'irritabilité de la colère à la froideur persévérante de la résolution; et la nature elle-même n'a pas dédaigné de les peindre en poète, lorsqu'elle a placé dans l'Islande le volcan qui vomit des torrents de feu du sein d'une neige éternelle.

Œhlenschläger s'est créé une carrière toute nouvelle, en prenant pour sujet de ses pièces les traditions héroïques de sa patrie; et si l'on suit cet exemple, la littérature du Nord pourra devenir un jour aussi célèbre que celle de l'Allemagne.

C'est ici que je termine l'aperçu que j'ai voulu donner des pièces du théâtre allemand, qui tenaient de quelque manière à la tragédie. Je ne ferai point le résumé des défauts et des qualités que ce tableau peut présenter. Il y a tant de diversité dans les talents et dans les systèmes des poètes dramatiques allemands, que le même jugement ne saurait être applicable à tous. Au reste, le plus grand éloge qu'on puisse leur donner, c'est cette diversité même : car, dans l'empire de la littérature, comme dans beaucoup d'autres, l'unanimité est presque toujours un signe de servitude.

CHAPITRE XXVI

DE LA COMÉDIE

L'idéal du caractère tragique consiste, dit W. Schlegel, *dans le triomphe que la volonté remporte sur le destin ou sur nos passions; le comique exprime au contraire l'empire de l'instinct physique sur l'existence morale : de là vient que partout la gourmandise et la poltronnerie sont un sujet inépuisable de plaisanteries.* Aimer la vie paraît à l'homme ce qu'il y a de plus ridicule et de plus vulgaire, et c'est un noble attribut de l'âme que ce rire qui saisit les créatures mortelles quand on leur offre le spectacle d'une d'entre elles pusillanime devant la mort.

Mais quand on sort du cercle un peu commun de ces plaisanteries universelles, lorsqu'on arrive aux ridicules de l'amour-propre, ils se varient à l'infini, selon les habitudes et les goûts de chaque nation. La gaieté peut tenir aux inspirations de la nature ou aux rapports de la société; dans le premier cas, elle convient aux hommes de tous les pays; dans le second, elle diffère selon les temps, les lieux et les mœurs, car les efforts de la vanité ayant toujours pour objet de faire impression sur les autres, il faut savoir ce qui vaut le plus de succès dans telle époque et dans tel lieu pour connaître vers quel but les prétentions se dirigent : il y a même des pays où c'est la mode qui rend ridicule, elle semble avoir pour but de mettre chacun à l'abri de la moquerie, en donnant à tous une manière d'être semblable.

Dans les comédies allemandes, la peinture du grand monde est, en général, assez médiocre; il y a peu de bons modèles qu'on puisse suivre à cet égard : la société n'attire point les hommes distingués; et son plus grand charme, l'art agréable de se plaisanter mutuellement, ne réussirait point parmi eux, on froisserait bien vite quelque amour-propre accoutumé à vivre en paix, et l'on pourrait facilement aussi flétrir quelque vertu qui s'effaroucherait même d'une innocente ironie.

Les Allemands mettent très rarement en scène dans leurs comédies des ridicules tirés de leur propre pays; ils n'observent pas les autres, encore moins sont-ils capables de s'examiner eux-mêmes sous les rapports extérieurs; ils croiraient presque manquer ainsi à la loyauté qu'ils se doivent. D'ailleurs la susceptibilité, qui est un des traits distinctifs de leur nature, rend très difficile de manier avec légèreté la plaisanterie; souvent ils ne l'entendent pas, et quand ils l'entendent ils s'en fâchent et n'osent pas s'en servir à leur tour : elle est pour eux une arme à feu qu'ils craignent de voir éclater dans leurs propres mains.

On n'a donc pas beaucoup d'exemples en Allemagne de comédies dont les ridicules que la société développe soient l'objet. L'originalité naturelle y serait mieux sentie, car chacun vit à sa manière dans un pays où le despotisme de l'usage ne tient pas ses assises dans une grande capitale; mais quoique l'on soit plus libre sous le rapport de l'opinion en Allemagne qu'en Angleterre même, l'originalité anglaise a des couleurs plus vives, parce que le mouvement qui existe dans l'état politique en Angleterre donne plus d'occasion à chaque homme de se montrer ce qu'il est.

Dans le Midi de l'Allemagne, à Vienne surtout, on trouve assez de verve de gaieté dans les farces. Le bouffon tyrolien Casperle a un caractère qui lui est propre, et dans toutes ces pièces dont le comique est un peu vulgaire, les auteurs et les acteurs prennent leur parti de ne prétendre en aucune manière à l'élégance, et s'établissent dans le naturel avec une énergie et un aplomb qui déjouent très bien les grâces recherchées. Les Allemands préfèrent dans la gaieté ce qui est fort à ce qui est nuancé; ils cherchent la vérité dans les tragédies, et les caricatures dans les comédies. Toutes les délicatesses du cœur leur sont connues; mais la finesse de l'esprit social n'excite point en eux la gaieté; la peine qu'il leur faut pour la saisir leur en ôte la jouissance.

J'aurai l'occasion de parler ailleurs d'Iffland, le premier des acteurs de l'Allemagne, et l'un de ses écrivains les plus spirituels; il a composé plusieurs pièces qui excellent par la peinture des caractères; les mœurs domestiques y sont très bien représentées, et toujours des personnages d'un vrai comique rendent ces tableaux de famille plus piquants : néanmoins l'on pourrait faire quelquefois à ces comédies le reproche d'être trop raisonnables; elles remplissent trop bien le but de toutes les épigraphes des salles de spectacle : *Corriger les mœurs en riant*. Il y a trop souvent des jeunes gens endettés, des pères de famille qui se dérangent. Les leçons de morale ne sont pas du ressort de la comédie, et il y a même de l'inconvénient à les y faire entrer; car lorsqu'elles y ennuient, on peut prendre l'habitude de transporter dans la vie réelle cette impression causée par les beaux-arts.

Kotzebue a emprunté d'un poète danois, Holberg, une comédie qui a eu beaucoup de succès en Allemagne; elle est intitulée *Don Ranudo Colibrados;* c'est un gentilhomme ruiné qui tâche de se faire passer pour riche, et consacre à des choses d'apparat le peu d'argent qui suffirait à peine pour nourrir sa famille et lui. Le sujet de cette pièce sert de pendant et de contraste au Bourgeois de Molière, qui veut se faire passer pour gentilhomme : il y a des scènes très spirituelles dans le Noble pauvre, et même très comiques, mais d'un comique barbare. Le ridicule saisi par Molière n'est que gai, mais au fond de celui que le poète danois représente il y a un malheur réel; sans doute il faut presque toujours une grande intrépidité d'esprit pour prendre la vie humaine en plaisanterie, et la force comique suppose un caractère au moins insouciant; mais on aurait tort de pousser cette force jusqu'à braver la pitié; l'art même en souffrirait, sans parler de la délicatesse; car la plus légère impression d'amertume suffit pour ternir ce qu'il y a de poétique dans l'abandon de la gaieté.

Dans les comédies dont Kotzebue est l'inventeur il porte en général le même talent que dans ses drames, la connaissance du théâtre et l'imagination qui fait trouver des situations frappantes. Depuis quelque temps on a prétendu que pleurer ni rire ne prouvent rien en faveur d'une tragédie, ou d'une comédie; je suis loin d'être de cet avis : le besoin des émotions vives est la source des plus grands plaisirs causés par les beaux-arts, il ne faut pas en conclure qu'on doive changer les tragédies en mélodrames, ni les comédies en farces des boulevards; mais le véritable talent consiste à composer de manière qu'il y ait dans le même ouvrage, dans la même scène, ce qui fait pleurer ou rire même le peuple, et ce qui fournit aux penseurs un sujet inépuisable de réflexions.

La parodie, proprement dite, ne peut guère avoir lieu sur le théâtre des Allemands; leurs tragédies, offrant presque toujours le mélange des personnages héroïques et des personnages subalternes, prêtent beaucoup moins à ce genre. La majesté pompeuse du théâtre français peut seule rendre piquant le contraste des parodies. On remarque dans Shakespeare, et quelquefois aussi dans les écrivains allemands, une façon hardie et singulière de montrer dans la tragédie même le côté ridicule de la vie humaine; et lorsqu'on sait opposer à cette impression la puissance du pathétique, l'effet total de la pièce en devient plus grand. La scène française est la seule où les limites des deux genres, du comique et du tragique, soient fortement prononcées; partout ailleurs le talent comme le sort se sert de la gaieté pour acérer la douleur.

J'ai vu à Weimar des pièces de Térence exactement traduites en allemand, et jouées avec des masques à peu près semblables à ceux des Anciens; ces masques ne couvrent pas le visage entier, mais seulement substituent un trait plus comique ou plus régulier aux véritables traits de l'acteur, et donnent à sa figure une expression analogue à celle du personnage qu'il doit représenter. La physionomie d'un grand acteur vaut mieux que tout cela, mais les acteurs médiocres y gagnent. Les Allemands cherchent à s'approprier les inventions anciennes et modernes de chaque pays; néanmoins il n'y a de vraiment national chez eux, en fait de comédie, que la bouffonnerie populaire, et les pièces où le merveilleux fournit à la plaisanterie.

On peut citer à cette occasion un opéra que l'on donne sur tous les théâtres, d'un bout de l'Allemagne à l'autre, et qu'on appelle *La Nymphe du Danube*, ou *La Nymphe de la Sprée*, selon que la pièce se joue à Vienne où à Berlin. Un chevalier s'est fait aimer d'une fée, et les circonstances l'ont séparé d'elle; il se marie longtemps après, et choisit pour femme une excellente personne, mais qui n'a rien de séduisant ni dans l'imagination ni dans l'esprit : le chevalier s'accommode assez bien de cette situation, et elle lui paraît d'autant plus naturelle qu'elle est commune; car peu de gens savent que c'est la supériorité de l'âme et de l'esprit qui rapproche le plus intimement de la nature. La fée ne peut oublier le chevalier, et le poursuit par les merveilles de son art; chaque fois qu'il commence à s'établir dans son ménage, elle attire son attention par des prodiges, et réveille ainsi le souvenir de leur affection passée.

Si le chevalier s'approche d'une rivière, il entend les flots murmurer les romances que la fée lui chantait; s'il invite des convives à sa table, des génies ailés viennent s'y placer, et font singulièrement peur à la prosaïque société de sa femme. Partout des fleurs, des danses et des concerts viennent troubler comme des fantômes la vie de l'infidèle amant; et d'autre part des esprits malins s'amusent à tourmenter son valet qui, dans son genre aussi, voudrait bien ne plus entendre parler de poésie : enfin la fée se réconcilie avec le chevalier, à condition qu'il passera tous les ans trois jours avec elle, et sa femme consent volontiers à ce que son époux aille puiser dans l'entretien de la fée l'enthousiasme qui sert si bien à mieux aimer ce qu'on aime. Le sujet de cette pièce semble plus ingénieux que populaire; mais les scènes merveilleuses y sont mêlées et variées avec tant d'art, qu'elle amuse également toutes les classes de spectateurs.

La nouvelle école littéraire, en Allemagne, a un système sur la comédie comme sur tout le reste; la peinture des mœurs ne suffit pas pour l'intéresser, elle veut de l'imagination dans la conception des pièces et dans l'invention des personnages; le merveilleux, l'allégorie, l'histoire, rien ne lui paraît de trop pour diversifier les situations comiques. Les écrivains de cette école ont donné le nom de *comique arbitraire* à ce libre essor de toutes les pensées, sans frein et sans but déterminé. Ils s'appuient à cet égard de l'exemple d'Aristophane, non assurément qu'ils approuvent la licence de ses pièces, mais ils sont frappés de la verve de gaieté qui s'y fait sentir, et ils voudraient introduire chez les modernes cette comédie audacieuse qui se joue de l'univers, au lieu de s'en tenir aux ridicules de telle ou telle classe de la société. Les efforts de la nouvelle école tendent, en général, à donner plus de force et d'indépendance à l'esprit dans tous les genres, et les succès qu'ils obtiendraient à cet égard seraient une conquête, et pour la littérature, et plus encore pour l'énergie même du caractère allemand; mais il est toujours difficile d'influer par des idées générales sur les productions spontanées de l'imagination, et de plus, une comédie démagogique comme celle des Grecs ne pourrait pas convenir à l'état actuel de la société européenne.

Aristophane vivait sous un gouvernement tellement républicain que l'on y communiquait tout au peuple, et que les affaires d'Etat passaient facilement de la place publique au théâtre. Il vivait dans un pays où les spéculations philosophiques étaient presque aussi familières à tous les hommes que les chefs-d'œuvre de l'art, parce que les écoles se tenaient en plein air, et que les idées les plus abstraites étaient revêtues de couleurs brillantes que leur prêtaient la nature et le ciel; mais comment recréer toute cette sève de vie sous nos frimas et dans nos maisons ? La civilisation moderne a multiplié les observations sur le cœur humain : l'homme connaît mieux l'homme, et l'âme, pour ainsi dire disséminée, offre à l'écrivain mille nuances nouvelles. La comédie saisit ces nuances, et quand elle peut les faire ressortir par des situations dramatiques, le spectateur est ravi de retrouver au théâtre des caractères tels qu'il en peut rencontrer dans le monde; mais l'introduction du peuple dans la comédie, des chœurs dans la tragédie, des personnages allégoriques, des sectes philosophiques, enfin de tout ce qui présente les hommes en masse, et d'une manière abstraite, ne saurait plaire aux spectateurs de nos jours. Il leur faut des noms et des individus; ils cherchent l'intérêt romanesque même dans la comédie et la société sur la scène.

Parmi les écrivains de la nouvelle école, Tieck est celui qui a le plus le sentiment de la plaisanterie; ce n'est pas qu'il ait fait aucune comédie qui puisse se jouer, et que celles qu'il a écrites soient bien ordonnées, mais on y voit des traces brillantes d'une gaieté très originale. D'abord il saisit d'une façon qui rappelle La Fontaine les plaisanteries auxquelles les animaux peuvent donner lieu. Il a fait une comédie intitulée *le Chat botté*, qui est admirable en ce genre. Je ne sais quel effet produiraient sur la scène des animaux parlants, peut-être est-il plus amusant de se les figurer que de les voir; mais toutefois ces animaux personnifiés, et agissant à la manière des hommes, semblent la vraie comédie donnée par la nature. Tous les rôles comiques, c'est-à-dire égoïstes et sensuels, tiennent toujours en quelque chose de l'animal. Peu importe donc si dans la comédie c'est l'animal qui imite l'homme, ou l'homme qui imite l'animal.

Tieck intéresse aussi par la direction qu'il sait donner

à son talent de moquerie : il le tourne tout entier contre l'esprit calculateur et prosaïque; et comme la plupart des plaisanteries de société ont pour but de jeter du ridicule sur l'enthousiasme, on aime l'auteur qui ose prendre corps à corps la prudence, l'égoïsme, toutes ces choses prétendues raisonnables derrière lesquelles les gens médiocres se croient en sûreté pour lancer des traits contre les caractères ou les talents supérieurs. Ils s'appuient sur ce qu'ils appellent une juste mesure pour blâmer tout ce qui se distingue; et tandis que l'élégance consiste dans l'abondance superflue des objets de luxe extérieur, on dirait que cette même élégance interdit le luxe dans l'esprit, l'exaltation dans les sentiments, enfin tout ce qui ne sert pas immédiatement à faire prospérer les affaires de ce monde. L'égoïsme moderne a l'art de louer toujours, dans chaque chose, la réserve et la modération, afin de se masquer en sagesse, et ce n'est qu'à la longue qu'on s'est aperçu que de telles opinions pourraient bien anéantir le génie des beaux-arts, la générosité, l'amour et la religion : que resterait-il après qui valût la peine de vivre ?

Deux comédies de Tieck, *Octavien* et *le Prince Zerbin*, sont l'une et l'autre ingénieusement combinées. Un fils de l'empereur Octavien (personnage imaginaire, qu'un conte de fées place sous le règne du roi Dagobert) est égaré, encore au berceau, dans une forêt. Un bourgeois de Paris le trouve, l'élève avec son propre fils, et se fait passer pour son père. A vingt ans, les inclinations héroïques du jeune prince le trahissent dans chaque circonstance, et rien n'est plus piquant que le contraste de son caractère et de celui de son prétendu frère, dont le sang ne contredit point l'éducation qu'il a reçue. Les efforts du sage bourgeois pour mettre dans la tête de son fils adoptif quelques leçons d'économie domestique sont tout à fait inutiles : il l'envoie au marché pour acheter des bœufs dont il a besoin; le jeune homme, en revenant, voit dans la main d'un chasseur un faucon; et, ravi de sa beauté, il donne les bœufs pour le faucon, et revient tout fier d'avoir acquis, à ce prix, un tel oiseau. Une autre fois il rencontre un cheval dont l'air martial le transporte : il veut savoir ce qu'il coûte, on le lui dit, et s'indignant de ce qu'on demande si peu de chose pour un si bel animal, il en paie deux fois la valeur.

Le prétendu père résiste longtemps aux dispositions naturelles du jeune homme, qui s'élance avec ardeur vers le danger et la gloire; mais lorsque, enfin, on ne peut plus l'empêcher de prendre les armes contre les Sarrasins qui assiègent Paris, et que de toutes parts on vante ses exploits, le vieux bourgeois, à son tour, est saisi par une sorte de contagion poétique; et rien n'est plus plaisant que le bizarre mélange de ce qu'il était et de ce qu'il veut être, de son langage vulgaire et des images gigantesques dont il remplit ses discours. A la fin le jeune homme est reconnu pour le fils de l'empereur, et chacun reprend le rang qui convient à son caractère. Ce sujet fournit une foule de scènes pleines d'esprit et de vrai comique; et l'opposition entre la vie commune et les sentiments chevaleresques ne saurait être mieux représentée.

Le Prince Zerbin est une peinture très spirituelle de l'étonnement de toute une cour, quand elle voit dans son souverain du penchant à l'enthousiasme, au dévouement, à toutes les nobles imprudences d'un caractère généreux. Tous les vieux courtisans soupçonnent leur prince de folie, et lui conseillent de voyager, pour qu'il apprenne comment les choses vont partout ailleurs. On donne à ce prince un gouverneur très raisonnable qui doit le ramener au positif de la vie. Il se promène avec son élève dans une belle forêt un jour d'été, lorsque les oiseaux se font entendre, que le vent agite les feuilles, et que la nature animée semble adresser de toutes parts à l'homme un langage prophétique. Le gouverneur ne trouve dans ces sensations vagues et multipliées que de la confusion et du bruit, et lorsqu'il revient dans le palais, il se réjouit de voir les arbres transformés en meubles, toutes les productions de la nature asservies à l'utilité, et la régularité factice mise à la place du mouvement tumultueux de l'existence. Les courtisans se rassurent toutefois, quand, au retour de ses voyages, le prince Zerbin, éclairé par l'expérience, promet de ne plus s'occuper des beaux-arts, de la poésie, des sentiments exaltés, de rien enfin qui ne tende à faire triompher l'égoïsme sur l'enthousiasme.

Ce que les hommes craignent le plus, pour la plupart, c'est de passer pour dupes, et il leur paraît beaucoup moins ridicule de se montrer occupés d'eux-mêmes en toute circonstance, qu'attrapés dans une seule. Il y a donc de l'esprit, et un bel emploi de l'esprit, à tourner sans cesse en plaisanterie tout ce qui est calcul personnel; car il en restera toujours bien assez pour faire aller le monde, tandis que jusqu'au souvenir même d'une nature vraiment élevée pourrait bien, un de ces jours, disparaître tout à fait.

On trouve dans les comédies de Tieck une gaieté qui naît des caractères, et ne consiste point en épigrammes spirituelles; une gaieté dans laquelle l'imagination est inséparable de la plaisanterie; mais quelquefois aussi cette imagination même fait disparaître le comique, et ramène la poésie lyrique dans les scènes où l'on ne voudrait trouver que des ridicules mis en action. Rien n'est si difficile aux Allemands que de ne pas se livrer dans tous leurs ouvrages au vague de la rêverie; et cependant la comédie et le théâtre en général n'y sont guère propres, car de toutes les impressions, la plus solitaire, c'est précisément la rêverie; à peine peut-on communiquer ce qu'elle inspire à l'ami le plus intime : comment serait-il donc possible d'y associer la multitude rassemblée ?

Parmi ces pièces allégoriques il faut compter *le Triomphe de la sentimentalité*, une petite comédie de Gœthe, dans laquelle il a saisi très ingénieusement le double ridicule d'enthousiasme affecté et de la nullité réelle. Le principal personnage de cette pièce paraît engoué de toutes les idées qui supposent une imagination forte et une âme profonde, et cependant il n'est dans le vrai qu'un prince très bien élevé, très poli et très soumis aux convenances; il s'est avisé de vouloir mêler à tout cela une sensibilité de commande dont l'affectation se trahit sans cesse. Il croit aimer les sombres forêts, le clair de lune, les nuits étoilées; mais comme il craint le froid et la fatigue, il a fait faire des décorations qui représentent ces divers objets, et ne voyage jamais que suivi d'un grand chariot qui transporte en poste derrière lui les beautés de la nature.

Ce prince sentimental se croit aussi amoureux d'une femme dont on lui a vanté l'esprit et les talents; cette femme, pour l'éprouver, met à sa place un mannequin voilé qui, comme on le pense bien, ne dit jamais rien d'inconvenable, et dont le silence passe tout à la fois pour la réserve du bon goût et la rêverie mélancolique d'une âme tendre.

Le prince, enchanté de cette compagne selon ses désirs, demande le mannequin en mariage, et ne découvre qu'à la fin qu'il est assez malheureux pour avoir choisi une véritable poupée pour épouse, tandis que sa cour lui offrait un si grand nombre de femmes qui en auraient réuni les principaux avantages.

L'on ne saurait le nier cependant, ces idées ingénieuses ne suffisent pas pour faire une bonne comédie, et les Français ont, comme auteurs comiques, l'avantage sur toutes les autres nations. La connaissance des hommes et l'art d'user de cette connaissance leur assurent, à cet égard, le premier rang; mais peut-être pourrait-on souhaiter quelquefois, même dans les meilleures pièces de Molière, que la satire raisonnée tînt moins de place et que l'imagination y eût plus de part. *Le Festin de Pierre* est parmi ses comédies celle qui se rapproche le plus du système allemand; un prodige qui fait frissonner sert de mobile aux situations les plus comiques, et les plus grands effets de l'imagination se mêlent aux nuances les plus piquantes de la plaisanterie. Ce sujet aussi spirituel que poétique est pris des Espagnols. Les conceptions hardies sont très rares en France; l'on y aime, en littérature, à travailler en sûreté; mais quand des circonstances heureuses ont encouragé à se risquer, le goût y conduit l'audace avec une adresse merveilleuse, et ce sera presque toujours un chef-d'œuvre qu'une invention étrangère arrangée par un Français.

CHAPITRE XXVII

DE LA DÉCLAMATION

L'art de la déclamation ne laissant après lui que des souvenirs, et ne pouvant élever aucun monument durable, il en est résulté que l'on n'a pas beaucoup réfléchi sur tout ce qui le compose. Rien n'est si facile que d'exercer cet art médiocrement, mais ce n'est pas à tort que dans sa perfection il excite tant d'enthousiasme, et loin de déprécier cette impression comme un mouvement passager, je crois qu'on peut lui assigner de justes causes. Rarement on parvient, dans la vie, à pénétrer les sentiments secrets des hommes : l'affectation et la fausseté, la froideur et la modestie, exagèrent, altèrent, contiennent ou voilent ce qui se passe au fond du cœur. Un grand acteur met en évidence les symptômes de la vérité dans les sentiments et dans les caractères, et nous montre les signes certains des penchants et des émotions vraies.

Tant d'individus traversent l'existence sans se douter des passions et de leur force, que souvent le théâtre révèle l'homme à l'homme, et lui inspire une sainte terreur des orages de l'âme. En effet, quelles paroles pourraient les peindre comme un accent, un geste, un regard ! Les paroles en disent moins que l'accent, l'accent moins que la physionomie, et l'inexprimable est précisément ce qu'un sublime acteur nous fait connaître.

Les mêmes différences qui existent entre le système tragique des Allemands et celui des Français se retrouvent aussi dans leur manière de déclamer; les Allemands imitent le plus qu'ils peuvent la nature, ils n'ont d'affectation que celle de la simplicité; mais c'en est bien quelquefois une aussi dans les beaux-arts. Tantôt les acteurs allemands touchent profondément le cœur, et tantôt ils laissent le spectateur tout à fait froid; ils se confient alors à sa patience, et sont sûrs de ne pas se tromper. Les Anglais ont plus de majesté que les Allemands dans leur manière de réciter les vers, mais ils n'ont pas pourtant cette pompe habituelle que les Français, et surtout les tragédies françaises, exigent des acteurs; notre genre ne supporte pas la médiocrité, car on n'y revient au naturel que par la beauté même de l'art. Les acteurs du second ordre, en Allemagne, sont froids et calmes; ils manquent souvent l'effet tragique, mais ils ne sont presque jamais ridicules : cela se passe sur le théâtre allemand comme dans la société; il y a là des gens qui quelquefois vous ennuient, et voilà tout; tandis que sur la scène française on est impatienté quand on n'est pas ému : les sons ampoulés et faux dégoûtent tellement alors de la tragédie, qu'il n'y a pas de parodie, si vulgaire qu'elle soit, qu'on ne préfère à la fade impression du maniéré.

Les accessoires de l'art, les machines et les décorations doivent être plus soignés en Allemagne qu'en France, puisque dans les tragédies on y a plus souvent recours à ces moyens. Iffland a su réunir à Berlin tout ce que l'on peut désirer à cet égard ; mais à Vienne on néglige même les moyens nécessaires pour représenter matériellement bien une tragédie. La mémoire est infiniment plus cultivée par les acteurs français que par les acteurs allemands. Le souffleur, à Vienne, disait d'avance à la plupart des acteurs chaque mot de leur rôle; et je l'ai vu suivant de coulisse en coulisse Othello pour lui suggérer les vers qu'il devait prononcer au fond du théâtre en poignardant Desdémona.

Le spectacle de Weimar est infiniment mieux ordonné sous tous les rapports. Le prince, homme d'esprit, et l'homme de génie connaisseur des arts qui y président, ont su réunir le goût et l'élégance à la hardiesse qui permet de nouveaux essais.

Sur ce théâtre, comme sur tous les autres en Allemagne, les mêmes acteurs jouent les rôles comiques et tragiques. On dit que cette diversité s'oppose à ce qu'ils soient supérieurs dans aucun. Cependant les premiers génies du théâtre, Garrick et Talma, ont réuni les deux genres. La flexibilité d'organes, qui transmet également bien des impressions différentes, me semble le cachet du talent naturel, et dans la fiction comme dans le vrai, c'est peut-être à la même source que l'on puise la mélancolie et la gaieté. D'ailleurs, en Allemagne, le pathétique et la plaisanterie se succèdent et se mêlent si souvent ensemble dans les tragédies, qu'il faut bien que les acteurs possèdent le talent d'exprimer l'un et l'autre; et le meilleur acteur allemand, Iffland, en donne l'exemple avec un succès mérité. Je n'ai pas vu en Allemagne de bons acteurs du haut comique, des marquis, des fats, etc. Ce qui fait la grâce de ce genre de rôle, c'est ce que les Italiens appellent la *disinvoltura*, et ce qui se traduirait en français par l'air dégagé. L'habitude qu'ont les Allemands de mettre à tout de l'importance est précisément ce qui s'oppose le plus à cette facile légèreté. Mais il est impossible de porter plus loin l'originalité, la verve comique et l'art de peindre les caractères, que ne le fait Iffland dans ses rôles. Je ne crois pas que nous ayons jamais vu au théâtre français un talent plus varié ni plus inattendu que le sien, ni un acteur qui se risque à rendre les défauts et les ridicules naturels avec une expression aussi frappante. Il y a dans la comédie des modèles donnés, les pères avares, les fils libertins, les valets fripons, les tuteurs dupés; mais les rôles d'Iffland, tels qu'il les conçoit, ne peuvent entrer dans aucun de ces moules : il faut les nommer tous par leur nom; car ce sont des individus qui diffèrent singulièrement l'un de l'autre, et dans lesquels Iffland paraît vivre comme chez lui.

Sa manière de jouer la tragédie est aussi, selon moi, d'un grand effet. Le calme et la simplicité de sa déclamation dans le beau rôle de Walstein ne peuvent s'effacer du souvenir. L'impression qu'il produit est graduelle : on croit d'abord que son apparente froideur ne pourra jamais remuer l'âme; mais en avançant l'émotion s'accroît avec une progression toujours plus rapide, et le moindre mot exerce un grand pouvoir quand il règne dans le ton général une noble tranquillité qui fait ressortir chaque nuance, et conserve toujours la couleur du caractère au milieu des passions.

Iffland, qui est aussi supérieur dans la théorie que dans la pratique de son art, a publié plusieurs écrits remarquablement spirituels sur la déclamation; il donne d'abord une esquisse des différentes époques de l'histoire du théâtre allemand, l'imitation raide et empesée de la scène française, la sensibilité larmoyante des drames dont le naturel prosaïque avait fait oublier jusqu'au talent de dire des vers, enfin le retour à la poésie et à l'imagination qui constitue maintenant le goût universel en Allemagne. Il n'y a pas un accent, pas un geste dont Iffland ne sache trouver la cause en philosophe et en artiste.

Un personnage de ses pièces lui fournit les observations les plus fines sur le jeu comique; c'est un homme âgé qui tout à coup abandonne ses anciens sentiments et ses constantes habitudes, pour revêtir le costume et les opinions de la génération nouvelle. Le caractère de cet homme n'a rien de méchant, et cependant la vanité l'égare autant que s'il était vraiment pervers. Il a laissé faire à sa fille un mariage raisonnable, mais obscur, et tout à coup il lui conseille de divorcer. Une badine à la main, souriant gracieusement, se balançant sur un pied et sur l'autre, il propose à son enfant de briser les liens les plus sacrés : mais ce qu'on aperçoit de vieillesse à travers une élégance forcée, ce qu'il y a d'embarrassé dans son apparente insouciance est saisi par Iffland avec une admirable sagacité.

A propos de Franz Moor, frère du chef des brigands de Schiller, Iffland examine de quelle manière les rôles de scélérats doivent être joués. « Il faut, dit-il, que l'acteur s'attache à faire sentir par quels motifs le personnage est devenu ce qu'il est, quelles circonstances ont dépravé son âme, enfin l'acteur doit être comme le défenseur officieux du caractère qu'il représente. » En effet, il ne peut y avoir de vérité, même dans la scélératesse, que par les nuances qui font sentir que l'homme ne devient jamais méchant que par degrés.

Iffland rappelle aussi la sensation prodigieuse que produisait, dans la pièce d'Emilia Galotti, Eckhoff, un ancien acteur allemand très célèbre. Lorsque Odoard apprend par la maîtresse du prince que l'honneur de sa fille est menacé, il veut taire à cette femme, qu'il n'estime pas, l'indignation et la douleur qu'elle excite dans son âme, et ses mains à son insu arrachaient les plumes qu'il portait à son chapeau, avec un mouvement convulsif dont l'effet était terrible. Les acteurs qui succédèrent à Eckhoff avaient soin d'arracher comme lui les plumes du chapeau; mais elles tombaient à terre sans que personne y fît attention; car une émotion véritable ne donnait pas aux moindres actions cette vérité sublime qui ébranle l'âme des spectateurs.

La théorie d'Iffland sur les gestes est très ingénieuse. Il se moque de ces bras en moulin à vent qui ne peuvent servir qu'à déclamer des sentences de morale, et croit que d'ordinaire les gestes en petit nombre et rapprochés du corps indiquent mieux les impressions vraies; mais, dans ce genre comme dans beaucoup d'autres, il y a deux parties très distinctes dans le talent, celle qui tient à l'enthousiasme poétique et celle qui naît de l'esprit observateur; selon la nature des pièces ou des rôles, l'une ou l'autre doit dominer. Les gestes que la grâce et le sentiment du beau inspirent ne sont pas ceux qui caractérisent tel ou tel personnage. La poésie exprime la perfection en général plutôt qu'une manière d'être ou de sentir particulière. L'art de l'acteur tragique consiste donc à présenter dans ses attitudes l'image de la beauté poétique, sans négliger cependant ce qui distingue les différents caractères : c'est toujours dans l'union de l'idéal avec la nature que consiste tout le domaine des arts.

Lorsque je vis la pièce du *Vingt-quatre Février* jouée par deux poètes célèbres, A. W. Schlegel et Werner, je fus singulièrement frappée de leur genre de déclamation. Ils préparaient les effets longtemps d'avance, et l'on voyait qu'ils auraient été fâchés d'être applaudis dès les premiers vers. Toujours l'ensemble était présent à leur pensée, et le succès de détail, qui aurait pu y nuire, ne leur eût paru qu'une faute. Schlegel me fit découvrir, par sa manière de jouer dans la pièce de Werner, tout l'intérêt d'un rôle que j'avais à peine remarqué à la lecture. C'était l'innocence d'un homme coupable, le malheur d'un honnête homme qui a commis un crime à l'âge de sept ans, lorsqu'il ne savait pas encore ce que c'était que le crime, et qui, bien qu'il soit en paix avec sa conscience, n'a pu dissiper le trouble de son imagination. Je jugeai l'homme qui était représenté devant moi, comme on pénètre un caractère dans la vie d'après des mouvements, des regards, des accents qui le trahissent à son insu. En France, la plupart de nos acteurs n'ont jamais l'air d'ignorer ce qu'ils font; au contraire, il y a quelque chose d'étudié dans tous les moyens qu'ils emploient, et l'on en prévoit d'avance l'effet.

Schroeder, dont tous les Allemands parlent comme d'un acteur admirable, ne pouvait supporter qu'on dît qu'il avait bien joué tel ou tel moment, ou bien déclamé tel ou tel vers. — Ai-je bien joué le rôle ? demandait-il, ai-je été le personnage ? — Et en effet son talent semblait changer de nature chaque fois qu'il changeait de rôle. L'on n'oserait pas en France réciter, comme il le faisait souvent, la tragédie du ton habituel de la conversation. Il y a une couleur générale, un accent convenu qui est de rigueur dans les vers alexandrins, et les mouvements les plus passionnés reposent sur ce piédestal, qui est comme la donnée nécessaire de l'art. Les acteurs français d'ordinaire visent à l'applaudissement, et le méritent presque pour chaque vers; les acteurs allemands y prétendent à la fin de la pièce, et ne l'obtiennent guère qu'alors.

La diversité des scènes et des situations qui se trouvent dans les pièces allemandes donne lieu nécessairement à beaucoup plus de variété dans le talent des acteurs. Le jeu muet compte pour davantage, et la patience des spectateurs permet une foule de détails qui rendent le pathétique plus naturel. L'art d'un acteur en France consiste presque en entier dans la déclamation; en Allemagne il y a beaucoup plus d'accessoires à cet art principal, et souvent la parole est à peine nécessaire pour attendrir.

Lorsque Schroeder, jouant le roi Lear, traduit en allemand, était apporté endormi sur la scène, on dit que ce sommeil du malheur et de la vieillesse arrachait des larmes avant qu'il se fût réveillé, avant même que ses plaintes eussent appris ses douleurs; et quand il portait dans ses bras le corps de sa jeune fille Cornélie, tuée parce qu'elle n'a pas voulu l'abandonner, rien n'était beau comme la force que lui donnait le désespoir. Un dernier doute le soutenait, il essayait si Cornélie respirait encore : lui, si vieux, ne pouvait se persuader qu'un être si jeune avait pu mourir. Une douleur passionnée dans un vieillard à demi détruit produisait l'émotion la plus déchirante.

Ce qu'on peut reprocher avec raison aux acteurs allemands en général, c'est de mettre rarement en pratique la connaissance des arts du dessin, si généralement répandue dans leur pays : leurs attitudes ne sont pas belles; l'excès de leur simplicité dégénère souvent en gaucherie, et presque jamais ils n'égalent les acteurs français dans la noblesse et l'élégance de la démarche et des mouvements. Néanmoins depuis quelque temps les actrices allemandes ont étudié l'art des attitudes, et se perfectionnent dans cette sorte de grâce si nécessaire au théâtre. On n'applaudit au spectacle, en Allemagne, qu'à la fin des actes, et très rarement on interrompt l'acteur pour lui témoigner l'admiration qu'il inspire. Les Allemands regardent comme une espèce de barbarie de troubler, par des signes tumultueux d'approbation, l'attendrissement dont ils aiment à se pénétrer en silence. Mais c'est une difficulté de plus pour leurs acteurs; car il faut une terrible force de talent pour se passer, en déclamant, de l'encouragement donné par le public. Dans un art tout d'émotion, les hommes rassemblés font éprouver une électricité toute-puissante à laquelle rien ne peut suppléer.

Une grande habitude de la pratique de l'art peut faire qu'un bon acteur, en répétant une pièce, repasse par les mêmes traces et se serve des mêmes moyens sans que les spectateurs l'animent de nouveau; mais l'inspiration première est presque toujours venue d'eux. Un contraste singulier mérite d'être remarqué. Dans les beaux-arts, dont la création est solitaire et réfléchie, on perd tout naturel lorsqu'on pense au public, et l'amour-propre seul y fait songer. Dans les beaux-arts improvisés, dans la déclamation surtout, le bruit des applaudissements agit sur l'âme comme le son de la musique militaire. Ce bruit enivrant fait couler le sang plus vite, ce n'est pas la froide vanité qu'il satisfait.

Quand il paraît un homme de génie en France, dans quelque carrière que ce soit, il atteint presque toujours à un degré de perfection sans exemple; car il réunit l'audace qui fait sortir de la route commune, au tact du bon goût qu'il importe tant de conserver lorsque l'originalité du talent n'en souffre pas. Il me semble donc que Talma peut être cité comme un modèle de hardiesse et de mesure, de naturel et de dignité. Il possède tous les secrets des arts divers; ses attitudes rappellent les belles statues de l'antiquité; son vêtement, sans qu'il y pense, est drapé dans tous ses mouvements comme s'il avait eu le temps de l'arranger dans le plus parfait repos. L'expression de son visage, celle de son regard, doit être l'étude de tous les peintres. Quelquefois il arrive les yeux à demi ouverts, et tout à coup le sentiment en fait jaillir des rayons de lumière qui semblent éclairer toute la scène.

Le son de sa voix ébranle dès qu'il parle, avant que le sens même des paroles qu'il prononce ait excité l'émotion. Lorsque dans les tragédies il s'est trouvé par hasard quelques vers descriptifs, il a fait sentir les beautés de ce genre de poésie, comme si Pindare avait récité lui-même ses chants. D'autres ont besoin de temps pour émouvoir, et font bien d'en prendre; mais il y a dans la voix de cet homme je ne sais quelle magie qui, dès les premiers accents, réveille toute la sympathie du cœur. Le charme de la musique, de la peinture, de la sculpture, de la poésie, et par-dessus tout du langage de l'âme, voilà ses moyens pour développer dans celui qui l'écoute toute la puissance des passions généreuses ou terribles.

Quelle connaissance du cœur humain il montre dans sa manière de concevoir ses rôles! il en est une seconde fois l'auteur par ses accents et par sa physionomie. Lorsque Œdipe raconte à Jocaste comment il a tué Laïus, sans le connaître, son récit commence ainsi : *J'étais jeune et superbe.* La plupart des acteurs, avant lui, croyaient devoir jouer le mot *superbe,* et relevaient la tête pour le signaler : Talma, qui sent que tous les souvenirs de l'orgueilleux Œdipe commencent à devenir pour lui des remords, prononce d'une voix timide ces mots faits pour rappeler une confiance qu'il n'a déjà plus. Phorbas arrive de Corinthe au moment où Œdipe vient de concevoir des craintes sur sa naissance : il lui demande un entretien secret. Les autres acteurs, avant Talma, se hâtaient de se retourner vers leur suite et de l'éloigner avec un geste majestueux : Talma reste les yeux fixés sur Phorbas; il ne peut le perdre de vue, et sa main agitée fait un signe pour écarter ce qui l'entoure. Il n'a rien dit encore, mais ses mouvements égarés trahissent le trouble de son âme; et, quand au dernier acte il s'écrie en quittant Jocaste,

Oui, Laïus est mon père, et je suis votre fils,

on croit voir s'entrouvrir le séjour du Ténare, où le destin perfide entraîne les mortels.

Dans *Andromaque*, quand Hermione insensée accuse Oreste d'avoir assassiné Pyrrhus sans son aveu, Oreste répond :

Et ne m'avez-vous pas
Vous-même ici tantôt ordonné son trépas ?

on dit que Le Kain, quand il récitait ce vers, appuyait sur chaque mot, comme pour rappeler à Hermione toutes les circonstances de l'ordre qu'il avait reçu d'elle. Ce serait bien vis-à-vis d'un juge; mais quand il s'agit de la femme qu'on aime, le désespoir de la trouver injuste et cruelle est l'unique sentiment qui remplisse l'âme. C'est ainsi que Talma conçoit la situation : un cri s'échappe du cœur d'Oreste; il dit les premiers mots avec force, et ceux qui suivent avec un abattement toujours croissant : ses bras tombent, son visage devient en un instant pâle comme la mort, et l'émotion des spectateurs s'augmente à mesure qu'il semble perdre la force de s'exprimer.

La manière dont Talma récite le monologue suivant est sublime. L'espèce d'innocence qui rentre dans l'âme d'Oreste pour la déchirer lorsqu'il dit ces vers,

J'assassine à regret un roi que je révère,

inspire une pitié que le génie même de Racine n'a pu prévoir tout entière. Les grands acteurs se sont presque tous essayés dans les fureurs d'Oreste; mais c'est là surtout que la noblesse des gestes et des traits ajoute singulièrement à l'effet du désespoir. La puissance de la douleur est d'autant plus terrible qu'elle se montre à travers le calme même et la dignité d'une belle nature.

Dans les pièces tirées de l'histoire romaine Talma développe un talent d'un tout autre genre, mais non moins remarquable. On comprend mieux Tacite après l'avoir vu jouer le rôle de Néron; il y manifeste un esprit d'une grande sagacité; car c'est toujours avec de l'esprit qu'une âme honnête saisit les symptômes du crime; néanmoins il produit encore plus d'effet, ce me semble, dans les rôles où l'on aime à s'abandonner, en l'écoutant, aux sentiments qu'il exprime. Il a rendu à Bayard dans la pièce de du Bellay le service de lui ôter ces airs de fanfaron que les autres acteurs croyaient devoir lui donner : ce héros gascon est redevenu, grâce à Talma, aussi simple dans la tragédie que dans l'histoire. Son costume dans ce rôle, ses gestes simples et rapprochés, rappellent les statues des chevaliers qu'on voit dans les anciennes églises, et l'on s'étonne qu'un homme qui a si bien le sentiment de l'art antique sache aussi se transporter dans le caractère du Moyen Age.

Talma joue quelquefois le rôle de Pharan, dans une tragédie de Ducis, sur un sujet arabe, *Abuffar*. Une foule de vers ravissants répandent sur cette tragédie beaucoup de charme; les couleurs de l'Orient, la mélancolie rêveuse du Midi asiatique, la mélancolie des contrées où la chaleur consume la nature au lieu de l'embellir, se font admirablement sentir dans cet ouvrage. Le même Talma, Grec, Romain et chevalier, est un Arabe du désert, plein d'énergie et d'amour; ses regards sont voilés comme pour éviter l'ardeur des rayons du soleil; il y a dans ses gestes une alternative admirable d'indolence et d'impétuosité; tantôt le sort l'accable, tantôt il paraît plus puissant encore que la nature, et semble triompher d'elle; la passion qui le dévore, et dont une femme qu'il croit sa sœur est l'objet, est renfermée dans son sein; on dirait, à sa marche incertaine, que c'est lui-même qu'il veut fuir; ses yeux se détournent de ce qu'il aime, ses mains repoussent une image qu'il croit toujours voir à ses côtés; et, quand enfin il presse Saléma sur son cœur, en lui disant ce simple mot « *J'ai froid* », il sait exprimer tout à la fois le frisson de l'âme et la dévorante ardeur qu'il veut cacher.

On peut trouver beaucoup de défauts dans les pièces de Shakespeare adaptées par Ducis à notre théâtre; mais il serait bien injuste de n'y pas reconnaître des beautés du premier ordre; Ducis a son génie dans son cœur, et c'est là qu'il est bien. Talma joue ses pièces en ami du beau talent de ce noble vieillard. La scène des sorcières, dans *Macbeth*, est mise en récit dans la pièce française. Il faut voir Talma s'essayer à rendre quelque chose de vulgaire et de bizarre dans l'accent des sorcières, et conserver cependant dans cette imitation toute la dignité que notre théâtre exige.

Par des mots inconnus, ces êtres monstrueux
S'appelaient tour à tour, s'applaudissaient entre eux,
S'approchaient, me montraient avec un ris farouche :
Leur doigt mystérieux se posait sur leur bouche.
Je leur parle, et dans l'ombre ils s'échappent soudain,
L'un avec un poignard, l'autre un sceptre à la main ;
L'autre d'un long serpent serrait le corps livide :
Tous trois vers ce palais ont pris un vol rapide,
Et tous trois dans les airs, en fuyant loin de moi,
M'ont laissé pour adieu ces mots : Tu seras Roi.

La voix basse et mystérieuse de l'acteur en prononçant ces vers, la manière dont il plaçait son doigt sur sa bouche comme la statue du silence, son regard qui s'altérait pour exprimer un souvenir horrible et repoussant; tout était combiné pour peindre un merveilleux nouveau sur notre théâtre, et dont aucune tradition antérieure ne pouvait donner l'idée.

Othello n'a pas réussi dernièrement sur la scène française; il semble qu'Orosmane empêche qu'on ne comprenne bien *Othello*; mais quand c'est Talma qui joue cette pièce, le cinquième acte émeut comme si l'assassinat se passait sous nos yeux; j'ai vu Talma déclamer dans la chambre la dernière scène avec sa femme, dont la voix et la figure conviennent si bien à Desdémona; il lui suffisait de passer sa main sur ses cheveux et de froncer le sourcil pour être le Maure de Venise, et la terreur saisissait à deux pas de lui comme si toutes les illusions du théâtre l'avaient environné.

Hamlet est son triomphe parmi les tragédies du genre étranger; les spectateurs ne voient pas l'ombre du père d'Hamlet sur la scène française, l'apparition se passe en entier dans la physionomie de Talma, et certes elle n'en est pas moins effrayante. Quand, au milieu d'un entretien calme et mélancolique, tout à coup il aperçoit le spectre, on suit tous ses mouvements dans les yeux qui le contemplent, et l'on ne peut douter de la présence du fantôme quand un tel regard l'atteste.

Lorsque Hamlet arrive seul au troisième acte sur la scène, et qu'il dit en beaux vers français le fameux monologue *To be or not to be :*

> *La mort, c'est le sommeil, c'est un réveil peut-être,*
> *Peut-être. — Ah ! c'est le mot qui glace, épouvanté,*
> *L'homme, au bord du cercueil, par le doute arrêté ;*
> *Devant ce vaste abîme, il se jette en arrière,*
> *Ressaisit l'existence et s'attache à la terre.*

Talma ne faisait pas un geste, quelquefois seulement il remuait la tête pour questionner la terre et le ciel sur ce que c'est que la mort! Immobile, la dignité de la méditation absorbait tout son être. L'on voyait un homme, au milieu de deux mille hommes en silence, interroger la pensée sur le sort des mortels! dans peu d'années tout ce qui était là n'existera plus, mais d'autres hommes assisteront à leur tour aux mêmes incertitudes et se plongeront de même dans l'abîme sans en connaître la profondeur.

Lorsque Hamlet veut faire jurer à sa mère, sur l'urne qui renferme les cendres de son époux, qu'elle n'a point eu de part au crime qui l'a fait périr, elle hésite, se trouble, et finit par avouer le forfait dont elle est coupable. Alors Hamlet tire le poignard que son père lui commande d'enfoncer dans le sein maternel; mais au moment de frapper, la tendresse et la pitié l'emportent, et se retournant vers l'ombre de son père, il s'écrie : *Grâce, grâce, mon père!* avec un accent où toutes les émotions de la nature semblent à la fois s'échapper du cœur, et se jetant aux pieds de sa mère évanouie, il lui dit ces deux vers qui renferment une inépuisable pitié :

Votre crime est horrible, exécrable, odieux ;
Mais il n'est pas plus grand que la bonté des cieux.

Enfin on ne peut penser à Talma sans se rappeler *Manlius*. Cette pièce faisait peu d'effet au théâtre : c'est le sujet de la *Venise sauvée*, d'Otway, transporté dans un événement de l'histoire romaine. Manlius conspire contre le sénat de Rome, il confie son secret à Servilius qu'il aime depuis quinze ans : il le lui confie malgré les soupçons de ses autres amis qui se défient de la faiblesse de Servilius et de son amour pour sa femme, fille du consul. Ce que les conjurés ont craint arrive. Servilius ne peut cacher à sa femme le danger de la vie de son père; elle court aussitôt le lui révéler. Manlius est arrêté, ses projets sont découverts, et le sénat le condamne à être précipité du haut de la roche Tarpéienne.

Avant Talma l'on n'avait guère aperçu dans cette pièce faiblement écrite la passion d'amitié que Manlius ressent pour Servilius. Quand un billet du conjuré Rutile apprend que le secret est trahi et l'est par Servilius, Manlius arrive, ce billet à la main; il s'approche de son coupable ami que déjà le repentir dévore, et lui montrant les lignes qui l'accusent il prononce ces mots : *Qu'en dis-tu ?* Je le demande à tous ceux qui les ont entendus, la physionomie et le son de la voix peuvent-ils jamais exprimer à la fois plus d'impressions différentes; cette fureur qu'amollit un sentiment intérieur de pitié, cette indignation que l'amitié rend tour à tour plus vive et plus faible, comment les faire comprendre, si ce n'est par cet accent qui va de l'âme à l'âme sans l'intermédiaire même des paroles! Manlius tire son poignard pour en frapper Servilius, sa main cherche son cœur et tremble de le trouver : le souvenir de tant d'années pendant lesquelles Servilius lui fut cher élève comme un nuage de pleurs entre sa vengeance et son ami.

On a moins parlé du cinquième acte, et peut-être Talma y est-il plus admirable encore que dans le quatrième. Servilius a tout bravé pour expier sa faute et sauver Manlius. Dans le fond de son cœur il a résolu, si son ami périt, de partager son sort. La douleur de Manlius est adoucie par les regrets de Servilius; néanmoins il n'ose lui dire qu'il lui pardonne sa trahison effroyable; mais il prend à la dérobée la main de Servilius et l'approche de son cœur; ses mouvements involontaires cherchent l'ami coupable qu'il veut embrasser encore avant de le quitter pour jamais. Rien ou presque rien dans la pièce n'indiquait cette admirable beauté de l'âme sensible, respectant une longue affection malgré la trahison qui l'a brisée. Les rôles de Pierre et de Jaffier dans la pièce anglaise indiquent cette situation avec une grande force. Talma sait donner à la tragédie de Manlius l'énergie qui lui manque, et rien n'honore davantage son talent que la vérité avec laquelle il exprime ce qu'il y a d'invincible dans l'amitié. La passion peut haïr l'objet de son amour; mais quand le lien s'est formé par les rapports sacrés de l'âme, il semble que le crime même ne saurait l'anéantir et qu'on attend le remords comme après une longue absence on attendrait le retour.

En parlant avec quelque détail de Talma, je ne crois point m'être arrêtée sur un sujet étranger à mon ouvrage. Cet artiste donne autant qu'il est possible à la tragédie française ce qu'à tort ou à raison les Allemands lui reprochent de n'avoir pas, l'originalité et le naturel. Il sait caractériser les mœurs étrangères dans les diverses pièces qu'il représente, et nul acteur ne hasarde davantage de grands effets par des moyens simples. Il y a dans sa manière de déclamer Shakespeare et Racine artistement combinés. Pourquoi les écrivains dramatiques n'essaieraient-ils pas aussi de réunir dans leurs compositions ce que l'acteur a su si bien amalgamer par son jeu ?

CHAPITRE XXVIII

DES ROMANS

De toutes les fictions les romans étant la plus facile, il n'est point de carrière dans laquelle les écrivains des nations modernes se soient plus essayés. Le roman fait pour ainsi dire la transition entre la vie réelle et la vie imaginaire. L'histoire de chacun est, à quelques modifications près, un roman assez semblable à ceux qu'on imprime, et les souvenirs personnels tiennent souvent à cet égard lieu d'invention. On a voulu donner plus d'importance à ce genre en y mêlant la poésie, l'histoire et la philosophie; il me semble que c'est le dénaturer. Les réflexions morales et l'éloquence passionnée peuvent trouver place dans les romans; mais l'intérêt des situations doit être toujours le premier mobile de cette sorte d'écrits, et jamais rien ne peut en tenir lieu. Si l'effet théâtral est la condition indispensable de toute pièce représentée, il est également vrai qu'un roman ne serait ni un bon ouvrage, ni une fiction heureuse, s'il n'inspirait pas une curiosité vive; c'est en vain que l'on voudrait y suppléer par des digressions spirituelles, l'attente de l'amusement trompée causerait une fatigue insurmontable.

La foule des romans d'amour publiés en Allemagne a fait tourner un peu en plaisanterie les clairs de lune, les harpes qui retentissent le soir dans la vallée, enfin tous les moyens connus de bercer doucement l'âme; mais néanmoins il y a dans nous une disposition naturelle qui se plaît à ces faciles lectures, c'est au génie à s'emparer de cette disposition qu'on voudrait en vain combattre. Il est si beau d'aimer et d'être aimé, que cet hymne de la vie peut se moduler à l'infini, sans que le cœur en éprouve de lassitude; ainsi l'on revient avec joie au motif d'un chant embelli par des notes brillantes. Je ne dissimulerai pas cependant que les romans, même les plus purs, font du mal; ils nous ont trop appris ce qu'il y a de plus secret dans les sentiments. On ne peut plus rien éprouver sans se souvenir presque de l'avoir lu, et tous les voiles du cœur ont été déchirés. Les Anciens n'auraient jamais fait ainsi de leur âme un sujet de fiction; il leur restait un sanctuaire où même leur propre regard aurait craint de pénétrer; mais enfin le genre des romans admis, il y faut de l'intérêt, et c'est, comme le disait Cicéron de l'action dans l'orateur, la condition trois fois nécessaire.

Les Allemands comme les Anglais sont très féconds en romans qui peignent la vie domestique. La peinture des mœurs est plus élégante dans les romans anglais; elle a plus de diversité dans les romans allemands. Il y a en Angleterre, malgré l'indépendance des caractères, une manière d'être générale donnée par la bonne compagnie; en Allemagne rien à cet égard n'est convenu. Plusieurs de ces romans fondés sur nos sentiments et nos mœurs, et qui tiennent parmi les livres le rang des drames au théâtre, méritent d'être cités, mais ce qui est sans égal et sans pareil, c'est *Werther :* on voit là tout ce que le génie de Gœthe pouvait produire quand il était passionné. L'on dit qu'il attache maintenant peu de prix à cet ouvrage de sa jeunesse; l'effervescence d'imagination, qui lui inspira presque de l'enthousiasme pour le suicide, doit lui paraître maintenant blâmable. Quand on est très jeune, la dégradation de l'être n'ayant en rien commencé, le tombeau ne semble qu'une image poétique, qu'un sommeil environné de figures à genoux qui nous pleurent; il n'en est plus ainsi même dès le milieu de la vie, et l'on apprend alors pourquoi la religion, cette science de l'âme, a mêlé l'horreur du meurtre à l'attentat contre soi-même.

Gœthe néanmoins aurait grand tort de dédaigner l'admirable talent qui se manifeste dans *Werther;* ce ne sont pas seulement les souffrances de l'amour, mais les maladies de l'imagination dans notre siècle, dont il a su faire le tableau; ces pensées qui se pressent dans l'esprit sans qu'on puisse les changer en actes de la volonté; le contraste singulier d'une vie beaucoup plus monotone que celle des Anciens, et d'une existence intérieure beaucoup plus agitée, causent une sorte d'étourdissement semblable à celui qu'on prend sur le bord de l'abîme, et la fatigue même qu'on éprouve après l'avoir longtemps contemplé peut entraîner à s'y précipiter. Gœthe a su joindre à cette peinture des inquiétudes de l'âme, si philosophique dans ses résultats, une fiction simple, mais d'un intérêt prodigieux. Si l'on a cru nécessaire dans toutes les sciences de frapper les yeux par les signes extérieurs, n'est-il pas naturel d'intéresser le cœur pour y graver de grandes pensées ?

Les romans par lettres supposent toujours plus de sentiments que de faits; jamais les Anciens n'auraient imaginé de donner cette forme à leurs fictions; et ce n'est même que depuis deux siècles que la philosophie s'est assez introduite en nous-mêmes pour que l'analyse de ce qu'on éprouve tienne une si grande place dans les livres. Cette manière de concevoir les romans n'est pas aussi poétique, sans doute, que celle qui consiste tout entière dans les récits; mais l'esprit humain est maintenant bien moins avide des événements même les mieux combinés, que des observations sur ce qui se passe dans le cœur. Cette disposition tient aux grands changements intellectuels qui ont eu lieu dans l'homme; il tend toujours plus en général à se replier sur lui-même, et cherche la religion, l'amour et la pensée dans le plus intime de son être.

Plusieurs écrivains allemands ont composé des contes de revenants et de sorcières, et pensent qu'il y a plus de talent dans ces inventions que dans un roman fondé sur une circonstance de la vie commune : tout est bien si l'on est porté par des dispositions naturelles; mais en général il faut des vers pour les choses merveilleuses, la prose n'y suffit pas. Quand les fictions représentent des siècles et des pays très différents de ceux où nous vivons, il faut que le charme de la poésie supplée au plaisir que la ressemblance avec nous-mêmes nous ferait goûter. La poésie est le médiateur ailé qui transporte les temps passés et les nations étrangères dans une région sublime où l'admiration tient lieu de sympathie.

Les romans de chevalerie abondent en Allemagne mais on aurait dû les rattacher plus scrupuleusement aux traditions anciennes : à présent on recherche ces sources précieuses; et, dans un livre appelé *le Livre des Héros*, on a trouvé une foule d'aventures racontées avec force et naïveté; il importe de conserver la couleur de ce style et de ces mœurs anciennes, et de ne pas prolonger, par l'analyse des sentiments, les récits de ces temps où l'honneur et l'amour agissaient sur le cœur de l'homme, comme la fatalité chez les Anciens, sans qu'on réfléchît aux motifs des actions, ni que l'incertitude y fût admise.

Les romans philosophiques ont pris depuis quelque temps, en Allemagne, le pas sur tous les autres; ils ne ressemblent point à ceux des Français; ce n'est pas comme dans Voltaire une idée générale qu'on exprime par un fait en forme d'apologue, mais c'est un tableau de la vie humaine tout à fait impartial, un tableau dans lequel aucun intérêt passionné ne domine, des situations diverses se succèdent dans tous les rangs, dans tous les états, dans toutes les circonstances, et l'écrivain est là pour les raconter; c'est ainsi que Gœthe a conçu *Wilhelm Meister*, ouvrage très admiré en Allemagne mais ailleurs peu connu.

Wilhelm Meister est plein de discussions ingénieuses et spirituelles; on en ferait un ouvrage philosophique du premier ordre, s'il ne s'y mêlait pas une intrigue de roman, dont l'intérêt ne vaut pas ce qu'elle fait perdre, on y trouve des peintures très fines et très détaillées d'une certaine classe de la société, plus nombreuse en Allemagne que dans les autres pays; classe dans laquelle les artistes, les comédiens et les aventuriers se mêlent avec les bourgeois qui aiment la vie indépendante, et avec les grands seigneurs qui croient protéger les arts : chacun de ces tableaux pris à part est charmant; mais il n'y a d'autre intérêt dans l'ensemble de l'ouvrage que celui qu'on doit mettre à savoir l'opinion de Gœthe sur chaque sujet : le héros de son roman est un tiers importun, qu'il a mis, on ne sait pourquoi, entre son lecteur et lui.

Au milieu de ces personnages de *Wilhelm Meister*, plus spirituels que signifiants, et de ces situations plus naturelles que saillantes, un épisode charmant se retrouve dans plusieurs endroits de l'ouvrage, et réunit tout ce que la chaleur et l'originalité du talent de Gœthe peuvent faire éprouver de plus animé. Une jeune fille italienne est l'enfant de l'amour, et d'un amour criminel et terrible, qui a entraîné un homme consacré par serment au culte de la divinité; les deux époux, déjà si coupables, découvrent après leur hymen qu'ils étaient frère et sœur, et que l'inceste est pour eux la punition du parjure. La mère perd la raison, et le père parcourt le monde comme un malheureux errant qui ne veut d'asile nulle part. Le fruit infortuné de cet amour si funeste, sans appui dès sa naissance, est enlevé par des danseurs de corde; ils l'exercent jusqu'à l'âge de dix ans dans les misérables jeux dont ils tirent leur subsistance : les cruels traitements qu'on lui fait éprouver intéressent Wilhelm, et il prend à son service cette jeune fille sous l'habit de garçon qu'elle a porté depuis qu'elle est au monde.

Alors se développe dans cette créature extraordinaire un mélange singulier d'enfance et de profondeur, de sérieux et d'imagination; ardente comme les Italiennes, silencieuse et persévérante comme une personne réfléchie, la parole ne semble pas son langage. Le peu de mots qu'elle dit cependant est solennel, et répond à des sentiments bien plus forts que son âge, et dont elle-même n'a pas le secret. Elle s'attache à Wilhelm avec amour et respect; elle le sert comme un domestique fidèle, elle l'aime comme une femme passionnée : sa vie ayant toujours été malheureuse, on dirait qu'elle n'a point connu l'enfance, et que, souffrant dans l'âge auquel la nature n'a destiné que des jouissances, elle n'existe que pour une seule affection avec laquelle les battements de son cœur commencent et finissent.

Le personnage de Mignon (c'est le nom de la jeune fille) est mystérieux comme un rêve; elle exprime ses regrets pour l'Italie dans des vers ravissants que tout le monde sait par cœur en Allemagne : « Connais-tu cette terre où les citronniers fleurissent, etc. » Enfin la jalousie, cette impression trop forte pour de si jeunes organes, brise la pauvre enfant, qui sentit la douleur avant que l'âge lui donnât la force de lutter contre elle. Il faudrait, pour comprendre tout l'effet de cet admirable tableau, en rapporter chaque détail. On ne peut se représenter sans émotion les moindres mouvements de cette jeune fille; il y a je ne sais quelle simplicité magique en elle qui suppose des abîmes de pensées et de sentiments; l'on croit entendre gronder l'orage au fond de son âme, lors même que l'on ne saurait citer ni une parole ni une circonstance qui motive l'inquiétude inexprimable qu'elle fait éprouver.

Malgré ce bel épisode, on aperçoit dans *Wilhelm Meister* le système singulier qui s'est développé depuis quelque temps dans la nouvelle école allemande : les récits des Anciens, et même leurs poèmes, quelque animés qu'ils soient dans le fond, sont calmes par la forme;

et l'on s'est persuadé que les modernes feraient bien d'imiter la tranquillité des écrivains antiques : mais en fait d'imagination, ce qui n'est commandé que par la théorie ne réussit guère dans la pratique. S'il s'agit d'événements tels que ceux de *l'Iliade*, ils intéressent d'eux-mêmes, et moins le sentiment personnel de l'auteur s'aperçoit, plus le tableau fait impression; mais si l'on se met à peindre les situations romanesques avec le calme impartial d'Homère, le résultat n'en saurait être très attachant.

Gœthe vient de faire paraître un roman intitulé *les Affinités de choix*, qu'on peut accuser surtout, ce me semble, du défaut que je viens d'indiquer. Un ménage heureux s'est retiré à la campagne; les deux époux invitent, l'un son ami, l'autre sa nièce, à partager leur solitude; l'ami devient amoureux de la femme, et l'époux, de la jeune fille, nièce de sa femme. Il se livre à l'idée de recourir au divorce pour s'unir à ce qu'il aime; la jeune fille est prête à y consentir : des événements malheureux la ramènent au sentiment du devoir; mais quand elle reconnaît la nécessité de sacrifier son amour, elle en meurt de douleur, et celui qu'elle aime ne tarde pas à la suivre.

La traduction des *Affinités de choix* n'a point eu de succès en France, parce que l'ensemble de cette fiction n'a rien de caractérisé, et qu'on ne sait pas dans quel but elle a été conçue; ce n'est point un tort en Allemagne que cette incertitude : comme les événements de ce monde ne présentent souvent que des résultats indécis, l'on consent à trouver dans les romans qui les peignent les mêmes contradictions et les mêmes doutes. Il y a dans l'ouvrage de Gœthe une foule de pensées et d'observations fines; mais il est vrai que l'intérêt y languit souvent, et qu'on trouve presque autant de lacunes dans ce roman que dans la vie humaine telle qu'elle se passe ordinairement. Un roman cependant ne doit pas ressembler à des Mémoires particuliers; car tout intéresse dans ce qui a existé réellement, tandis qu'une fiction ne peut égaler l'effet de la vérité qu'en la surpassant, c'est-à-dire en ayant plus de force, plus d'ensemble et plus d'action qu'elle.

La description du jardin du baron et des embellissements qu'y fait la baronne absorbe plus du tiers du roman; et l'on a peine à partir de là pour être ému par une catastrophe tragique : la mort du héros et de l'héroïne ne semble plus qu'un accident fortuit, parce que le cœur n'est pas préparé longtemps d'avance à sentir et à partager la peine qu'ils éprouvent. Cet écrit offre un singulier mélange de l'existence commode et des sentiments orageux; une imagination pleine de grâce et de force s'approche des plus grands effets pour les délaisser tout à coup, comme s'il ne valait pas la peine de les produire; et l'on dirait que l'émotion fait du mal à l'écrivain de ce roman, et que, par paresse de cœur, il met de côté la moitié de son talent, de peur de se faire souffrir lui-même en attendrissant les autres.

Une question plus importante, c'est de savoir si un tel ouvrage est moral, c'est-à-dire si l'impression qu'on en reçoit est favorable au perfectionnement de l'âme; les événements ne sont de rien à cet égard dans une fiction; on sait si bien qu'ils dépendent de la volonté de l'auteur, qu'ils ne peuvent réveiller la conscience de personne : la moralité d'un roman consiste donc dans les sentiments qu'il inspire. On ne saurait nier qu'il y a dans le livre de Gœthe une profonde connaissance du cœur humain, mais une connaissance décourageante, la vie y est représentée comme une chose assez indifférente, de quelque manière qu'on la passe; triste quand on l'approfondit; assez agréable quand on l'esquive, susceptible de maladies morales qu'il faut guérir si l'on peut, et dont il faut mourir si l'on n'en peut guérir. — Les passions existent, les vertus existent; il y a des gens qui assurent qu'il faut combattre les unes par les autres; il y en a d'autres qui prétendent que cela ne se peut pas; voyez et jugez, semble dire l'écrivain qui raconte, avec impartialité, les arguments que le sort peut donner pour et contre chaque manière de voir.

On aurait tort cependant de se figurer que ce scepticisme soit inspiré par la tendance matérialiste du dix-huitième siècle; les opinions de Gœthe ont bien plus de profondeur, mais elles ne donnent pas plus de consolations à l'âme. On aperçoit dans ses écrits une philosophie dédaigneuse qui dit au bien comme au mal : — cela doit être, puisque cela est; — un esprit prodigieux qui domine toutes les autres facultés, et se lasse du talent même, comme ayant quelque chose de trop involontaire et de trop partial; enfin, ce qui manque surtout à ce roman, c'est un sentiment religieux, ferme et positif : les principaux personnages sont plus accessibles à la superstition qu'à la croyance; et l'on sent que dans leur cœur la religion, comme l'amour, n'est que l'effet des circonstances et pourrait varier avec elles.

Dans la marche de cet ouvrage l'auteur se montre trop incertain; les figures qu'il dessine et les opinions qu'il indique ne laissent que des souvenirs vacillants ; il faut en convenir, beaucoup penser conduit quelquefois à tout ébranler dans le fond de soi-même; mais un homme de génie tel que Gœthe doit servir de guide à ses admirateurs dans une route assurée. Il n'est plus temps de douter, il n'est plus temps de mettre, à propos de toutes choses, des idées ingénieuses dans les deux côtés de la balance; il faut se livrer à la confiance, à l'enthousiasme, à l'admiration que la jeunesse immortelle de l'âme peut toujours entretenir en nous-mêmes; cette jeunesse renaît des cendres mêmes des passions : c'est le rameau d'or qui ne peut se flétrir, et donne à la Sibylle l'entrée dans les champs élyséens.

Tieck mérite d'être cité dans plusieurs genres; il est l'auteur d'un roman, *Sternbald*, dont la lecture est délicieuse; les événements y sont en petit nombre, et ce qu'il y en a n'est pas même conduit jusqu'au dénouement; mais on ne trouve nulle part, je crois, une si agréable peinture de la vie d'un artiste; l'auteur place son héros dans le beau siècle des arts, et le suppose écolier d'Albert Dürer, contemporain de Raphaël. Il le fait voyager dans diverses contrées de l'Europe, et peint avec un charme tout nouveau le plaisir que doivent causer les objets extérieurs quand on n'appartient exclusivement à aucun pays, ni à aucune situation, et qu'on se promène librement à travers la nature pour y chercher des inspirations et des modèles. Cette existence voyageuse et rêveuse tout à la fois n'est bien sentie qu'en Allemagne. Dans les romans français nous décrivons toujours les mœurs et les relations sociales; mais il y a un grand secret de bonheur dans cette imagination qui plane sur la terre en la parcourant, et ne se mêle point aux intérêts actifs de ce monde.

Ce que le sort refuse presque toujours aux pauvres mortels, c'est une destinée heureuse dont les circonstances se succèdent et s'enchaînent selon nos souhaits; mais les impressions isolées sont pour la plupart assez douces, et le présent, quand on peut le considérer à part des souvenirs et des craintes, est encore le meilleur moment de l'homme. Il y a donc une philosophie poétique très sage dans ces jouissances instantanées dont l'existence d'un artiste se compose; les sites nouveaux, les accidents de lumière qui les embellissent sont pour lui des événements qui commencent et finissent le même jour, et n'ont rien à faire avec le passé ni avec l'avenir; les affections du cœur dérobent l'aspect de la nature, et l'on s'étonne en lisant le roman de Tieck de toutes les merveilles qui nous environnent à notre insu.

L'auteur a mêlé à cet ouvrage des poésies détachées, dont quelques-unes sont des chefs-d'œuvre. Lorsqu'on met des vers dans un roman français, presque toujours ils interrompent l'intérêt, et détruisent l'harmonie de l'ensemble. Il n'en est pas ainsi dans *Sternbald;* le roman est si poétique en lui-même, que la prose y paraît comme un récitatif qui succède au chant, ou le prépare. On y trouve entre autres quelques stances sur le retour du printemps qui sont enivrantes comme la nature à cette époque. L'enfance y est représentée sous mille formes différentes; l'homme, les plantes, la terre, le ciel, tout y est si riche d'espérance, qu'on dirait que le poète célèbre les premiers beaux jours et les premières fleurs qui parèrent le monde.

Nous avons en français plusieurs romans comiques, et l'un des plus remarquables c'est *Gil Blas*. Je ne crois pas qu'on puisse citer chez les Allemands un ouvrage où l'on se joue si spirituellement des choses de la vie. Ils ont à peine un monde réel, comment pourraient-ils déjà s'en moquer ? La gaieté sérieuse qui ne tourne rien en plaisanterie, mais amuse sans le vouloir, et fait rire sans avoir ri; cette gaieté, que les Anglais appellent *humour*, se trouve aussi dans plusieurs écrits allemands; mais il est presque impossible de les traduire. Quand la plaisanterie consiste dans une pensée philosophique heureusement exprimée, comme le *Gulliver* de Swift, le changement de langue n'y fait rien; mais *Tristam Shandy* de Sterne perd en français presque toute sa grâce. Les plaisanteries qui consistent dans les formes du langage en disent peut-être à l'esprit mille fois plus que les idées, et cependant on ne peut transmettre aux étrangers ces impressions si vives, excitées par des nuances si fines.

Claudius est un des auteurs allemands qui a le plus de cette gaieté nationale, partage exclusif de chaque littérature étrangère. Il a publié un recueil composé de plusieurs pièces détachées sur différents sujets; il en est quelques-unes de mauvais goût, quelques autres de peu d'importance, mais il y règne une originalité et une vérité qui rendent les moindres choses piquantes. Cet écrivain, dont le style est revêtu d'une apparence simple, et quelquefois même vulgaire, pénètre jusqu'au fond du cœur, par la sincérité de ses sentiments. Il vous fait pleurer comme il vous fait rire, parce qu'il excite en vous la sympathie, et que vous reconnaissez un semblable et un ami dans tout ce qu'il éprouve. On ne peut rien extraire des écrits de Claudius, son talent agit comme une sensation, il faut l'avoir éprouvée pour en parler. Il ressemble à ces peintres flamands qui s'élèvent quelquefois à représenter ce qu'il y a de plus noble dans la nature, ou à l'Espagnol Murillos qui peint des pauvres et des mendiants avec une vérité parfaite, mais qui leur donne souvent, même à son insu, quelques traits d'une expression noble et profonde. Il faut, pour mêler avec succès le comique et le pathétique, être éminemment naturel dans l'un et dans l'autre; dès que le factice s'aperçoit, tout contraste fait disparate; mais un grand talent plein de bonhomie peut réunir avec succès ce qui n'a du charme que sur le visage de l'enfance, le sourire au milieu des pleurs.

Un autre écrivain plus moderne et plus célèbre que Claudius s'est acquis une grande réputation en Allemagne par des ouvrages qu'on appellerait des romans, si une dénomination connue pouvait convenir à des productions si extraordinaires. J. Paul Richter a sûrement plus d'esprit qu'il n'en faut pour composer un ouvrage qui intéresserait les étrangers autant que les Allemands, et néanmoins rien de ce qu'il a publié ne peut sortir de l'Allemagne. Ses admirateurs diront que cela tient à l'originalité même de son génie; il me semble que ses défauts en sont autant la cause que ses qualités. Il faut, dans nos temps modernes, avoir l'esprit européen; les Allemands encouragent trop dans leurs auteurs cette hardiesse vagabonde qui, tout audacieuse qu'elle paraît, n'est pas toujours dénuée d'affectation. Madame de Lambert disait à son fils : — Mon ami, ne vous permettez que des sottises qui vous feront un grand plaisir. — On pourrait prier J. Paul de n'être bizarre que malgré lui : tout ce qu'on dit involontairement répond toujours à la nature de quelqu'un; mais quand l'originalité naturelle est gâtée par la prétention à l'originalité, le lecteur ne jouit pas complètement même de ce qui est vrai, par le souvenir et la crainte de ce qui ne l'est pas.

On trouve cependant des beautés admirables dans

les ouvrages de J. Paul; mais l'ordonnance et le cadre de ses tableaux sont si défectueux, que les traits de génie les plus lumineux se perdent dans la confusion de l'ensemble. Les écrits de J. Paul doivent être considérés sous deux points de vue, la plaisanterie et le sérieux; car il mêle constamment l'une à l'autre. Sa manière d'observer le cœur humain est pleine de finesse et de gaieté, mais il ne connaît guère que le cœur humain tel qu'on peut le juger d'après les petites villes d'Allemagne, et il y a souvent dans la peinture de ces mœurs quelque chose de trop innocent pour notre siècle. Des observations si délicates et presque si minutieuses sur les affections morales rappellent un peu ce personnage des contes des Fées, surnommé *Fine Oreille*, parce qu'il entendait les plantes pousser. Sterne a bien à cet égard quelque analogie avec J. Paul; mais si J. Paul lui est très supérieur dans la partie sérieuse et poétique de ses ouvrages, Sterne a plus de goût et d'élégance dans la plaisanterie, et l'on voit qu'il a vécu dans une société dont les rapports étaient plus étendus et plus brillants.

Ce serait un ouvrage bien remarquable néanmoins que des pensées extraites des ouvrages de J. Paul; mais on s'aperçoit, en le lisant, de l'habitude singulière qu'il a de recueillir partout, dans des vieux livres inconnus, dans des ouvrages de sciences, etc., des métaphores et des allusions. Les rapprochements qu'il en tire sont presque toujours très ingénieux : mais quand il faut de l'étude et de l'attention pour saisir une plaisanterie, il n'y a guère que les Allemands qui consentent à rire à la longue et se donnent autant de peine pour comprendre ce qui les amuse que ce qui les instruit.

Au fond de tout cela l'on trouve une foule d'idées nouvelles, et, si l'on y parvient, l'on s'y enrichit beaucoup; mais l'auteur a négligé l'empreinte qu'il fallait donner à ces trésors. La gaieté des Français vient de l'esprit de société; celle des Italiens, de l'imagination; celle des Anglais, de l'originalité du caractère; la gaieté des Allemands est philosophique. Ils plaisantent avec les choses et avec les livres plutôt qu'avec leurs semblables. Il y a dans leur tête un chaos de connaissance qu'une imagination indépendante et fantasque combine de mille manières, tantôt originales, tantôt confuses, mais où la vigueur de l'esprit et de l'âme se fait toujours sentir.

L'esprit de J. Paul ressemble souvent à celui de Montaigne. Les auteurs français de l'ancien temps ont en général plus de rapport avec les Allemands que les écrivains du siècle de Louis XIV; car c'est depuis ce temps-là que la littérature française a pris une direction classique.

Paul Richter est souvent sublime dans la partie sérieuse de ses ouvrages; mais la mélancolie continuelle de son langage ébranle quelquefois jusqu'à la fatigue. Lorsque l'imagination nous balance trop longtemps dans le vague, à la fin les couleurs se confondent à nos regards, les contours s'effacent, et il ne reste de ce qu'on a lu qu'un retentissement au lieu d'un souvenir. La sensibilité de J. Paul touche l'âme, mais ne la fortifie pas assez. La poésie de son style ressemble aux sons de l'harmonica, qui ravissent d'abord et font mal au bout de quelques instants, parce que l'exaltation qu'ils excitent n'a pas d'objet déterminé. L'on donne trop d'avantage aux caractères arides et froids quand on leur présente la sensibilité comme une maladie, tandis que c'est de toutes les facultés morales la plus énergique, puisqu'elle donne le désir et la puissance de se dévouer aux autres.

Parmi les épisodes touchants qui abondent dans les romans de J. Paul, dont le fond n'est presque jamais qu'un assez faible prétexte pour les épisodes, j'en vais citer trois, pris au hasard, pour donner l'idée du reste. Un seigneur anglais devient aveugle par une double cataracte; il se fait faire l'opération sur un de ses yeux; on la manque, et cet œil est perdu sans ressource. Son fils, sans le lui dire, étudie chez un oculiste, et, au bout d'une année, il est jugé capable d'opérer l'œil que l'on peut encore sauver à son père. Le père, ignorant l'intention de son fils, croit se remettre entre les mains d'un étranger, et se prépare, avec fermeté, au moment qui va décider si le reste de sa vie se passera dans les ténèbres; il recommande même qu'on éloigne son fils de sa chambre, afin qu'il ne soit pas trop ému en assistant à cette redoutable décision. Le fils s'approche en silence de son père; sa main ne tremble pas; car la circonstance est trop forte pour les signes ordinaires de l'attendrissement. Toute l'âme se concentre dans une seule pensée, et l'excès même de la tendresse donne cette présence d'esprit surnaturelle, à laquelle succéderait l'égarement, si l'espoir était perdu. Enfin l'opération réussit, et le père, en recouvrant la lumière, aperçoit le fer bienfaisant dans la main de son propre fils!

Un autre roman du même auteur présente aussi une

situation très touchante. Un jeune aveugle demande qu'on lui décrive le coucher du soleil dont il sent les rayons doux et purs dans l'atmosphère comme l'adieu d'un ami. Celui qu'il interroge lui raconte la nature dans toute sa beauté; mais il mêle à cette peinture une impression de mélancolie qui doit consoler l'infortuné privé de la lumière. Sans cesse il en appelle à la divinité, comme à la source vive des merveilles du monde; et ramenant tout à cette vue intellectuelle, dont l'aveugle jouit peut-être plus intimement encore que nous, il lui fait sentir dans l'âme ce que ses yeux ne peuvent plus voir.

Enfin je risquerai la traduction d'un morceau très bizarre, mais qui sert à faire connaître le génie de Jean Paul.

Bayle a dit quelque part que *l'athéisme ne devrait pas mettre à l'abri de la crainte des souffrances éternelles* : c'est une grande pensée, et sur laquelle on peut réfléchir longtemps. Le songe de J. Paul, que je vais citer, peut être considéré comme cette pensée mise en action.

La vision dont il s'agit ressemble un peu au délire de la fièvre, et doit être jugée comme telle. Sous tout autre rapport que celui de l'imagination elle serait singulièrement attaquable.

« Le but de cette fiction, dit Jean Paul, en excusera la hardiesse. Si mon cœur était jamais assez malheureux, assez desséché pour que tous les sentiments qui affirment l'existence d'un Dieu y fussent anéantis, je relirais ces pages; j'en serais ébranlé profondément, et j'y retrouverais mon salut et ma foi. Quelques hommes nient l'existence de Dieu avec autant d'indifférence que d'autres l'admettent; et tel y a cru pendant vingt années, qui n'a rencontré que dans la vingt-unième la minute solennelle où il a découvert avec ravissement le riche apanage de cette croyance, la chaleur vivifiante de cette fontaine de naphte.

Un Songe.

« Lorsque, dans l'enfance, on nous raconte que, vers minuit, à l'heure où le sommeil atteint notre âme de si près, les songes deviennent plus sinistres, les morts se relèvent, et, dans les églises solitaires, contrefont les pieuses pratiques des vivants, la mort nous effraie à cause des morts. Quand l'obscurité s'approche, nous détournons nos regards de l'église et de ses noirs vitraux; les terreurs de l'enfance, plus encore que ses plaisirs, reprennent des ailes pour voltiger autour de nous pendant la nuit légère de l'âme assoupie. Ah! n'éteignez pas ces étincelles; laissez-nous nos songes, même les plus sombres. Ils sont encore plus doux que notre existence actuelle; ils nous ramènent à cet âge où le fleuve de la vie réfléchit encore le ciel.

« Un soir d'été j'étais couché sur le sommet d'une colline, je m'y endormis, et je rêvai que je me réveillais au milieu de la nuit dans un cimetière. L'horloge sonnait onze heures. Toutes les tombes étaient entrouvertes, les portes de fer de l'église, agitées par une main invisible, s'ouvraient et se refermaient à grand bruit. Je voyais sur les murs s'enfuir des ombres, qui n'y étaient projetées par aucun corps : d'autres ombres livides s'élevaient dans les airs, et les enfants seuls reposaient encore dans les cercueils. Il y avait dans le ciel comme un nuage grisâtre, lourd, étouffant, qu'un fantôme gigantesque serrait et pressait à longs plis. Au-dessus de moi j'entendais la chute lointaine des avalanches, et sous mes pas la première commotion d'un vaste tremblement de terre. Toute l'église vacillait, et l'air était ébranlé par des sons déchirants qui cherchaient vainement à s'accorder. Quelques pâles éclairs jetaient une lueur sombre. Je me sentis poussé par la terreur même à chercher un abri dans le temple : deux basilics étincelants étaient placés devant ses portes redoutables.

« J'avançai parmi la foule des ombres inconnues, sur qui le sceau des vieux siècles était imprimé; toutes ces ombres se pressaient autour de l'autel dépouillé, et leur poitrine seule respirait et s'agitait avec violence; un mort seulement, qui depuis peu était enterré dans l'église, reposait sur son linceul; il n'y avait point encore de battement dans son sein, et un songe heureux faisait sourire son visage; mais à l'approche d'un vivant il s'éveilla, cessa de sourire, ouvrit avec un pénible effort ses paupières engourdies; la place de l'œil était vide, et à celle du cœur il n'y avait qu'une profonde blessure; il souleva ses mains, les joignit pour prier; mais ses bras s'allongèrent, se détachèrent du corps, et les mains jointes tombèrent à terre.

« Au haut de la voûte de l'église était le cadran de l'éternité; on n'y voyait ni chiffres ni aiguilles, mais une main noire en faisait le tour avec lenteur, et les morts s'efforçaient d'y lire le temps.

« Alors descendit des hauts lieux sur l'autel une figure rayonnante, noble, élevée, et qui portait l'empreinte d'une impérissable douleur; les morts s'écrièrent : — O Christ! n'est-il point de Dieu? Il répondit : — Il n'en est point. Toutes les ombres se prirent à trembler avec violence, et le Christ continua ainsi : — J'ai parcouru les mondes, je me suis élevé au-dessus des soleils, et là aussi il n'est point de Dieu; je suis descendu jusqu'aux dernières limites de l'univers, j'ai regardé dans l'abîme et je me suis écrié : — Père, où es-tu? mais je n'ai entendu que la pluie qui tombait goutte à goutte dans l'abîme, et l'éternelle tempête, que nul ordre ne régit, m'a seule répondu. Relevant ensuite mes regards vers la voûte des cieux, je n'y ai trouvé qu'une orbite vide, noire et sans fond. L'éternité reposait sur le chaos et le rongeait et se dévorait lentement elle-même : redoublez vos plaintes amères et déchirantes; que des cris aigus dispersent les ombres, car c'en est fait.

« Les ombres désolées s'évanouirent comme la vapeur blanchâtre que le froid a condensée; l'église fut bientôt déserte; mais tout à coup, spectacle affreux, les enfants morts, qui s'étaient réveillés à leur tour dans le cimetière, accoururent et se prosternèrent devant la figure majestueuse qui était sur l'autel, et dirent : — Jésus, n'avons-nous pas de père? et il répondit, avec un torrent de larmes : — Nous sommes tous orphelins, moi et vous nous n'avons point de père. A ces mots, le temple et les enfants s'abîmèrent, et tout l'édifice du monde s'écroula devant moi dans son immensité. »

Je n'ajouterai point de réflexions à ce morceau, dont l'effet dépend absolument du genre d'imagination des lecteurs. Le sombre talent qui s'y manifeste m'a frappée, et il me paraît beau de transporter ainsi au-delà de la tombe l'horrible effroi que doit éprouver la créature, privée de Dieu.

On n'en finirait point si l'on voulait analyser la foule de romans spirituels et touchants que l'Allemagne possède. Ceux de La Fontaine en particulier, que tout le monde lit au moins une fois avec tant de plaisir, sont en général plus intéressants par les détails que par la conception même du sujet. Inventer devient tous les jours plus rare, et d'ailleurs il est très difficile que les romans qui peignent les mœurs puissent plaire d'un pays à l'autre. Le grand avantage donc qu'on peut tirer de l'étude de la littérature allemande, c'est le mouvement d'émulation qu'elle donne ; il faut y chercher des forces pour composer soi-même, plutôt que des ouvrages tout faits qu'on puisse transporter ailleurs.

CHAPITRE XXIX

DES HISTORIENS ALLEMANDS, ET DE J. DE MÜLLER EN PARTICULIER

L'histoire est dans la littérature ce qui touche de plus près la connaissance des affaires publiques; c'est presque un homme d'Etat qu'un grand historien; car il est difficile de bien juger les événements politiques, sans être, jusqu'à un certain point, capable de les diriger soi-même; aussi voit-on que la plupart des historiens sont à la hauteur du gouvernement de leur pays, et n'écrivent guère que comme ils pourraient agir. Les historiens de l'antiquité sont les premiers de tous, parce qu'il n'est point d'époque où les hommes supérieurs aient exercé plus d'ascendant sur leur patrie. Les historiens anglais occupent le second rang; c'est la nation en Angleterre, plus encore que tel ou tel homme, qui a de la grandeur; aussi les historiens y sont-ils moins dramatiques, mais plus philosophes que les Anciens. Les idées générales ont chez les Anglais plus d'importance que les individus. En Italie le seul Machiavel, parmi les historiens, a considéré les événements de son pays d'une manière universelle, mais terrible; tous les autres ont vu le monde dans leur ville : ce patriotisme, quelque resserré qu'il soit, donne encore de l'intérêt et du mouvement aux écrits des Italiens [1]. On a remarqué de tout temps que les Mémoires valaient beaucoup mieux en France que les histoires;

1. M. de Sismondi a su faire revivre ces intérêts partiels des républiques italiennes en les rattachant aux grandes questions qui intéressent l'humanité toute entière. (Note de Mme de Staël.)

les intrigues des cours disposaient jadis du sort du royaume, il était donc naturel que dans un tel pays les anecdotes particulières renfermassent le secret de l'histoire.

C'est sous le point de vue littéraire qu'il faut considérer les historiens allemands; l'existence politique du pays n'a point eu jusqu'à présent assez de force pour donner en ce genre un caractère national aux écrivains. Le talent particulier à chaque homme et les principes généraux de l'art d'écrire l'histoire ont seuls influé sur les productions de l'esprit humain dans cette carrière. On peut diviser, ce me semble, en trois classes principales les différents écrits historiques publiés en Allemagne : l'histoire savante, l'histoire philosophique, et l'histoire classique, en tant que l'acception de ce mot est bornée à l'art de raconter tel que les Anciens l'ont conçu.

L'Allemagne abonde en historiens savants, tels que Mascou, Schöpflin, Schlözer, Gatterer, Schmidt, etc. Ils ont fait des recherches immenses, et nous ont donné des ouvrages où tout se trouve pour qui sait les étudier; mais de tels écrivains ne sont bons qu'à consulter, et leurs travaux seraient les plus estimables et les plus généreux de tous, s'ils avaient eu seulement pour but d'épargner de la peine aux hommes de génie qui veulent écrire l'histoire.

Schiller est à la tête des historiens philosophiques, c'est-à-dire de ceux qui considèrent les faits comme des raisonnements à l'appui de leurs opinions. La révolution des Pays-Bas se lit comme un plaidoyer plein d'intérêt et de chaleur. La guerre de Trente ans est l'une des époques dans lesquelles la nation allemande a montré le plus d'énergie. Schiller en a fait l'histoire avec un sentiment de patriotisme et d'amour pour les lumières et la liberté qui honore tout à la fois son âme et son génie; les traits avec lesquels il caractérise les principaux personnages sont d'une étonnante supériorité, et toutes ses réflexions naissent du recueillement d'une âme élevée; mais les Allemands reprochent à Schiller de n'avoir pas assez étudié les faits dans leurs sources; il ne pouvait suffire à toutes les carrières auxquelles ses rares talents l'appelaient, et son histoire n'est pas fondée sur une érudition assez étendue. Ce sont les Allemands, j'ai souvent eu occasion de le dire, qui ont senti les premiers tout le parti que l'imagination pouvait tirer de l'érudition; les circonstances de détail donnent seules de la couleur et de la vie à l'histoire; on ne trouve guère à la superficie des connaissances qu'un prétexte pour le raisonnement et l'esprit.

L'histoire de Schiller a été écrite dans cette époque du dix-huitième siècle où l'on faisait de tout des armes, et son style se sent un peu du genre polémique qui régnait alors dans la plupart des écrits. Mais quand le but qu'on se propose est la tolérance et la liberté, et que l'on y tend par des moyens et des sentiments aussi nobles que ceux de Schiller, on compose toujours un bel ouvrage, quand même on pourrait désirer dans la part accordée aux faits et aux réflexions quelque chose de plus ou de moins étendu[1].

Par un contraste singulier, c'est Schiller, le grand auteur dramatique, qui a mis peut-être trop de philosophie, et par conséquent trop d'idées générales dans ses récits, et c'est Müller, le plus savant des historiens, qui a été vraiment poète dans sa manière de peindre les événements et les hommes. Il faut distinguer dans l'histoire de la Suisse l'érudit et l'écrivain d'un grand talent : ce n'est qu'ainsi, ce me semble, qu'on peut parvenir à rendre justice à Müller. C'était un homme d'un savoir inouï, et ses facultés en ce genre faisaient vraiment peur. On ne conçoit pas comment la tête d'un homme a pu contenir ainsi un monde de faits et de dates. Les six mille ans à nous connus étaient parfaitement rangés dans sa mémoire, et ses études avaient été si profondes qu'elles étaient vives comme des souvenirs. Il n'y a pas un village de Suisse, pas une famille noble dont il ne sût l'histoire. Un jour, en conséquence d'un pari, on lui demanda la suite des comtes souverains du Bugey, il les dit à l'instant même, seulement il ne se rappelait pas bien si l'un de ceux qu'il nommait avait été régent ou régnant en titre, et il se faisait sérieusement des reproches d'un tel manque de mémoire. Les hommes de génie, parmi les Anciens, n'étaient point asservis à cet immense travail d'érudition qui s'augmente avec les siècles, et leur imagination n'était point fatiguée par l'étude. Il en coûte plus pour se distinguer de nos jours, et l'on doit du respect au labeur immense qu'il faut pour se mettre en possession du sujet que l'on veut traiter.

1. On ne peut oublier, parmi les historiens philosophiques, M. Heeren, qui vient de publier des *Considérations sur les Croisades*, dans lesquelles une parfaite impartialité est le résultat des connaissances les plus rares et de la force de la raison. (Note de Mme de Staël.)

La mort de ce Müller, dont la vie peut être diversement jugée, est une perte irréparable, et l'on croit voir périr plus qu'un homme quand de telles facultés s'éteignent [1].

Müller, qu'on peut considérer comme le véritable historien classique d'Allemagne, lisait habituellement les auteurs grecs et latins dans leur langue originale; il cultivait la littérature et les arts pour les faire servir à l'histoire. Son érudition sans bornes, loin de nuire à sa vivacité naturelle, était comme la base d'où son imagination prenait l'essor, et la vérité vivante de ses tableaux tenait à leur fidélité scrupuleuse; mais s'il savait admirablement se servir de l'érudition, il ignorait l'art de s'en dégager quand il le fallait. Son histoire est beaucoup trop longue, il n'en a pas assez resserré l'ensemble. Les détails sont nécessaires pour donner de l'intérêt au récit des événements; mais on doit choisir parmi les événements ceux qui méritent d'être racontés.

L'ouvrage de Müller est une chronique éloquente; si pourtant toutes les histoires étaient ainsi conçues, la vie de l'homme se consumerait tout entière à lire la vie des hommes. Il serait donc à souhaiter que Müller ne se fût pas laissé séduire par l'étendue même de ses connaissances. Néanmoins les lecteurs, qui ont d'autant plus de temps à donner qu'ils l'emploient mieux, se pénétreront toujours avec un plaisir nouveau de ces illustres annales de la Suisse. Les discours préliminaires sont des chefs-d'œuvre d'éloquence. Nul n'a su mieux que Müller montrer dans ses écrits le patriotisme le plus énergique; et maintenant qu'il n'est plus, c'est par ses écrits seuls qu'il faut l'apprécier.

Il décrit en peintre la contrée où se sont passés les principaux événements de la confédération helvétique. On aurait tort de se faire l'historien d'un pays qu'on n'aurait pas vu soi-même. Les sites, les lieux, la nature sont comme le fond du tableau, et les faits, quelque bien racontés qu'ils puissent être, n'ont pas tous les caractères de la vérité quand on ne vous fait pas voir les

1. Parmi les disciples de Müller, le baron de Hormayr, qui a écrit le *Plutarque autrichien*, doit être considéré comme l'un des premiers; on sent que son histoire est composée, non d'après des livres, mais sur les manuscrits originaux. Le docteur Decarro, un savant genevois établi à Vienne, et dont l'activité bienfaisante a porté la découverte de la vaccine jusqu'en Asie, va faire paraître une traduction de ces Vies des grands hommes d'Autriche, qui doit exciter le plus grand intérêt. (Note de Mme de Staël.)

objets extérieurs dont les hommes étaient environnés.

L'érudition qui a induit Müller à mettre trop d'importance à chaque fait lui est bien utile quand il s'agit d'un événement vraiment digne d'être animé par l'imagination. Il le raconte alors comme s'il s'était passé la veille, et sait lui donner l'intérêt qu'une circonstance encore présente ferait éprouver. Il faut, autant qu'on le peut, dans l'histoire comme dans les fictions, laisser au lecteur le plaisir et l'occasion de pressentir lui-même les caractères et la marche des événements. Il se lasse facilement de ce qu'on lui dit, mais il est ravi de ce qu'il découvre; et l'on assimile la littérature aux intérêts de la vie, quand on sait exciter par le récit l'anxiété de l'attente; le jugement du lecteur s'exerce sur un mot, sur une action qui fait tout à coup comprendre un homme, et souvent l'esprit même d'une nation et d'un siècle.

La conjuration de Rütli, telle qu'elle est racontée dans l'histoire de Müller, inspire un intérêt prodigieux. Cette vallée paisible où des hommes, paisibles aussi comme elle, se déterminèrent aux plus périlleuses actions que la conscience puisse commander; le calme dans la délibération, la solennité du serment, l'ardeur dans l'exécution, l'irrévocable qui se fonde sur la volonté de l'homme, tandis qu'au-dehors tout peut changer, quel tableau! Les images seules y font naître les pensées : les héros de cet événement, comme l'auteur qui le rapporte, sont absorbés par la grandeur même de l'objet. Aucune idée générale ne se présente à leur esprit, aucune réflexion n'altère la fermeté de l'action ni la beauté du récit.

A la bataille de Granson, dans laquelle le duc de Bourgogne attaqua la faible armée des cantons suisses, un trait simple donne la plus touchante idée de ces temps et de ces mœurs. Charles occupait déjà les hauteurs, et se croyait maître de l'armée qu'il voyait de loin dans la plaine; tout à coup, au lever du soleil, il aperçut les Suisses qui, suivant la coutume de leurs pères, se mettaient tous à genoux pour invoquer avant le combat la protection du Seigneur des seigneurs; les Bourguignons crurent qu'ils se mettaient à genoux ainsi pour rendre les armes, et poussèrent des cris de triomphe; mais tout à coup ces chrétiens, fortifiés par la prière, se relèvent, se précipitent sur leurs adversaires, et remportent à la fin la victoire dont leur pieuse ardeur les avait rendus dignes. Des circonstances de ce genre se retrouvent souvent dans l'histoire de Müller, et son langage ébranle l'âme, lors même que ce qu'il dit n'est point pathétique : il y a quelque chose de grave, de noble et de sévère dans son style, qui réveille puissamment le souvenir des vieux siècles.

C'était cependant un homme mobile avant tout que Müller; mais le talent prend toutes les formes, sans avoir pour cela un moment d'hypocrisie. Il est ce qu'il paraît, seulement il ne peut se maintenir toujours dans la même disposition, et les circonstances extérieures le modifient. C'est surtout à la couleur de son style que Müller doit sa puissance sur l'imagination; les mots anciens dont il se sert si à propos ont un air de loyauté germanique qui inspire de la confiance. Néanmoins il a tort de vouloir quelquefois mêler la concision de Tacite à la naïveté du Moyen Age : ces deux imitations se contredisent. Il n'y a même que Müller à qui les tournures du vieux allemand réussissent quelquefois; pour tout autre ce serait de l'affectation. Salluste seul, parmi les écrivains de l'antiquité, a imaginé d'employer les formes et les termes d'un temps antérieur au sien; en général le naturel s'oppose à cette sorte d'imitation; cependant les chroniques du Moyen Age étaient si familières à Müller, que c'est spontanément qu'il écrit souvent du même style. Il faut bien que ses expressions soient vraies, puisqu'elles inspirent ce qu'il veut faire éprouver.

On est bien aise de croire, en lisant Müller, que parmi toutes les vertus qu'il a si bien senties il en est qu'il a possédées. Son testament qu'on vient de publier est au moins une preuve de son désintéressement. Il ne laisse point de fortune, et il demande que l'on vende ses manuscrits pour payer ses dettes. Il ajoute que si cela suffit pour les acquitter, il se permet de disposer de sa montre en faveur de son domestique. « Ce n'est pas sans attendrissement, dit-il, qu'il recevra la montre qu'il a montée pendant vingt années. » La pauvreté d'un homme d'un si grand talent est toujours une honorable circonstance de sa vie; la millième partie de l'esprit qui rend illustre suffirait assurément pour faire réussir tous les calculs de l'avidité. Il est beau d'avoir consacré ses facultés au culte de la gloire, et l'on ressent toujours de l'estime pour ceux dont le but le plus cher est au-delà du tombeau.

CHAPITRE XXX

HERDER

Les hommes de lettres, en Allemagne, sont à beaucoup d'égards la réunion la plus respectable que le monde éclairé puisse offrir, et parmi ces hommes Herder mérite encore une place à part : son âme, son génie et sa moralité tout ensemble ont illustré sa vie. Ses écrits peuvent être considérés sous trois rapports différents, l'histoire, la littérature et la théologie. Il s'était fort occupé de l'antiquité en général, et des langues orientales en particulier. Son livre intitulé *la Philosophie de l'Histoire* est peut-être le livre allemand écrit avec le plus de charme. On n'y trouve pas la même profondeur d'observations politiques que dans l'ouvrage de Montesquieu, sur les causes de la grandeur et de la décadence des Romains; mais comme Herder s'attachait à pénétrer le génie des temps les plus reculés, peut-être que la qualité qu'il possédait au suprême degré, l'imagination, servait mieux que toute autre à les faire connaître. Il faut ce flambeau pour marcher dans les ténèbres : c'est une lecture délicieuse que les divers chapitres de Herder sur Persépolis et Babylone, sur les Hébreux et sur les Egyptiens; il semble qu'on se promène au milieu de l'ancien monde avec un poète historien qui touche les ruines de sa baguette et reconstruit à nos yeux les édifices abattus.

On exige en Allemagne, même des hommes du plus grand talent, une instruction si étendue, que des critiques ont accusé Herder de n'avoir pas une érudition assez approfondie. Mais ce qui nous frapperait, au contraire, c'est la variété de ses connaissances; toutes les langues lui étaient connues, et celui de tous ses ouvrages où l'on reconnaît le plus jusqu'à quel point il portait le tact des nations étrangères, c'est son *Essai sur la poésie hébraïque*. Jamais on n'a mieux exprimé le génie de ce peuple prophète, pour qui l'inspiration poétique était un rapport intime avec la divinité. La vie errante de ce peuple, ses mœurs, les pensées dont il était capable, les images qui lui étaient habituelles, sont indiquées par Herder avec une étonnante sagacité. A l'aide des rapprochements les plus ingénieux il cherche à donner l'idée de la symétrie du verset des Hébreux, de ce retour du même sentiment ou de la même image en des termes différents dont chaque stance offre l'exemple. Quelquefois il compare cette brillante régularité à deux rangs de perles qui entourent la chevelure d'une belle femme. « L'art et la nature, dit-il, conservent toujours une importante uniformité à travers leur abondance. » A moins de lire les psaumes des Hébreux dans l'original, il est impossible de mieux pressentir leur charme que par ce qu'en dit Herder. Son imagination était à l'étroit dans les contrées de l'occident; il se plaisait à respirer les parfums de l'Asie, et transmettait dans ses ouvrages le pur encens que son âme y avait recueilli.

C'est lui qui le premier a fait connaître en Allemagne les poésies espagnoles et portugaises; les traductions de W. Schlegel les y ont depuis naturalisées. Herder a publié un recueil intitulé *Chansons populaires*; ce recueil contient les romances et les poésies détachées où sont empreints le caractère national et l'imagination des peuples. On y peut étudier la poésie naturelle, celle qui précède les lumières. La littérature cultivée devient si promptement factice, qu'il est bon de retourner quelquefois à l'origine de toute poésie, c'est-à-dire à l'impression de la nature sur l'homme avant qu'il eût analysé l'univers et lui-même. La flexibilité de l'allemand permet seule peut-être de traduire ces naïvetés du langage de chaque pays, sans lesquelles on ne reçoit aucune impression des poésies populaires; les mots dans ces poésies ont par eux-mêmes une certaine grâce qui nous émeut comme une fleur que nous avons vue, comme un air que nous avons entendu dans notre enfance : ces impressions singulières contiennent non seulement les secrets de l'art, mais ceux de l'âme où l'art les a puisés. Les Allemands, en littérature, analysent jusqu'à l'extrémité des sensations, jusqu'à ces nuances délicates qui se refusent à la parole, et l'on pourrait leur reprocher de s'attacher trop en tout genre à faire comprendre l'inexprimable.

Je parlerai dans la quatrième partie de cet ouvrage des écrits de Herder sur la théologie; l'histoire et la littérature s'y trouvent aussi souvent réunies. Un homme d'un génie aussi sincère que Herder devait mêler la religion à toutes ses pensées, et toutes ses pensées à la religion. On a dit que ses écrits ressemblaient à une conversation animée : il est vrai qu'il n'a pas dans ses ouvrages la forme méthodique qu'on est convenu de donner aux livres. C'est sous les portiques et dans les jardins de l'académie que Platon expliquait à ses disciples le système du monde intellectuel. On trouve dans Herder cette noble négligence du talent toujours impatient de marcher à des idées nouvelles. C'est une invention moderne que ce qu'on appelle un livre bien fait. La découverte de l'imprimerie a rendu nécessaires les divisions, les résumés, tout l'appareil enfin de la logique. La plupart des ouvrages philosophiques des Anciens sont des traités ou des dialogues qu'on se représente comme des entretiens écrits. Montaigne aussi s'abandonnait de même au cours naturel de ses pensées. Il faut, il est vrai, pour un tel *laisser-aller* la supériorité la plus décidée : l'ordre supplée à la richesse, et si la médiocrité marchait au hasard, elle ne ferait d'ordinaire que nous ramener au même point, avec la fatigue de plus; mais un homme de génie intéresse davantage quand il se montre tel qu'il est, et que ses livres semblent plutôt improvisés que composés.

Herder avait, dit-on, une conversation admirable, et l'on sent dans ses écrits que cela devait être ainsi. L'on y sent bien aussi, ce que tous ses amis attestent, c'est qu'il n'était point d'homme meilleur. Quand le talent littéraire peut inspirer à ceux qui ne nous connaissent point encore du penchant à nous aimer, c'est le présent du ciel dont on recueille les plus doux fruits sur la terre.

CHAPITRE XXXI

DES RICHESSES LITTÉRAIRES DE L'ALLEMAGNE ET DE SES CRITIQUES LES PLUS RENOMMÉS, A. W. ET F. SCHLEGEL

Dans le tableau que je viens de présenter de la littérature allemande, j'ai tâché de désigner les ouvrages principaux; mais il m'a fallu renoncer même à nommer un grand nombre d'hommes dont les écrits moins connus servent plus efficacement à l'instruction de ceux qui les lisent qu'à la gloire de leurs auteurs.

Les traités sur les beaux-arts, les ouvrages d'érudition et de philosophie, quoiqu'ils n'appartiennent pas immédiatement à la littérature, doivent pourtant être comptés parmi ses richesses. Il y a dans cette Allemagne des trésors d'idées et de connaissances, que le reste des nations de l'Europe n'épuisera pas de longtemps.

Le génie poétique, si le ciel nous le rend, pourrait aussi recevoir une impulsion heureuse de l'amour pour la nature, les arts et la philosophie qui fermente dans les contrées germaniques; mais au moins j'ose affirmer que tout homme qui voudra se vouer maintenant à quelque travail sérieux que ce soit, sur l'histoire, la philosophie ou l'antiquité, ne saurait se passer de connaître les écrivains allemands qui s'en sont occupés.

La France peut s'honorer d'un grand nombre d'érudits de la première force, mais rarement les connaissances et la sagacité philosophique y ont été réunies, tandis qu'en Allemagne elles sont maintenant presque inséparables. Ceux qui plaident en faveur de l'ignorance, comme un garant de la grâce, citent un grand nombre d'hommes de beaucoup d'esprit qui n'avaient aucune instruction; mais ils oublient que ces hommes ont profondément étudié le cœur humain tel qu'il se montre dans le monde, et que c'était sur ce sujet qu'ils avaient des idées. Mais si ces savants, en fait de société, voulaient juger la littérature sans la connaître, ils seraient ennuyeux comme les bourgeois quand ils parlent de la cour.

Lorsque j'ai commencé l'étude de l'allemand, il m'a semblé que j'entrais dans une sphère nouvelle où se manifestaient les lumières les plus frappantes sur tout ce que je sentais auparavant d'une manière confuse. Depuis quelque temps on ne lit guère en France que des Mémoires ou des romans, et ce n'est pas tout à fait par frivolité qu'on est devenu moins capable de lectures plus sérieuses, c'est parce que les événements de la révolution ont accoutumé à ne mettre de prix qu'à la connaissance des faits et des hommes : on trouve dans les livres allemands, sur les sujets les plus abstraits, le genre d'intérêt qui fait rechercher les bons romans, c'est-à-dire ce qu'ils nous apprennent sur notre propre cœur. Le caractère distinctif de la littérature allemande est de rapporter tout à l'existence intérieure; et comme c'est là le mystère des mystères, une curiosité sans bornes s'y attache.

Avant de passer à la philosophie, qui fait toujours partie des lettres dans les pays où la littérature est libre et puissante, je dirai quelques mots de ce qu'on peut considérer comme la législation de cet empire, la critique. Il n'est point de branche de la littérature allemande qui ait été portée plus loin, et comme dans de certaines villes l'on trouve plus de médecins que de malades, il y a quelquefois en Allemagne encore plus de critiques que d'auteurs; mais les analyses de Lessing, le créateur du style dans la prose allemande, sont faites de manière à pouvoir être considérées comme des ouvrages.

Kant, Gœthe, J. de Müller, les plus grands écrivains de l'Allemagne en tout genre, ont inséré dans les journaux ce qu'ils appellent les *recensions* des divers écrits qui ont paru, et ces *recensions* renferment la théorie philosophique et les connaissances positives les plus approfondies. Parmi les écrivains les plus jeunes, Schiller et les deux Schlegel se sont montrés de beaucoup supérieurs à tous les autres critiques. Schiller est le premier parmi les disciples de Kant qui ait appliqué sa philosophie à la littérature; et en effet, partir de l'âme pour juger les objets extérieurs, ou des objets extérieurs pour savoir ce qui se passe dans l'âme, c'est une marche si différente que tout doit s'en ressentir. Schiller a écrit deux traités sur *le naïf et le sentimental*, dans lesquels le talent qui s'ignore et le talent qui s'observe lui-même sont analysés avec une sagacité prodigieuse; mais dans son essai sur la grâce et la dignité, et dans ses lettres sur *l'Esthétique*, c'est-à-dire la théorie du beau, il y a trop de métaphysique. Lorsqu'on veut parler des jouissances des arts dont tous les hommes sont susceptibles, il faut s'appuyer toujours sur les impressions qu'ils ont reçues, et ne pas se permettre les formes abstraites qui font perdre la trace de ces impressions. Schiller tenait à la littérature par son talent, et à la philosophie par son penchant pour la réflexion; ses écrits en prose sont aux confins des deux régions; mais il empiète trop souvent sur la plus haute, et revenant sans cesse à ce qu'il y a de plus abstrait dans la théorie, il dédaigne l'application comme une conséquence inutile des principes qu'il a posés.

La description animée des chefs-d'œuvre donne bien plus d'intérêt à la critique que les idées générales qui planent sur tous les sujets sans en caractériser aucun. La métaphysique est pour ainsi dire la science de l'immuable; mais tout ce qui est soumis à la succession du temps ne s'explique que par le mélange des faits et des réflexions : les Allemands voudraient arriver sur tous les sujets à des théories complètes, et toujours indépendantes des circonstances, mais comme cela est impossible, il ne faut pas renoncer aux faits, dans la crainte qu'ils ne circonscrivent les idées; et les exemples seuls, dans la théorie comme dans la pratique, gravent les préceptes dans le souvenir.

La quintessence de pensées que présentent certains ouvrages allemands ne concentre pas comme celle des fleurs les parfums les plus odoriférants; on dirait au contraire qu'elle n'est qu'un reste froid d'émotions pleines de vie. On pourrait extraire cependant de ces ouvrages une foule d'observations d'un grand intérêt; mais elles se confondent les unes dans les autres. L'auteur, à force de pousser son esprit en avant, conduit ses lecteurs à ce point où les idées sont trop fines pour qu'on dût essayer de les transmettre.

Les écrits de A. W. Schlegel sont moins abstraits que

ceux de Schiller; comme il possède en littérature des connaissances rares, même dans sa patrie, il est ramené sans cesse à l'application par le plaisir qu'il trouve à comparer les diverses langues et les différentes poésies entre elles; un point de vue aussi universel devrait presque être considéré comme infaillible, si la partialité ne l'altérait pas quelquefois; mais cette partialité n'est point arbitraire, et j'en indiquerai la marche et le but; cependant, comme il y a des sujets dans lesquels elle ne se fait point sentir, c'est d'abord de ceux-là que je parlerai.

W. Schlegel a donné à Vienne un cours de littérature dramatique qui embrasse ce qui a été composé de plus remarquable pour le théâtre depuis les Grecs jusqu'à nos jours; ce n'est point une nomenclature stérile des travaux des divers auteurs, l'esprit de chaque littérature y est saisi avec l'imagination d'un poète; l'on sent que, pour donner de tels résultats, il faut des études extraordinaires; mais l'érudition ne s'aperçoit dans cet ouvrage que par la connaissance parfaite des chefs-d'œuvre. On jouit en peu de pages du travail de toute une vie; chaque jugement porté par l'auteur, chaque épithète donnée aux écrivains dont il parle, est belle et juste, précise et animée. W. Schlegel a trouvé l'art de traiter les chefs-d'œuvre de la poésie comme des merveilles de la nature, et de les peindre avec des couleurs vives qui ne nuisent point à la fidélité du dessein; car, on ne saurait trop le répéter, l'imagination, loin d'être ennemie de la vérité, la fait ressortir mieux qu'aucune autre faculté de l'esprit, et tous ceux qui s'appuient d'elle pour excuser des expressions exagérées ou des termes vagues, sont au moins aussi dépourvus de poésie que de raison.

L'analyse des principes sur lesquels se fondent la tragédie et la comédie est traitée dans le cours de W. Schlegel avec une grande profondeur philosophique; ce genre de mérite se retrouve souvent parmi les écrivains allemands; mais Schlegel n'a point d'égal dans l'art d'inspirer de l'enthousiasme pour les grands génies qu'il admire; il se montre en général partisan d'un goût simple et quelquefois même d'un goût rude; mais il fait exception à cette façon de voir en faveur des peuples du Midi. Leurs jeux de mots et leurs *concetti* ne sont point l'objet de sa censure, il déteste le maniéré qui naît de l'esprit de société, mais celui qui vient du luxe de l'imagination lui plaît en poésie, comme la profusion des couleurs et des parfums dans la nature. Schlegel, après s'être acquis une grande réputation par sa traduction de Shakespeare, a pris pour Calderon un amour aussi vif, mais d'un genre très différent de celui que Shakespeare peut inspirer; car autant l'auteur anglais est profond et sombre dans la connaissance du cœur humain, autant le poète espagnol s'abandonne avec douceur et charme à la beauté de la vie, à la sincérité de la foi, à tout l'éclat des vertus que colore le soleil de l'âme.

J'étais à Vienne quand W. Schlegel y donna son cours public. Je n'attendais que de l'esprit et de l'instruction dans des leçons qui avaient l'enseignement pour but; je fus confondue d'entendre un critique éloquent comme un orateur, et qui, loin de s'acharner aux défauts, éternel aliment de la médiocrité jalouse, cherchait seulement à faire revivre le génie créateur.

La littérature espagnole est peu connue, c'est elle qui fut l'objet d'un des plus beaux morceaux prononcés dans la séance à laquelle j'assistai. W. Schlegel nous peignit cette nation chevaleresque dont les poètes étaient guerriers, et les guerriers poètes. Il cita ce comte Ercilla, « qui composa, sous une tente, son poème de l'*Araucana*, tantôt sur les plages de l'Océan, tantôt au pied des Cordillères, pendant qu'il faisait la guerre aux sauvages révoltés. Garcilasse, un des descendants des Incas, écrivait des poésies d'amour sur les ruines de Carthage, et périt à l'assaut de Tunis. Cervantes fut grièvement blessé à la bataille de Lépante; Lope de Vega échappa comme par miracle à la défaite de la flotte invincible; et Calderon servit en intrépide soldat dans les guerres de Flandre et d'Italie.

« La religion et la guerre se mêlèrent chez les Espagnols plus que dans toute autre nation; ce sont eux qui, par des combats continuels, repoussèrent les Maures de leur sein, et l'on pouvait les considérer comme l'avant-garde de la chrétienté européenne; ils conquirent leurs églises sur les Arabes, un acte de leur culte était un trophée pour leurs armes, et leur foi triomphante, quelquefois portée jusqu'au fanatisme, s'alliait avec le sentiment de l'honneur, et donnait à leur caractère une imposante dignité. Cette gravité mêlée d'imagination, cette gaieté même, qui ne fait rien perdre au sérieux de toutes les affections profondes, se montre dans la littérature espagnole toute composée de fictions et de poésies, dont la religion, l'amour et les exploits guerriers sont l'objet. On eût dit que dans ces temps où le Nouveau Monde fut découvert, les trésors d'un autre hémisphère servaient aux richesses de l'imagination aussi bien qu'à celles de l'Etat, et que dans l'empire de la poésie, comme dans celui de Charles Quint, le soleil ne cessait jamais d'éclairer l'horizon. »

Les auditeurs de W. Schlegel furent vivement émus par ce tableau, et la langue allemande, dont il se servait avec élégance, entourait de pensées profondes et d'expressions sensibles les noms retentissants de l'espagnol, ces noms qui ne peuvent être prononcés sans que déjà l'imagination croie voir les orangers du royaume de Grenade et les palais des rois maures [1].

On peut comparer la manière de W. Schlegel, en parlant de poésie, à celle de Winkelmann, en décrivant les statues, et c'est ainsi seulement qu'il est honorable d'être un critique; tous les hommes du métier suffisent pour enseigner les fautes ou les négligences qu'on doit éviter : mais après le génie, ce qu'il y a de plus semblable à lui, c'est la puissance de le connaître et de l'admirer.

Frédéric Schlegel, s'étant occupé de philosophie, s'est voué moins exclusivement que son frère à la littérature; cependant le morceau qu'il a écrit sur la culture intellectuelle des Grecs et des Romains rassemble en un court espace des aperçus et des résultats du premier ordre. Frédéric Schlegel est l'un des hommes célèbres de l'Allemagne dont l'esprit a le plus d'originalité, et loin de se fier à cette originalité qui lui promettait tant de succès, il a voulu l'appuyer sur des études immenses : c'est une grande preuve de respect pour l'espèce humaine que de ne jamais lui parler d'après soi seul, et sans s'être informé consciencieusement de tout ce que nos prédécesseurs nous ont laissé pour héritage. Les Allemands, dans les richesses de l'esprit humain, sont de véritables propriétaires : ceux qui s'en tiennent à leurs lumières naturelles ne sont que des prolétaires en comparaison d'eux.

1. Wilhelm Schlegel, que je cite ici comme le premier critique littéraire de l'Allemagne, est l'auteur d'une brochure en français nouvellement publiée sous le titre de *Réflexions sur le Système continental*. — Ce même W. Schlegel a fait aussi imprimer à Paris, il y a quelques années, une comparaison de la *Phèdre* d'Euripide et de celle de Racine : elle excita une grande rumeur parmi les littérateurs parisiens, mais personne ne put nier que W. Schlegel, quoique allemand, écrivait assez bien le français pour qu'il lui fût permis de parler de Racine. (Note de Mme de Staël.)

Après avoir rendu justice aux rares talents des deux Schlegel, il faut examiner pourtant en quoi consiste la partialité qu'on leur reproche, et dont il est vrai que plusieurs de leurs écrits ne sont pas exempts; ils penchent visiblement pour le Moyen Age, et pour les opinions de cette époque; la chevalerie sans taches, la foi sans bornes, et la poésie sans réflexions leur paraissent inséparables, et ils s'appliquent à tout ce qui pourrait diriger dans ce sens les esprits et les âmes. W. Schlegel exprime son admiration pour le Moyen Age dans plusieurs de ses écrits, et particulièrement dans deux stances dont voici la traduction :

« L'Europe était une dans ces grands siècles, et le sol de cette patrie universelle était fécond en généreuses pensées qui peuvent servir de guide dans la vie et dans la mort. Une même chevalerie changeait les combattants en frères d'armes : c'était pour défendre une même foi qu'ils s'armaient; un même amour inspirait tous les cœurs, et la poésie qui chantait cette alliance exprimait le même sentiment dans des langages divers.

« Ah! la noble énergie des âges anciens est perdue : notre siècle est l'inventeur d'une étroite sagesse, et ce que les hommes faibles ne sauraient concevoir n'est à leurs yeux qu'une chimère; toutefois rien de divin ne peut réussir entrepris avec un cœur profane. Hélas! nos temps ne connaissent plus ni la foi, ni l'amour; comment pourrait-il leur rester l'espérance! »

Des opinions dont la tendance est si marquée doivent nécessairement altérer l'impartialité des jugements sur les ouvrages de l'art : sans doute, et je n'ai cessé de le répéter dans le cours de cet écrit, il est à désirer que la littérature moderne soit fondée sur notre histoire et sur notre croyance; néanmoins il ne s'ensuit pas que les productions littéraires du Moyen Age puissent être considérées comme vraiment bonnes. Leur énergique simplicité, le caractère pur et loyal qui s'y manifeste excitent un vif intérêt, mais la connaissance de l'antique et les progrès de la civilisation nous ont valu des avantages qu'on ne doit pas dédaigner. Il ne s'agit pas de faire reculer l'art, mais de réunir autant qu'on le peut les qualités diverses développées dans l'esprit humain à différentes époques.

On a fort accusé les deux Schlegel de ne pas rendre justice à la littérature française, il n'est point d'écrivains cependant qui aient parlé avec plus d'enthousiasme du génie de nos troubadours, et de cette chevalerie sans pareille en Europe, lorsqu'elle réunissait au plus haut point l'esprit et la loyauté, la grâce et la franchise, le courage et la gaieté, la simplicité la plus touchante et la naïveté la plus ingénieuse, mais les critiques allemands ont prétendu que les traits distinctifs du caractère français s'étaient effacés pendant le cours du règne de Louis XIV : la littérature, disent-ils, dans les siècles appelés classiques, perd en originalité ce qu'elle gagne en correction; ils ont attaqué nos poètes en particulier avec une grande force d'arguments et de moyens. L'esprit général de ces critiques est le même que celui de Rousseau dans sa lettre contre la musique française. Ils croient trouver dans plusieurs de nos tragédies l'espèce d'affectation pompeuse que Rousseau reproche à Lully et à Rameau, et ils prétendent que le même goût qui faisait préférer Coypel et Boucher dans la peinture, et le chevalier Bernin dans la sculpture, interdit à la poésie l'élan qui seul en fait une jouissance divine; enfin ils seraient tentés d'appliquer à notre manière de concevoir et d'aimer les beaux-arts ces vers tant cités de Corneille :

> Othon à la princesse a fait un compliment
> Plus en homme d'esprit qu'en véritable amant.

W. Schlegel rend hommage cependant à la plupart de nos grands auteurs; mais ce qu'il s'attache à prouver seulement, c'est que depuis le milieu du dix-septième siècle le genre maniéré a dominé dans toute l'Europe, et que cette tendance a fait perdre la verve audacieuse qui animait les écrivains et les artistes à la renaissance des lettres. Dans les tableaux et les bas-reliefs où Louis XIV est peint, tantôt en Jupiter, tantôt en Hercule, il est représenté nu, ou revêtu seulement d'une peau de lion, mais avec sa grande perruque sur la tête. Les écrivains de la nouvelle école prétendent que l'on pourrait appliquer cette grande perruque à la physionomie des beaux-arts dans le dix-septième siècle : il s'y mêlait toujours une politesse affectée dont une grandeur factice était la cause.

Il est intéressant d'examiner cette manière de voir, malgré les objections sans nombre qu'on peut y opposer; ce qui est certain au moins, c'est que les aristarques allemands sont parvenus à leur but, puisqu'ils sont de tous les écrivains, depuis Lessing, ceux qui ont le plus efficacement contribué à rendre l'imitation de la littérature française tout à fait hors de mode en Allemagne;

mais de peur du goût français, ils n'ont pas assez perfectionné le goût allemand, et souvent ils ont rejeté des observations pleines de justesse, seulement parce que nos écrivains les avaient faites.

On ne sait pas faire un livre en Allemagne, rarement on y met l'ordre et la méthode qui classent les idées dans la tête du lecteur ; et ce n'est point parce que les Français sont impatients, mais parce qu'ils ont l'esprit juste, qu'ils se fatiguent de ce défaut; les fictions ne sont pas dessinées dans les poésies allemandes avec ces contours fermes et précis qui en assurent l'effet, et le vague de l'imagination correspond à l'obscurité de la pensée. Enfin si les plaisanteries bizarres et vulgaires de quelques ouvrages prétendus comiques manquent de goût, ce n'est pas à force de naturel, c'est parce que l'affectation de l'énergie est au moins aussi ridicule que celle de la grâce. *Je me fais vif*, disait un Allemand en sautant par la fenêtre : quand on se fait, on n'est rien : il faut recourir au bon goût français, contre la vigoureuse exagération de quelques Allemands, comme à la profondeur des Allemands, contre la frivolité dogmatique de quelques Français.

Les nations doivent se servir de guide les unes aux autres, et toutes auraient tort de se priver des lumières qu'elles peuvent mutuellement se prêter. Il y a quelque chose de très singulier dans la différence d'un peuple à un autre : le climat, l'aspect de la nature, la langue, le gouvernement, enfin surtout les événements de l'histoire, puissance plus extraordinaire encore que toutes les autres, contribuent à ces diversités, et nul homme, quelque supérieur qu'il soit, ne peut deviner ce qui se développe naturellement dans l'esprit de celui qui vit sur un autre sol et respire un autre air : on se trouvera donc bien en tout pays d'accueillir les pensées étrangères; car, dans ce genre, l'hospitalité fait la fortune de celui qui reçoit.

CHAPITRE XXXII

DES BEAUX-ARTS EN ALLEMAGNE

Les Allemands en général conçoivent mieux l'art qu'ils ne le mettent en pratique; à peine ont-ils une impression, qu'ils en tirent une foule d'idées. Ils vantent beaucoup le mystère, mais c'est pour le révéler, et l'on ne peut montrer aucun genre d'originalité en Allemagne, sans que chacun vous explique comment cette originalité vous est venue; c'est un grand inconvénient, surtout pour les arts, où tout est sensation; ils sont analysés avant d'être sentis, et l'on a beau dire après qu'il faut renoncer à l'analyse, l'on a goûté du fruit de l'arbre de la science, et l'innocence du talent est perdue.

Ce n'est pas assurément que je conseille, relativement aux arts, l'ignorance que je n'ai cessé de blâmer en littérature; mais il faut distinguer les études relatives à la pratique de l'art de celles qui ont uniquement pour objet la théorie du talent; celles-ci, poussées trop loin, étouffent l'invention; l'on est troublé par le souvenir de tout ce qui a été dit sur chaque chef-d'œuvre, on croit sentir entre soi et l'objet que l'on veut peindre une foule de traités sur la peinture et la sculpture, l'idéal et le réel, et l'artiste n'est plus seul avec la nature. Sans doute l'esprit de ces divers traités est toujours l'encouragement; mais à force d'encouragement on lasse le génie, comme à force de gêne on l'éteint, et dans tout ce qui tient à l'imagination il faut une si heureuse combinaison d'obstacles et de facilités, que des siècles peuvent s'écouler sans que l'on arrive à ce point juste qui fait éclore l'esprit humain dans toute sa force.

Avant l'époque de la réformation, les Allemands avaient une école de peinture que ne dédaignait pas l'école italienne. Albert Dürer, Lucas Cranach, Holbein ont, dans leur manière de peindre, des rapports avec les prédécesseurs de Raphaël, Pérugin, André Mantegna, etc. Holbein se rapproche davantage de Léonard de Vinci; en général cependant il y a plus de dureté dans l'école allemande que dans celle des Italiens, mais non moins d'expression et de recueillement dans les physionomies. Les peintres du quinzième siècle avaient peu de connaissance des moyens de l'art, mais une bonne foi et une modestie touchante se faisaient remarquer dans leurs ouvrages; on n'y voit pas de prétentions à d'ambitieux effets, l'on n'y sent que cette émotion intime pour laquelle tous les hommes de talent cherchent un langage, afin de ne pas mourir sans avoir fait part de leur âme à leurs contemporains.

Dans ces tableaux du quatorzième et du quinzième siècle, les plis des vêtements sont tout droits, les coiffures un peu raides, les attitudes très simples; mais il y a quelque chose dans l'expression des figures qu'on ne se lasse point de considérer. Les tableaux inspirés par la religion chrétienne produisent une impression semblable à celle de ces psaumes qui mêlent avec tant de charme la poésie à la piété.

La seconde et la plus belle époque de la peinture fut celle où les peintres conservèrent la vérité du Moyen Age, en y joignant toute la splendeur de l'art : rien ne correspond chez les Allemands au siècle de Léon X. Vers la fin du dix-septième siècle et jusqu'au milieu du dix-huitième, les beaux-arts tombèrent presque partout dans une singulière décadence, le goût était dégénéré en affectation; Winckelmann alors exerça la plus grande influence, non seulement sur son pays, mais sur le reste de l'Europe, et ce furent ses écrits qui tournèrent toutes les imaginations artistes vers l'étude et l'admiration des monuments antiques : il s'entendait bien mieux en sculpture qu'en peinture; aussi porta-t-il les peintres à mettre dans leurs tableaux des statues coloriées plutôt que de faire sentir en tout la nature vivante. Cependant la peinture perd la plus grande partie de son charme en se rapprochant de la sculpture; l'illusion nécessaire à l'une est directement contraire aux formes immuables et prononcées de l'autre. Quand les peintres prennent exclusivement la beauté antique pour modèle, comme ils ne la connaissent que par des statues, il leur arrive ce qu'on reproche à la littérature classique des modernes, ce n'est point dans leur propre inspiration qu'ils puisent les effets de l'art.

Mengs, peintre allemand, s'est montré un penseur philosophique dans ses écrits sur son art : ami de Winkelmann, il partagea son admiration pour l'antique; mais néanmoins il a souvent évité les défauts qu'on peut reprocher aux peintres formés par les écrits de Winkelmann, et qui se bornent pour la plupart à copier les chefs-d'œuvre anciens. Mengs s'était aussi proposé le Corrège pour modèle, celui de tous les peintres qui s'éloigne le plus dans ses tableaux du genre de la sculpture, et dont le clair-obscur rappelle les vagues et délicieuses impressions de la mélodie.

Les artistes allemands avaient presque tous adopté les opinions de Winkelmann jusqu'au moment où la nouvelle école littéraire a étendu son influence aussi sur les beaux-arts. Gœthe, dont nous retrouvons partout l'esprit universel, a montré dans ses ouvrages qu'il comprenait le vrai génie de la peinture bien mieux que Winkelmann; toutefois, convaincu comme lui que les sujets du christianisme ne sont pas favorables à l'art, il cherche à faire revivre l'enthousiasme pour la mythologie, et c'est une tentative dont le succès est impossible; peut-être ne sommes-nous capables, en fait de beaux-arts, ni d'être chrétiens, ni d'être païens; mais si dans un temps quelconque l'imagination créatrice renaît chez les hommes, ce ne sera sûrement pas en imitant les Anciens qu'elle se fera sentir.

La nouvelle école soutient dans les beaux-arts le même système qu'en littérature, et proclame hautement le christianisme comme la source du génie des modernes; les écrivains de cette école caractérisent aussi d'une façon toute nouvelle ce qui dans l'architecture gothique s'accorde avec les sentiments religieux des chrétiens. Il ne s'ensuit pas que les modernes puissent et doivent construire des églises gothiques; ni l'art ni la nature ne se répètent : ce qu'il importe seulement, dans le silence actuel du talent, c'est de détruire le mépris qu'on a voulu jeter sur toutes les conceptions du Moyen Age, sans doute il ne nous convient pas de les adopter, mais rien ne nuit davantage au développement du génie que de considérer comme barbare quoi que ce soit d'original.

J'ai déjà dit, en parlant de l'Allemagne, qu'il y avait peu d'édifices modernes remarquables ; on ne voit guère dans le Nord en général que des monuments gothiques, et la nature et la poésie secondent les dispositions de l'âme que ces monuments font naître. Un écrivain allemand, Görres, a donné une description intéressante d'une ancienne église : « On voit, dit-il, des figures de chevaliers à genoux sur un tombeau, les mains jointes ; au-dessus sont placées quelques raretés merveilleuses de l'Asie, qui semblent là pour attester, comme des témoins muets, les voyages du mort dans la Terre Sainte. Les arcades obscures de l'église couvrent de leur ombre ceux qui reposent ; on se croirait au milieu d'une forêt dont la mort a pétrifié les branches et les feuilles, de manière qu'elles ne peuvent plus ni se balancer, ni s'agiter, quand les siècles comme le vent des nuits s'engouffrent sous leurs voûtes prolongées. L'orgue fait entendre ses sons majestueux dans l'église ; des inscriptions en lettres de bronze, à demi détruites par l'humide vapeur du temps, indiquent confusément les grandes actions qui redeviennent de la fable après avoir été si longtemps d'une éclatante vérité. »

En s'occupant des arts, en Allemagne, on est conduit à parler plutôt des écrivains que des artistes. Sous tous les rapports, les Allemands sont plus forts dans la théorie que dans la pratique, et le Nord est si peu favorable aux arts qui frappent les yeux, qu'on dirait que l'esprit de réflexion lui a été donné seulement pour qu'il servît de spectateur au Midi.

On trouve en Allemagne un grand nombre de galeries de tableaux et de collections de dessins qui supposent l'amour des arts dans toutes les classes. Il y a chez les grands seigneurs et les hommes de lettres du premier rang de très belles copies des chefs-d'œuvre de l'antiquité ; la maison de Gœthe est à cet égard fort remarquable ; il ne recherche pas seulement le plaisir que peut causer la vue des statues et des tableaux des grands maîtres, il croit que le génie et l'âme s'en ressentent. — *J'en deviendrais meilleur*, disait-il, *si j'avais sous les yeux la tête du Jupiter Olympien que les Anciens ont tant admirée.* — Plusieurs peintres distingués sont établis à Dresde ; les chefs-d'œuvre de la galerie y excitent le talent et l'émulation. Cette *Vierge* de Raphaël, que deux enfants contemplent, est à elle seule un trésor pour les arts : il y a dans cette figure une élévation et une pureté qui sont l'idéal de la religion et de la force intérieure de l'âme. La perfection des traits n'est dans ce tableau qu'un symbole; les longs vêtements, expression de la pudeur, reportent tout l'intérêt sur le visage, et la physionomie, plus admirable encore que les traits, est comme la beauté suprême qui se manifeste à travers la beauté terrestre. Le Christ que sa mère tient dans ses bras est tout au plus âgé de deux ans; mais le peintre a su merveilleusement exprimer la force puissante de l'être divin dans un visage à peine formé. Le regard des anges enfants qui sont placés au bas du tableau est délicieux; il n'y a que l'innocence de cet âge qui ait encore du charme à côté de la céleste candeur; leur étonnement à l'aspect de la Vierge rayonnante ne ressemble point à la surprise que les hommes pourraient éprouver; ils ont l'air de l'adorer avec confiance, parce qu'ils reconnaissent en elle une habitante de ce ciel qu'ils viennent naguère de quitter.

La *Nuit* du Corrège est, après la *Vierge* de Raphaël, le plus beau chef-d'œuvre de la galerie de Dresde. On a représenté bien souvent l'adoration des bergers; mais comme la nouveauté du sujet n'est presque de rien dans le plaisir que cause la peinture, il suffit de la manière dont le tableau du Corrège est conçu pour l'admirer : c'est au milieu de la nuit que l'enfant sur les genoux de sa mère reçoit les hommages des pâtres étonnés. La lumière qui part de la sainte auréole dont sa tête est entourée a quelque chose de sublime; les personnages placés dans le fond du tableau, et loin de l'enfant divin, sont encore dans les ténèbres, et l'on dirait que cette obscurité est l'emblème de la vie humaine avant que la révélation l'eût éclairée.

Parmi les divers tableaux des peintres modernes à Dresde, je me rappelle une tête du Dante qui avait un peu le caractère de la figure d'Ossian dans le beau tableau de Gérard. Cette analogie est heureuse. Le Dante et le fils de Fingal peuvent se donner la main à travers les siècles et les nuages.

Un tableau d'Hartmann représente la visite de Magdeleine et de deux femmes nommées Marie au tombeau de Jésus-Christ; l'ange leur apparaît pour leur annoncer qu'il est ressuscité; ce cercueil ouvert qui ne renferme plus des restes mortels, ces femmes d'une admirable beauté levant les yeux vers le ciel pour y apercevoir celui qu'elles venaient chercher dans les ombres du sépulcre, forment un tableau pittoresque et dramatique tout à la fois.

Schick, un autre artiste allemand, maintenant établi à Rome, y a composé un tableau qui représente le premier sacrifice de Noé après le déluge; la nature, rajeunie par les eaux, semble avoir acquis une fraîcheur nouvelle; les animaux ont l'air d'être familiarisés avec le patriarche et ses enfants, comme ayant échappé ensemble au déluge universel. La verdure, les fleurs et le ciel sont peints avec des couleurs vives et naturelles qui retracent la sensation causée par les paysages de l'Orient. Plusieurs autres artistes s'essaient, de même que Schick, à suivre en peinture le nouveau système introduit, ou plutôt renouvelé, dans la poétique littéraire; mais les arts ont besoin de richesses, et les grandes fortunes sont dispersées dans les différentes villes d'Allemagne. D'ailleurs, jusqu'à présent, le véritable progrès qu'on a fait en Allemagne, c'est de sentir et de copier les anciens maîtres selon leur esprit : le génie original ne s'y est pas encore fortement prononcé.

La sculpture n'a pas été cultivée avec un grand succès chez les Allemands, d'abord parce qu'il leur manque le marbre qui rend les chefs-d'œuvre immortels, et parce qu'ils n'ont guère le tact ni la grâce des attitudes et des gestes, que la gymnastique ou la danse peuvent seules rendre faciles, néanmoins un Danois, Thorwaldsen, élevé en Allemagne, rivalise maintenant à Rome avec Canova, et son Jason ressemble à celui que décrit Pindare, comme le plus beau des hommes; une toison est sur son bras gauche; il tient une lance à la main, et le repos de la force caractérise le héros.

J'ai déjà dit que la sculpture en général perdait à ce que la danse fût entièrement négligée; le seul phénomène qu'il y ait dans cet art en Allemagne, c'est Ida Brunn, une jeune fille que son existence sociale exclut de la vie d'artiste; elle a reçu de la nature et de sa mère un talent inconcevable pour représenter par de simples attitudes les tableaux les plus touchants, ou les plus belles statues, sa danse n'est qu'une suite de chefs-d'œuvre passagers, dont on voudrait fixer chacun pour toujours : il est vrai que la mère d'Ida a conçu, dans son imagination, tout ce que sa fille sait peindre aux regards. Les poésies de madame Brunn font découvrir dans l'art et la nature mille richesses nouvelles que les regards distraits n'avaient point aperçues. J'ai vu la jeune Ida encore enfant représenter Althée prête à brûler le tison auquel est attachée la vie de son fils Méléagre; elle exprimait, sans paroles, la douleur, les combats et la terrible résolution d'une mère; ses regards animés servaient sans doute à faire comprendre ce qui se passait dans son cœur; mais l'art de varier ses gestes et de draper en artiste le manteau de pourpre dont elle est revêtue produisait au moins autant d'effet que sa physionomie même; souvent elle s'arrêtait longtemps dans la même attitude, et chaque fois un peintre n'aurait pu rien inventer de mieux que le tableau qu'elle improvisait; un tel talent est unique. Cependant je crois qu'on réussirait plutôt en Allemagne à la danse pantomime qu'à celle qui consiste uniquement, comme en France, dans la grâce et dans l'agilité du corps.

Les Allemands excellent dans la musique instrumentale, les connaissances qu'elle exige et la patience qu'il faut pour la bien exécuter leur sont tout à fait naturelles; ils ont aussi des compositeurs d'une imagination très variée et très féconde; je ne ferai qu'une objection à leur génie, comme musiciens; ils mettent trop d'esprit dans leurs ouvrages, ils réfléchissent trop à ce qu'ils font. Il faut dans les beaux-arts plus d'instinct que de pensée; les compositeurs allemands suivent trop exactement le sens des paroles; c'est un grand mérite, il est vrai, pour ceux qui aiment mieux les paroles que la musique; et d'ailleurs l'on ne saurait nier que le désaccord entre le sens des unes et l'expression de l'autre serait désagréable : mais les Italiens, qui sont les vrais musiciens de la nature, ne conforment les airs aux paroles que d'une manière générale. Dans les romances, dans les vaudevilles, comme il n'y a pas beaucoup de musique, on peut soumettre aux paroles le peu qu'il y en a; mais dans les grands effets de la mélodie il faut aller droit à l'âme par une sensation immédiate.

Ceux qui n'aiment pas beaucoup la peinture en elle-même attachent une grande importance aux sujets des tableaux; ils voudraient y retrouver les impressions que produisent les scènes dramatiques : il en est de même en musique; quand on la sent faiblement on exige qu'elle se conforme avec fidélité aux moindres nuances des paroles; mais quand elle émeut jusqu'au fond de l'âme, toute attention donnée à ce qui n'est pas elle ne serait qu'une distraction importune, et pourvu qu'il n'y ait pas d'opposition entre le poème et la musique, on s'abandonne à l'art qui doit toujours l'emporter sur tous les autres. Car la rêverie délicieuse dans laquelle il nous plonge anéantit les pensées que les mots peuvent exprimer, et la musique réveillant en nous le sentiment de l'infini, tout ce qui tend à particulariser l'objet de la mélodie doit en diminuer l'effet.

Gluck, que les Allemands comptent avec raison parmi leurs hommes de génie, a su merveilleusement adapter le chant aux paroles, et dans plusieurs de ses opéras il a rivalisé avec le poète par l'expression de sa musique. Lorsque Alceste a résolu de mourir pour Admète, et que ce sacrifice, secrètement offert aux dieux, a rendu son époux à la vie, le contraste des airs joyeux qui célèbrent la convalescence du roi, et des gémissements étouffés de la reine condamnée à le quitter, est d'un grand effet tragique. Oreste, dans *Iphigénie en Tauride*, dit : *Le calme rentre dans mon âme*, — et l'air qu'il chante exprime ce sentiment; mais l'accompagnement de cet air est sombre et agité. Les musiciens, étonnés de ce contraste, voulaient adoucir l'accompagnement en l'exécutant, Gluck s'en irritait et leur criait : « N'écoutez pas Oreste, il dit qu'il est calme, il ment. » Le Poussin, en peignant les danses des bergères, place dans le paysage le tombeau d'une jeune fille, sur lequel est écrit : *Et moi aussi je vécus en Arcadie*. Il y a de la pensée dans cette manière de concevoir les arts, comme dans les combinaisons ingénieuses de Gluck; mais les arts sont au-dessus de la pensée : leur langage ce sont les couleurs ou les formes, ou les sons. Si l'on pouvait se figurer les impressions dont notre âme serait susceptible, avant qu'elle connût la parole, on concevrait mieux l'effet de la peinture et de la musique.

De tous les musiciens peut-être, celui qui a montré le plus d'esprit dans le talent de marier la musique avec les paroles c'est Mozart. Il fait sentir dans ses opéras, et surtout dans *le Festin de Pierre*, toutes les gradations des scènes dramatiques; le chant est plein de gaieté, tandis que l'accompagnement bizarre et fort semble indiquer le sujet fantasque et sombre de la pièce. Cette spirituelle alliance du musicien avec le poète donne aussi un genre de plaisir, mais un plaisir qui naît de la réflexion, et celui-là n'appartient pas à la sphère merveilleuse des arts.

J'ai entendu à Vienne *la Création* de Haydn, quatre cents musiciens l'exécutèrent à la fois, c'était une digne fête en l'honneur de l'œuvre qu'elle célébrait; mais

Haydn aussi nuisait quelquefois à son talent par son esprit même; à ces paroles du texte : *Dieu dit que la lumière soit, et la lumière fut*, les instruments jouaient d'avance très doucement, et se faisaient à peine entendre, puis tout à coup ils partaient tous avec un bruit terrible, qui devait signaler l'éclat du jour. Aussi un homme d'esprit disait-il *qu'à l'apparition de la lumière il fallait se boucher les oreilles*.

Dans plusieurs autres morceaux de *la Création* la même recherche d'esprit peut être souvent blâmée; la musique se traîne quand les serpents sont créés; elle redevient brillante avec le chant des oiseaux, et dans *les Saisons* aussi de Haydn ces allusions se multiplient plus encore. Ce sont des *concetti* en musique que des effets ainsi préparés; sans doute de certaines combinaisons de l'harmonie peuvent rappeler des merveilles de la nature, mais ces analogies ne tiennent en rien à l'imitation qui n'est jamais qu'un jeu factice. Les ressemblances réelles des beaux-arts entre eux et des beaux-arts avec la nature dépendent des sentiments du même genre qu'ils excitent dans notre âme par des moyens divers.

L'imitation et l'expression diffèrent extrêmement dans les beaux-arts : l'on est assez généralement d'accord, je crois, pour exclure la musique imitative; mais il reste toujours deux manières de voir sur la musique expressive; les uns veulent trouver en elle la traduction des paroles, les autres, et ce sont les Italiens, se contentent d'un rapport général entre les situations de la pièce et l'intention des airs, et cherchent les plaisirs de l'art uniquement en lui-même. La musique des Allemands est plus variée que celle des Italiens, et c'est en cela peut-être qu'elle est moins bonne; l'esprit est condamné à la variété, c'est sa misère qui en est la cause; mais les arts, comme le sentiment, ont une admirable monotonie, celle dont on voudrait faire un moment éternel.

La musique d'église est moins belle en Allemagne qu'en Italie, parce que les instruments y dominent toujours. Quand on a entendu à Rome le *Miserere*, chanté par des voix seulement, toute musique instrumentale, même celle de la chapelle de Dresde, paraît terrestre. Les violons et les trompettes font partie de l'orchestre de Dresde pendant le service divin, et la musique y est plus guerrière que religieuse : le contraste des impressions vives qu'elle fait éprouver avec le recueillement d'une église n'est pas agréable; il ne faut pas animer la vie auprès des tombeaux : la musique militaire porte à sacrifier l'existence, mais non à s'en détacher.

La musique de la chapelle de Vienne mérite aussi d'être vantée; celui de tous les arts que les Viennois apprécient le plus c'est la musique; cela fait espérer qu'un jour ils deviendront poètes, car, malgré leurs goûts un peu prosaïques, quiconque aime la musique est enthousiaste, sans le savoir, de tout ce qu'elle rappelle. J'ai entendu à Vienne le *Requiem* que Mozart a composé quelques jours avant de mourir, et qui fut chanté dans l'église le jour de ses obsèques; il n'est pas assez solennel pour la situation, et l'on y retrouve encore de l'ingénieux, comme dans tout ce qu'a fait Mozart; néanmoins qu'y a-t-il de plus touchant qu'un homme d'un talent supérieur, célébrant ainsi ses propres funérailles, inspiré à la fois par le sentiment de sa mort et de son immortalité! Les souvenirs de la vie doivent décorer les tombeaux, les armes d'un guerrier y sont suspendues, et les chefs-d'œuvre de l'art causent une impression solennelle dans le temple où reposent les restes de l'artiste.

TROISIÈME PARTIE

LA PHILOSOPHIE ET LA MORALE

CHAPITRE PREMIER

DE LA PHILOSOPHIE

On a voulu jeter, depuis quelque temps, une grande défaveur sur le mot de philosophie. Il en est ainsi de tous ceux dont l'acception est très étendue; ils sont l'objet des bénédictions ou des malédictions de l'espèce humaine, suivant qu'on les emploie à des époques heureuses ou malheureuses; mais, malgré les injures et les louanges accidentelles des individus et des nations, la philosophie, la liberté, la religion ne changent jamais de valeur. L'homme a maudit le soleil, l'amour et la vie; il a souffert, il s'est senti consumé par ces flambeaux de la nature; mais voudrait-il pour cela les éteindre ?

Tout ce qui tend à comprimer nos facultés est toujours une doctrine avilissante; il faut les diriger vers le but sublime de l'existence, le perfectionnement moral; mais ce n'est point par le suicide partiel de telle ou telle puissance de notre être que nous nous rendrons capables de nous élever vers ce but : nous n'avons pas trop de tous nos moyens pour nous en rapprocher; et si le ciel avait accordé à l'homme plus de génie, il en aurait d'autant plus de vertu.

Parmi les différentes branches de la philosophie, celle qui a particulièrement occupé les Allemands, c'est la métaphysique. Les objets qu'elle embrasse peuvent être divisés en trois classes. La première se rapporte au mystère de la création, c'est-à-dire à l'infini en toutes choses; la seconde, à la formation des idées dans l'esprit humain, et la troisième à l'exercice de nos facultés, sans remonter à leur source.

La première de ces études, celle qui s'attache à connaître le secret de l'univers, a été cultivée chez les Grecs comme elle l'est maintenant chez les Allemands. On ne peut nier qu'une telle recherche, quelque sublime qu'elle soit dans son principe, ne nous fasse sentir à chaque pas notre impuissance, et le découragement suit les efforts qui ne peuvent atteindre à un résultat. L'utilité de la troisième classe des observations métaphysiques, celle qui se renferme dans la connaissance des actes de notre entendement, ne saurait être contestée; mais cette utilité se borne au cercle des expériences journalières. Les méditations philosophiques de la seconde classe, celles qui se dirigent sur la nature de notre âme et sur l'origine de nos idées, me paraissent de toutes les plus intéressantes. Il n'est pas probable que nous puissions jamais connaître les vérités éternelles qui expliquent l'existence de ce monde : le désir que nous en éprouvons est au nombre des nobles pensées qui nous attirent vers une autre vie; mais ce n'est pas pour rien que la faculté de nous examiner nous-mêmes nous a été donnée. Sans doute c'est déjà se servir de cette faculté, que d'observer la marche de notre esprit tel qu'il est; toutefois, en s'élevant plus haut, en cherchant à savoir si cet esprit agit spontanément, ou s'il ne peut penser que provoqué par les objets extérieurs, nous aurons des lumières de plus sur le libre arbitre de l'homme, et par conséquent sur le vice et la vertu.

Une foule de questions morales et religieuses dépendent de la manière dont on considère l'origine et la formation de nos idées. C'est surtout la diversité des systèmes à cet égard qui sépare les philosophes allemands des philosophes français. Il est aisé de concevoir que si la différence est à la source, elle doit se manifester dans tout ce qui en dérive; il est donc impossible de faire connaître l'Allemagne, sans indiquer la marche de la philosophie qui, depuis Leibniz jusqu'à nos jours, n'a cessé d'exercer un si grand empire sur la république des lettres.

Il y a deux manières d'envisager la métaphysique de l'entendement humain, ou dans sa théorie, ou dans ses résultats. L'examen de la théorie exige une capacité qui m'est étrangère; mais il est facile d'observer l'influence qu'exerce telle ou telle opinion métaphysique sur le développement de l'esprit et de l'âme. L'évangile nous dit *qu'il faut juger les prophètes par leurs œuvres :* cette maxime peut aussi nous guider entre les différentes philosophies; car tout ce qui tend à l'immortalité n'est jamais qu'un sophisme. Cette vie n'a quelque prix que si elle sert à l'éducation religieuse de notre cœur, que si elle nous prépare à une destinée plus haute, par le choix libre de la vertu sur la terre. La métaphysique, les institutions sociales, les arts, les sciences, tout doit être apprécié d'après le perfectionnement moral de l'homme; c'est la pierre de touche qui est donnée à l'ignorant comme au savant. Car, si la connaissance des moyens n'appartient qu'aux initiés, les résultats sont à la portée de tout le monde.

Il faut avoir l'habitude de la méthode de raisonnement dont on se sert en géométrie, pour bien comprendre la métaphysique. Dans cette science, comme dans celle du calcul, le moindre chaînon sauté détruit toute la liaison qui conduit à l'évidence. Les raisonnements métaphysiques sont plus abstraits et non moins précis que ceux des mathématiques, et cependant leur objet est vague. L'on a besoin de réunir en métaphysique les deux facultés opposées, l'imagination et le calcul : c'est un nuage qu'il faut mesurer avec la même exactitude qu'un terrain, et nulle étude n'exige une aussi grande intensité d'attention; néanmoins dans les questions les plus hautes il y a toujours un point de vue à la portée de tout le monde, et c'est celui-là que je me propose de saisir et de présenter.

Je demandais un jour à Fichte, l'une des plus fortes têtes pensantes de l'Allemagne, s'il ne pouvait pas me dire sa morale plutôt que sa métaphysique. — L'une dépend de l'autre, me répondit-il. — Et ce mot était plein de profondeur, il renferme tous les motifs de l'intérêt qu'on peut prendre à la philosophie.

On s'est accoutumé à la considérer comme destructive de toutes les croyances du cœur; elle serait alors la véritable ennemie de l'homme; mais il n'en est point ainsi de la doctrine de Platon, ni de celle des Allemands; ils regardent le sentiment comme un fait, comme le fait primitif de l'âme, et la raison philosophique comme destinée seulement à rechercher la signification de ce fait.

L'énigme de l'univers a été l'objet des méditations perdues d'un grand nombre d'hommes, dignes aussi d'admiration, puisqu'ils se sentaient appelés à quelque chose de mieux que ce monde. Les esprits d'une haute lignée errent sans cesse autour de l'abîme des pensées sans fin; mais néanmoins il faut s'en détourner, car l'esprit se fatigue en vain dans ces efforts pour escalader le ciel.

L'origine de la pensée a occupé tous les véritables philosophes. Y a-t-il deux natures dans l'homme? S'il n'y en a qu'une, est-ce l'âme ou la matière? S'il y en a deux, les idées viennent-elles par les sens, ou naissent-elles dans notre âme, ou bien sont-elles un mélange de l'action des objets extérieurs sur nous et des facultés intérieures que nous possédons?

A ces trois questions, qui ont divisé de tout temps le monde philosophique, est attaché l'examen qui touche le plus immédiatement à la vertu : savoir, si la fatalité ou le libre arbitre décide des résolutions des hommes. Chez les Anciens, la fatalité venait de la volonté des dieux; chez les modernes, on l'attribue au cours des choses. La fatalité, chez les Anciens, faisait ressortir le libre arbitre; car la volonté de l'homme luttait contre l'événement, et la résistance morale était invincible; le fatalisme des modernes, au contraire, détruit nécessairement la croyance au libre arbitre; si les circonstances nous créent ce que nous sommes, nous ne pouvons pas nous opposer à leur ascendant; si les objets extérieurs sont la cause de tout ce qui se passe dans notre âme, quelle pensée indépendante nous affranchirait de leur influence? La fatalité qui descendait du ciel remplissait l'âme d'une sainte terreur, tandis que celle qui nous lie à la terre ne fait que nous dégrader. A quoi bon toutes ces questions? dira-t-on. A quoi bon ce qui n'est pas cela? pourrait-on répondre. Car qu'y a-t-il de plus important pour l'homme que de savoir s'il a vraiment la responsabilité de ses actions, et dans quel rapport est la puissance de la volonté avec l'empire des circonstances sur elle? Que serait la conscience si nos habitudes seules l'avaient fait naître, si elle n'était rien que le produit des couleurs, des sons, des parfums, enfin des circonstances de tout genre dont nous aurions été environnés pendant notre enfance?

La métaphysique, qui s'applique à découvrir quelle est la source de nos idées, influe puissamment par ses conséquences sur la nature et la force de notre volonté; cette métaphysique est à la fois la plus haute et la plus nécessaire de nos connaissances, et les partisans de l'utilité suprême, de l'utilité morale, ne peuvent la dédaigner.

CHAPITRE II

DE LA PHILOSOPHIE ANGLAISE

Tout semble attester en nous-mêmes l'existence d'une double nature, l'influence des sens et celle de l'âme se partagent notre être, et selon que la philosophie penche vers l'une ou vers l'autre, les opinions et les sentiments sont à tous égards diamétralement opposés. On peut aussi désigner l'empire des sens et celui de la pensée par d'autres termes : il y a dans l'homme ce qui périt avec l'existence terrestre et ce qui peut lui survivre; ce que l'expérience fait acquérir et ce que l'instinct moral nous inspire, le fini et l'infini; mais, de quelque manière qu'on s'exprime, il faut toujours convenir qu'il y a deux principes de vie différents dans la créature sujette à la mort et destinée à l'immortalité.

La tendance vers le spiritualisme a toujours été très manifeste chez les peuples du Nord, et même avant l'introduction du christianisme ce penchant s'est fait voir à travers la violence des passions guerrières. Les Grecs avaient foi aux merveilles extérieures; les nations germaniques croient aux miracles de l'âme. Toutes leurs poésies sont remplies de pressentiments, de présages, de prophéties du cœur; et tandis que les Grecs s'unissaient à la nature par les plaisirs, les habitants du Nord s'élevaient jusqu'au Créateur par les sentiments religieux. Dans le Midi, le paganisme divinisait les phénomènes physiques, dans le Nord, on était enclin à croire à la magie, parce qu'elle attribue à l'esprit de l'homme une puissance sans bornes sur le monde matériel. L'âme et la nature, la volonté et la nécessité se partagent le domaine de l'existence, et selon que nous plaçons la force en nous-mêmes ou au-dehors de nous, nous sommes les fils du ciel ou les esclaves de la terre.

A la renaissance des lettres, les uns s'occupaient des subtilités de l'école en métaphysique, et les autres croyaient aux superstitions de la magie dans les sciences : l'art d'observer ne régnait pas plus dans l'empire des sens que l'enthousiasme dans l'empire de l'âme; à peu d'exceptions près, il n'y avait parmi les philosophes ni expérience ni inspiration. Un géant parut; c'était Bacon : jamais les merveilles de la nature, ni les découvertes de la pensée, n'ont été si bien conçues par la même intelligence. Il n'y a pas une phrase de ses écrits qui ne suppose des années de réflexion et d'étude; il anime la métaphysique par la connaissance du cœur humain, il sait généraliser les faits par la philosophie : dans les sciences physiques, il a créé l'art de l'expérience; mais il ne s'ensuit pas du tout, comme on voudrait le faire croire, qu'il ait été partisan exclusif du système qui fonde toutes les idées sur les sensations. Il admet l'inspiration dans tout ce qui tient à l'âme, et il la croit même nécessaire pour interpréter les phénomènes physiques d'après les principes généraux. Mais, de son temps, il y avait encore des alchimistes, des devins et des sorciers; on méconnaissait assez la religion dans la plus grande partie de l'Europe pour croire qu'elle interdisait une vérité quelconque, elle qui conduit à toutes. Bacon fut frappé de ces erreurs, son siècle penchait vers la superstition comme le nôtre vers l'incrédulité : à l'époque où vivait Bacon, il devait chercher à mettre en honneur la philosophie expérimentale; à celle où nous sommes, il sentirait le besoin de ranimer la source intérieure du beau moral et de rappeler sans cesse à l'homme qu'il existe en lui-même dans son sentiment et dans sa volonté. Quand le siècle est superstitieux, le génie de l'observation est timide, le monde physique est mal connu; quand le siècle est incrédule, l'enthousiasme n'existe plus, et l'on ne sait plus rien de l'âme ni du siècle.

Dans un temps où la marche de l'esprit humain n'avait rien d'assuré dans aucun genre, Bacon rassembla toutes ses forces pour tracer la route que doit suivre la philosophie expérimentale, et ses écrits servent encore maintenant de guide à ceux qui veulent étudier la nature. Ministre d'État, il s'était longtemps occupé de l'administration et de la politique. Les plus fortes têtes sont celles qui réunissent le goût et l'habitude de la méditation à la pratique des affaires : Bacon était, sous ce double rapport, un esprit prodigieux, mais il a manqué à sa philosophie ce qui manquait à son caractère, il n'était pas assez vertueux pour sentir en entier ce que c'est que la liberté morale de l'homme : cependant on ne peut le comparer aux matérialistes du dernier siècle, et ses successeurs ont poussé la théorie de l'expérience bien au-delà de son intention. Il est loin, je le répète, d'attribuer toutes nos idées à nos sensations, et de considérer l'analyse comme le seul instrument des découvertes. Il suit souvent une marche plus hardie, et s'il s'en tient à la logique expérimentale pour écarter tous les préjugés qui encombrent sa route, c'est à l'élan seul du génie qu'il se fie pour marcher en avant.

« L'esprit humain, dit Luther, est comme un paysan ivre à cheval, quand on le relève d'un côté il retombe de l'autre. » Ainsi l'homme a flotté sans cesse entre ses deux natures ; tantôt ses pensées le dégageaient de ses sensations, tantôt ses sensations absorbaient ses pensées, et successivement il voulait tout rapporter aux unes et aux autres : il me semble néanmoins que le moment d'une doctrine stable est arrivé : la métaphysique doit subir une révolution semblable à celle qu'a faite Copernic dans le système du monde ; elle doit replacer notre âme au centre et la rendre en tout semblable au soleil autour duquel les objets extérieurs tracent leur cercle et dont ils empruntent la lumière.

L'arbre généalogique des connaissances humaines, dans lequel chaque science se rapporte à telle faculté, est sans doute l'un des titres de Bacon à l'admiration de la postérité ; mais ce qui fait sa gloire, c'est qu'il a eu soin de proclamer qu'il fallait bien se garder de séparer d'une manière absolue les sciences l'une de l'autre et que toutes se réunissaient dans la philosophie générale. Il n'est point l'auteur de cette méthode anatomique qui considère les forces intellectuelles chacune à part, et semble méconnaître l'admirable unité de l'être moral. La sensibilité, l'imagination, la raison servent l'une à l'autre. Chacune de ces facultés ne serait qu'une maladie, qu'une faiblesse au lieu d'une force, si elle n'était pas modifiée ou complétée par la totalité de notre être. Les sciences de calcul à une certaine hauteur ont besoin d'imagination. L'imagination à son tour doit s'appuyer sur la connaissance exacte de la nature. La raison semble de toutes les facultés celle qui se passerait le plus facilement du secours des autres, et cependant si l'on était entièrement dépourvu d'imagination et de sensibilité, l'on pourrait à force de sécheresse devenir pour ainsi dire fou de raison, et ne voyant plus dans la vie que des calculs et des intérêts matériels, se tromper autant sur les caractères et les affections des hommes, qu'un être enthousiaste qui se figurerait partout le désintéressement et l'amour.

On suit un faux système d'éducation lorsqu'on veut développer exclusivement telle ou telle qualité de l'esprit; car se vouer à une seule faculté, c'est prendre un métier intellectuel. Milton dit avec raison *qu'une éducation n'est bonne que quand elle rend propre à tous les emplois de la guerre et de la paix*; tout ce qui fait de l'homme un homme est le véritable objet de l'enseignement.

Ne savoir d'une science que ce qui lui est particulier, c'est appliquer aux études libérales la division du travail de Smith, qui ne convient qu'aux arts mécaniques. Quand on arrive à cette hauteur où chaque science touche par quelques points à toutes les autres, c'est alors qu'on approche de la région des idées universelles; et l'air qui vient de là vivifie toutes les pensées.

L'âme est un foyer qui rayonne dans tous les sens; c'est dans ce foyer que consiste l'existence; toutes les observations et tous les efforts des philosophes doivent se tourner vers ce *moi*, centre et mobile de nos sentiments et de nos idées. Sans doute l'incomplet du langage nous oblige à nous servir d'expressions erronées, il faut répéter, suivant l'usage : tel individu a de la raison, ou de l'imagination, ou de la sensibilité, etc.; mais si l'on voulait s'entendre par un mot, on devrait dire seulement [1] : *Il a de l'âme, il a beaucoup d'âme.* C'est ce souffle divin qui fait tout l'homme.

Aimer en apprend plus sur ce qui tient aux mystères de l'âme que la métaphysique la plus subtile. On ne s'attache jamais à telle ou telle qualité de la personne qu'on préfère, et tous les madrigaux disent un grand mot philosophique en répétant que c'est pour *je ne sais quoi* qu'on aime, car ce je ne sais quoi c'est l'ensemble et l'harmonie que nous reconnaissons par l'amour, par

1. M. Ancillon, dont j'aurai l'occasion de parler dans la suite de cet ouvrage, s'est servi de cette expression dans un livre qu'on ne saurait se lasser de méditer. (Note de Mme de Staël.)

l'admiration, par tous les sentiments qui nous révèlent ce qu'il y a de plus profond et de plus intime dans le cœur d'un autre.

L'analyse ne pouvant examiner qu'en divisant, s'applique, comme le scalpel, à la nature morte; mais c'est un mauvais instrument pour apprendre à connaître ce qui est vivant; et si l'on a de la peine à définir par des paroles la conception animée qui nous représente les objets tout entiers, c'est précisément parce que cette conception tient de plus près à l'essence des choses. Diviser pour comprendre est en philosophie un signe de faiblesse, comme en politique diviser pour régner.

Bacon tenait encore beaucoup plus qu'on ne croit à cette philosophie idéaliste qui depuis Platon jusqu'à nos jours a constamment reparu sous diverses formes; néanmoins le succès de sa méthode analytique dans les sciences exactes a nécessairement influé sur son système en métaphysique : l'on a compris d'une manière beaucoup plus absolue qu'il ne l'avait présentée lui-même, sa doctrine sur les sensations considérées comme l'origine des idées.

Nous pouvions voir clairement l'influence de cette doctrine par les deux écoles qu'elle a produites, celle de Hobbes et celle de Locke. Certainement l'une et l'autre diffèrent beaucoup dans le but; mais leurs principes sont semblables à plusieurs égards.

Hobbes prit à la lettre la philosophie qui fait dériver toutes nos idées des impressions des sens; il n'en craignit point les conséquences, et il a dit hardiment *que l'âme était soumise à la nécessité, comme la société au despotisme ;* il admet le fatalisme des sensations pour la pensée, et celui de la force pour les actions. Il anéantit la liberté morale comme la liberté civile, pensant avec raison qu'elles dépendent l'une de l'autre. Il fut athée et esclave; et rien n'est plus conséquent, car s'il n'y a dans l'homme que l'empreinte des impressions du dehors, la puissance terrestre est tout, et l'âme en dépend autant que la destinée.

Le culte de tous les sentiments élevés et purs est tellement consolidé en Angleterre par les institutions politiques et religieuses, que les spéculations de l'esprit tournent autour de ces imposantes colonnes sans jamais les ébranler. Hobbes eut donc peu de partisans dans son pays; mais l'influence de Locke fut plus universelle. Comme son caractère était moral et religieux, il ne se permit aucun des raisonnements corrupteurs qui dérivaient nécessairement de sa métaphysique; et la plupart de ses compatriotes, en l'adoptant, ont eu comme lui la noble inconséquence de séparer les résultats des principes, tandis que Hume et les philosophes français, après avoir admis le système, l'ont appliqué d'une manière beaucoup plus logique.

La métaphysique de Locke n'a eu d'autre effet sur les esprits en Angleterre que de ternir un peu leur originalité naturelle; quand même elle dessécherait la source des grandes pensées philosophiques, elle ne saurait détruire le sentiment religieux qui sait si bien y suppléer; mais cette métaphysique reçue dans le reste de l'Europe, l'Allemagne exceptée, a été l'une des principales causes de l'immoralité dont on s'est fait une théorie pour en mieux assurer la pratique.

Locke s'est particulièrement attaché à prouver qu'il n'y avait rien d'inné dans l'âme : il avait raison, puisqu'il mêlait toujours au sens du mot idée un développement acquis par l'expérience; les idées ainsi conçues sont le résultat des objets qui les excitent, des comparaisons qui les rassemblent, et du langage qui en facilite la combinaison. Mais il n'en est pas de même des sentiments, ni des dispositions, ni des facultés qui constituent les lois de l'entendement humain, comme l'attraction et l'impulsion constituent celles de la nature physique.

Une chose vraiment digne de remarque, ce sont les arguments dont Locke a été obligé de se servir pour prouver que tout ce qui était dans l'âme nous venait par les sensations. Si ces arguments conduisaient à la vérité, sans doute il faudrait surmonter la répugnance morale qu'ils inspirent; mais on peut croire en général à cette répugnance comme à un signe infaillible de ce que l'on doit éviter. Locke voulait démontrer que la conscience du bien et du mal n'était pas innée dans l'homme, et qu'il ne connaissait le juste et l'injuste, comme le rouge et le bleu, que par l'expérience; il a recherché avec soin, pour parvenir à ce but, tous les pays où les coutumes et les lois mettaient des crimes en honneur; ceux où l'on se faisait un devoir de tuer son ennemi, de mépriser le mariage, de faire mourir son père quand il était vieux.

Il recueille attentivement tout ce que les voyageurs ont raconté des cruautés passées en usage. Qu'est-ce donc qu'un système qui inspire à un homme aussi vertueux que Locke de l'avidité pour de tels faits?

Que ces faits soient tristes ou non, pourra-t-on dire,

l'important est de savoir s'ils sont vrais. — Ils peuvent être vrais, mais que signifient-ils ? Ne savons-nous pas, d'après notre propre expérience, que les circonstances, c'est-à-dire les objets extérieurs, influent sur notre manière d'interpréter nos devoirs ? Agrandissez les circonstances, et vous y trouverez la cause des erreurs des peuples; mais y a-t-il des peuples ou des hommes qui nient qu'il y ait des devoirs ? A-t-on jamais prétendu qu'aucune signification n'était attachée à l'idée du juste et de l'injuste ? L'explication qu'on en donne peut être diverse, mais la conviction du principe est partout la même, et c'est dans cette conviction que consiste l'empreinte primitive qu'on retrouve dans tous les humains.

Quand le sauvage tue son père lorsqu'il est vieux, il croit lui rendre un service; il ne le fait pas pour son propre intérêt, mais pour celui de son père : l'action qu'il commet est horrible, et cependant il n'est pas pour cela dépourvu de conscience; et, de ce qu'il manque de lumières, il ne s'ensuit pas qu'il manque de vertus. Les sensations, c'est-à-dire les objets extérieurs dont il est environné, l'aveuglent; le sentiment intime qui constitue la haine du vice et le respect pour la vertu n'existe pas moins en lui, quoique l'expérience l'ait trompé sur la manière dont ce sentiment doit se manifester dans la vie. Préférer les autres à soi quand la vertu le commande, c'est précisément ce qui fait l'essence du beau moral, et cet admirable instinct de l'âme, adversaire de l'instinct physique, est inhérent à notre nature; s'il pouvait être acquis, il pourrait aussi se perdre; mais il est immuable parce qu'il est inné. Il est possible de faire le mal en croyant faire le bien; il est possible de se rendre coupable en le sachant et le voulant, mais il ne l'est pas d'admettre comme vérité une chose contradictoire, la justice de l'injustice.

L'indifférence au bien et au mal est le résultat ordinaire d'une civilisation pour ainsi dire pétrifiée, et cette indifférence est un beaucoup plus grand argument contre la conscience innée que les grossières erreurs des sauvages; mais les hommes les plus sceptiques, s'ils sont opprimés sous quelques rapports, en appellent à la justice comme s'ils y avaient cru toute leur vie, et lorsqu'ils sont saisis par une affection vive et qu'on la tyrannise, ils invoquent le sentiment de l'équité avec autant de force que les moralistes les plus austères. Dès qu'une flamme quelconque, celle de l'indignation ou celle de l'amour, s'empare de notre âme, elle fait reparaître en nous les caractères sacrés des lois éternelles.

Si le hasard de la naissance et de l'éducation décidait de la moralité d'un homme, comment pourrait-on l'accuser de ses actions ? Si tout ce qui compose notre volonté nous vient des objets extérieurs, chacun peut en appeler à des relations particulières pour motiver toute sa conduite; et souvent ces relations diffèrent autant entre les habitants d'un même pays qu'entre un Asiatique et un Européen. Si donc la circonstance devait être la divinité des mortels, il serait simple que chaque homme eût une morale qui lui fût propre, ou plutôt une absence de morale à son usage; et pour interdire le mal que les sensations pourraient conseiller, il n'y aurait de bonne raison à opposer que la force publique qui le punirait; or, si la force publique commandait l'injustice, la question se trouverait résolue : toutes les sensations feraient naître toutes les idées qui conduiraient à la plus complète dépravation.

Les preuves de la spiritualité de l'âme ne peuvent se trouver dans l'empire des sens, le monde visible est abandonné à cet empire; mais le monde invisible ne saurait y être soumis; et si l'on n'admet pas des idées spontanées, si la pensée et le sentiment dépendent en entier des sensations, comment l'âme, dans une telle servitude, serait-elle immatérielle ? Et si, comme personne ne le nie, la plupart des faits transmis par les sens sont sujets à l'erreur, qu'est-ce qu'un être moral qui n'agit que lorsqu'il est excité par des objets extérieurs, et par des objets même dont les apparences sont souvent fausses ?

Un philosophe français a dit, en se servant de l'expression la plus rebutante, *que la pensée n'était autre chose qu'un produit matériel du cerveau.* Cette déplorable définition est le résultat le plus naturel de la métaphysique qui attribue à nos sensations l'origine de toutes nos idées. On a raison, si c'est ainsi, de se moquer de ce qui est intellectuel, et de trouver incompréhensible tout ce qui n'est pas palpable. Si notre âme n'est qu'une matière subtile mise en mouvement par d'autres éléments plus ou moins grossiers, auprès desquels même elle a le désavantage d'être passive; si nos impressions et nos souvenirs ne sont que les vibrations prolongées d'un instrument dont le hasard a joué, il n'y a que des fibres dans notre cerveau, que des forces physiques dans le monde, et tout peut s'expliquer d'après les lois qui les régissent. Il reste bien encore quelques petites difficultés sur l'origine des choses et le but de notre existence, mais on a bien simplifié la question, et la raison conseille de supprimer en nous-mêmes tous les désirs et toutes les espérances que le génie, l'amour et la religion font concevoir; car l'homme ne serait alors qu'une mécanique de plus dans le grand mécanisme de l'univers : ses facultés ne seraient que des rouages, sa morale un calcul, et son culte le succès.

Locke, croyant du fond de son âme à l'existence de Dieu, établit sa conviction, sans s'en apercevoir, sur des raisonnements qui sortent tous de la sphère de l'expérience : il affirme qu'il y a un principe éternel, une cause primitive de toutes les autres causes; il entre ainsi dans la sphère de l'infini, et l'infini est par-delà toute expérience : mais Locke avait en même temps une telle peur que l'idée de Dieu ne pût passer pour innée dans l'homme; il lui paraissait si absurde que le Créateur eût daigné comme un grand peintre graver son nom sur le tableau de notre âme, qu'il s'est attaché à découvrir dans tous les récits des voyageurs quelques peuples qui n'eussent aucune croyance religieuse. On peut, je crois, l'affirmer hardiment, ces peuples n'existent pas. Le mouvement qui nous élève jusqu'à l'intelligence suprême se retrouve dans le génie de Newton comme dans l'âme du pauvre sauvage dévot envers la pierre sur laquelle il s'est reposé. Nul homme ne s'en est tenu au monde extérieur, tel qu'il est, et tous se sont senti au fond du cœur, dans une époque quelconque de leur vie, un indéfinissable attrait pour quelque chose de surnaturel; mais comment se peut-il qu'un être aussi religieux que Locke s'attache à changer les caractères primitifs de la foi en une connaissance accidentelle que le sort peut nous ravir ou nous accorder ? Je le répète, la tendance d'une doctrine quelconque doit toujours être comptée pour beaucoup dans le jugement que nous portons sur la vérité de cette doctrine; car, en théorie, le bon et le vrai sont inséparables.

Tout ce qui est visible parle à l'homme de commencement et de fin, de décadence et de destruction. Une étincelle divine est seule en nous l'indice de l'immortalité. De quelle sensation vient-elle ? Toutes les sensations la combattent, et cependant elle triomphe de toutes. Quoi, dira-t-on, les causes finales, les merveilles de l'univers, la splendeur des cieux qui frappe nos regards, ne nous attestent-elles pas la magnificence et la bonté du Créateur ? Le livre de la nature est contradictoire, l'on y voit les emblèmes du bien et du mal presque en égale proportion; et il en est ainsi pour que l'homme puisse exercer sa liberté entre des probabilités opposées, entre des craintes et des espérances à peu près de même force. Le ciel étoilé nous apparaît comme les parvis de la divinité; mais tous les maux et tous les vices des hommes obscurcissent ces feux célestes. Une seule voix sans parole, mais non pas sans harmonie, sans force, mais irrésistible, proclame un Dieu au fond de notre cœur : tout ce qui est vraiment beau dans l'homme naît de ce qu'il éprouve intérieurement et spontanément : toute action héroïque est inspirée par la liberté morale; l'acte de se dévouer à la volonté divine, cet acte que toutes les sensations combattent et que l'enthousiasme seul inspire, est si noble et si pur, que les anges eux-mêmes, vertueux par nature et sans obstacle, pourraient l'envier à l'homme.

La métaphysique, qui déplace le centre de la vie, en supposant que son impulsion vient du dehors, dépouille l'homme de sa liberté et se détruit elle-même; car il n'y a plus de nature spirituelle dès qu'on l'unit tellement à la nature physique, que ce n'est plus que par respect humain qu'on les distingue encore : cette métaphysique n'est conséquente que lorsqu'on en fait dériver, comme en France, le matérialisme fondé sur les sensations, et la morale fondée sur l'intérêt. La théorie abstraite de ce système est née en Angleterre; mais aucune de ses conséquences n'y a été admise. En France, on n'a pas eu l'honneur de la découverte, mais bien celui de l'application. En Allemagne, depuis Leibniz, on a combattu le système et les conséquences : et certes il est digne des hommes éclairés et religieux de tous les pays d'examiner si des principes dont les résultats sont si funestes doivent être considérés comme des vérités incontestables.

Shaftsbury, Hutcheson, Smith, Reid, Dugald Stuart, etc., ont étudié les opérations de notre entendement avec une rare sagacité; les ouvrages de Dugald Stuart en particulier contiennent une théorie si parfaite des facultés intellectuelles, qu'on peut la considérer, pour ainsi dire, comme l'histoire naturelle de l'être moral. Chaque individu doit y reconnaître une portion quelconque de lui-même. Quelque opinion qu'on ait adoptée sur l'origine des idées, l'on ne saurait nier l'utilité d'un travail qui a pour but d'examiner leur marche et leur direction; mais ce n'est point assez d'observer le développement de nos facultés; il faut remonter à leur source, afin de se rendre compte de la nature et de l'indépendance de la volonté dans l'homme.

On ne saurait considérer comme une question oiseuse celle qui s'attache à connaître si l'âme a la faculté de sentir et de penser par elle-même. C'est la question d'Hamlet, *être ou n'être pas.*

CHAPITRE III

DE LA PHILOSOPHIE FRANÇAISE

Descartes a été pendant longtemps le chef de la philosophie française; et si sa physique n'avait pas été reconnue pour mauvaise, peut-être sa métaphysique aurait-elle conservé un ascendant plus durable. Bossuet, Fénelon, Pascal, tous les grands hommes du siècle de Louis XIV avaient adopté l'idéalisme de Descartes : et ce système s'accordait beaucoup mieux avec le catholicisme que la philosophie purement expérimentale; car il paraît singulièrement difficile de réunir la foi aux dogmes les plus mystiques avec l'empire souverain des sensations sur l'âme.

Parmi les métaphysiciens français qui ont professé la doctrine de Locke, il faut compter au premier rang Condillac, que son état de prêtre obligeait à des ménagements envers la religion, et Bonnet, qui, naturellement religieux, vivait à Genève dans un pays où les lumières et la piété sont inséparables. Ces deux philosophes, Bonnet surtout, ont établi des exceptions en faveur de la révélation; mais il me semble qu'une des causes de l'affaiblissement du respect pour la religion, c'est de l'avoir mise à part de toutes les sciences, comme si la philosophie, le raisonnement, enfin tout ce qui est estimé dans les affaires terrestres ne pouvait s'appliquer à la religion : une vénération dérisoire l'écarte de tous les intérêts de la vie; c'est pour ainsi dire la reconduire hors du cercle de l'esprit humain à force de révérences. Dans tous les pays où règne une croyance religieuse, elle est le centre des idées, et la philosophie consiste à trouver l'interprétation raisonnée des vérités divines.

Lorsque Descartes écrivit, la philosophie de Bacon n'avait pas encore pénétré en France, et l'on était encore au même point d'ignorance et de superstition scolastiques qu'à l'époque où le grand penseur de l'Angleterre publia ses ouvrages. Il y a deux manières de redresser les préjugés des hommes : le recours à l'expérience, et l'appel à la réflexion. Bacon prit le premier moyen, Descartes le second; l'un rendit d'immenses services aux sciences; l'autre à la pensée, qui est la source de toutes les sciences.

Bacon était un homme d'un beaucoup plus grand génie et d'une instruction plus vaste encore que Descartes; il a su fonder sa philosophie dans le monde matériel; celle de Descartes fut décréditée par les savants qui attaquèrent avec succès ses opinions sur le système du monde : il pouvait raisonner juste dans l'examen de l'âme, et se tromper par rapport aux lois physiques de l'univers; mais les jugements des hommes étant presque tous fondés sur une aveugle et rapide confiance dans les analogies, l'on a cru que celui qui observait si mal au-dehors ne s'entendait pas mieux à ce qui se passe en dedans de nous-mêmes. Descartes a dans sa manière d'écrire une simplicité pleine de bonhomie qui inspire de la confiance, et la force de son génie ne saurait être contestée. Néanmoins quand on le compare soit aux philosophes allemands, soit à Platon, on ne peut trouver dans ses ouvrages ni la théorie de l'idéalisme dans toute son abstraction ni l'imagination poétique qui en fait la beauté. Un rayon lumineux cependant avait traversé l'esprit de Descartes, et c'est à lui qu'appartient la gloire d'avoir dirigé la philosophie moderne de son temps vers le développement intérieur de l'âme. Il produisit une grande sensation en appelant de toutes les vérités reçues à l'examen de la réflexion; on admira ces axiomes : *Je pense, donc j'existe ; donc j'ai un créateur, source parfaite de mes incomplètes facultés ; tout peut se révoquer en doute au-dehors de nous, le vrai n'est que dans notre âme, et c'est elle qui en est le juge suprême.*

Le doute universel est l'*a b c* de la philosophie; chaque homme recommence à raisonner avec ses propres lumières, quand il veut remonter aux principes des choses; mais l'autorité d'Aristote avait tellement introduit les formes dogmatiques en Europe, qu'on fut étonné de la hardiesse de Descartes qui soumettait toutes les opinions au jugement naturel.

Les écrivains de Port-Royal furent formés à son école;

aussi les Français ont-ils eu dans le dix-septième siècle des penseurs plus sévères que dans le dix-huitième. A côté de la grâce et du charme de l'esprit, une certaine gravité dans le caractère annonçait l'influence que devait exercer une philosophie qui attribuait toutes nos idées à la puissance de la réflexion.

Malebranche, le premier disciple de Descartes, est un homme doué du génie de l'âme à un éminent degré : l'on s'est plu à le considérer dans le dix-huitième siècle comme un rêveur, et l'on est perdu en France quand on a la réputation de rêveur; car elle emporte avec elle l'idée qu'on n'est utile à rien, ce qui déplaît singulièrement à tout ce qu'on appelle les gens raisonnables; mais ce mot d'utilité est-il assez noble pour s'appliquer aux besoins de l'âme ?

Les écrivains français du dix-huitième siècle s'entendaient mieux à la liberté politique; ceux du dix-septième à la liberté morale. Les philosophes du dix-huitième étaient des combattants; ceux du dix-septième des solitaires. Sous un gouvernement absolu, tel que celui de Louis XIV, l'indépendance ne trouve asile que dans la méditation; sous les règnes anarchiques du dernier siècle les hommes de lettres étaient animés par le désir de conquérir le gouvernement de leur pays aux principes et aux idées libérales dont l'Angleterre donnait un si bel exemple. Les écrivains qui n'ont pas dépassé ce but sont très dignes de l'estime de leurs concitoyens; mais il n'en est pas moins vrai que les ouvrages composés dans le dix-septième siècle sont plus philosophiques, à beaucoup d'égards, que ceux qui ont été publiés depuis; car la philosophie consiste surtout dans l'étude et la connaissance de notre être intellectuel.

Les philosophes du dix-huitième siècle se sont plus occupés de la politique sociale que de la nature primitive de l'homme; les philosophes du dix-septième, par cela seul qu'ils étaient religieux, en savaient plus sur le fond du cœur. Les philosophes, pendant le déclin de la monarchie française, ont excité la pensée au-dehors, accoutumés qu'ils étaient à s'en servir comme d'une arme; les philosophes, sous l'empire de Louis XIV, se sont attachés davantage à la métaphysique idéaliste, parce que le recueillement leur était plus habituel et plus nécessaire. Il faudrait, pour que le génie français atteignît au plus haut degré de perfection, apprendre des écrivains du dix-huitième siècle à tirer parti de ses facultés, et des écrivains du dix-septième à en connaître la source.

Descartes, Pascal et Malebranche ont beaucoup plus de rapport avec les philosophes allemands que les écrivains du dix-huitième siècle; mais Malebranche et les Allemands diffèrent en ceci, que l'un donne comme article de foi ce que les autres réduisent en théorie scientifique; l'un cherche à revêtir de formes dogmatiques ce que l'imagination lui inspire, parce qu'il a peur d'être accusé d'exaltation; tandis que les autres, écrivant à la fin d'un siècle où l'on a tout analysé, se savent enthousiastes et s'attachent seulement à prouver que l'enthousiasme est d'accord avec la raison.

Si les Français avaient suivi la direction métaphysique de leurs grands hommes du dix-septième siècle, ils auraient aujourd'hui les mêmes opinions que les Allemands; car Leibniz est dans la route philosophique le successeur naturel de Descartes et de Malebranche, et Kant le successeur naturel de Leibniz.

L'Angleterre influa beaucoup sur les écrivains du dix-huitième siècle : l'admiration qu'ils ressentaient pour ce pays leur inspira le désir d'introduire en France sa philosophie et sa liberté. La philosophie des Anglais n'était sans danger qu'avec leurs sentiments religieux, et leur liberté, qu'avec leur obéissance aux lois. Au sein d'une nation où Newton et Clarke ne prononçaient jamais le nom de Dieu sans s'incliner, les systèmes métaphysiques, fussent-ils erronés, ne pouvaient être funestes. Ce qui manque en France, en tout genre, c'est le sentiment et l'habitude du respect, et l'on y passe bien vite de l'examen qui peut éclairer à l'ironie qui réduit tout en poussière.

Il me semble qu'on pourrait marquer dans le dix-huitième siècle, en France, deux époques parfaitement distinctes, celle dans laquelle l'influence de l'Angleterre s'est fait sentir, et celle où les esprits se sont précipités dans la destruction : alors les lumières se sont changées en incendie, et la philosophie, magicienne irritée, a consumé le palais où elle avait étalé ses prodiges.

En politique, Montesquieu appartient à la première époque, Raynal à la seconde; en religion, les écrits de Voltaire, qui avaient la tolérance pour but, sont inspirés par l'esprit de la première moitié du siècle; mais sa misérable et vaniteuse religion a flétri la seconde. Enfin, en métaphysique, Condillac et Helvétius, quoiqu'ils fussent contemporains, portent aussi l'un et l'autre l'empreinte de ces deux époques si différentes; car, bien que le système entier de la philosophie des sensations soit mauvais dans son principe, cependant les conséquences qu'Helvétius en a tirées ne doivent pas être imputées à Condillac; il était bien loin d'y donner son assentiment.

Condillac a rendu la métaphysique expérimentale plus claire et plus frappante qu'elle ne l'est dans Locke; il l'a mise véritablement à la portée de tout le monde : il dit avec Locke que l'âme ne peut avoir aucune idée qui ne lui vienne par les sensations : il attribue à nos besoins l'origine des connaissances et du langage; aux mots, celle de la réflexion; et nous faisant ainsi recevoir le développement entier de notre être moral par les objets extérieurs, il explique la nature humaine, comme une science positive, d'une manière nette, rapide, et, sous quelques rapports, incontestable; car si l'on ne sentait en soi ni des croyances natives du cœur, ni une conscience indépendante de l'expérience, ni un esprit créateur, dans toute la force de ce terme, on pourrait assez se contenter de cette définition mécanique de l'âme humaine. Il est naturel d'être séduit par la solution facile du plus grand des problèmes; mais cette apparente simplicité n'existe que dans la méthode; l'objet auquel on prétend l'appliquer n'en reste pas moins d'une immensité inconnue, et l'énigme de nous-mêmes dévore comme le sphinx les milliers de systèmes qui prétendent à la gloire d'en avoir deviné le mot.

L'ouvrage de Condillac ne devrait être considéré que comme un livre de plus sur un sujet inépuisable, si l'influence de ce livre n'avait pas été funeste. Helvétius, qui tire de la philosophie des sensations toutes les conséquences directes qu'elle peut permettre, affirme que si l'homme avait les mains faites comme le pied d'un cheval, il n'aurait que l'intelligence d'un cheval. Certes, s'il en était ainsi, il serait bien injuste de nous attribuer le tort ou le mérite de nos actions; car la différence qui peut exister entre les diverses organisations des individus autoriserait et motiverait bien celle qui se trouve entre leurs caractères.

Aux opinions d'Helvétius succédèrent celles du Système de la Nature, qui tendaient à l'anéantissement de la Divinité dans l'univers, et du libre arbitre dans l'homme. Locke, Condillac, Helvétius, et le malheureux auteur du Système de la Nature, ont marché progressivement dans la même route; les premiers pas étaient innocents : ni Locke ni Condillac n'ont connu les dangers des principes de leur philosophie; mais bientôt ce grain noir, qui se remarquait à peine sur l'horizon intellectuel, s'est étendu jusqu'au point de replonger l'univers et l'homme dans les ténèbres.

Les objets extérieurs étaient, disait-on, le mobile de toutes nos impressions; rien ne semblait donc plus doux que de se livrer au monde physique, et de s'inviter comme convive à la fête de la nature, mais par degrés la source intérieure s'est tarie, et jusqu'à l'imagination qu'il faut pour le luxe et pour les plaisirs va se flétrissant à tel point qu'on n'aura bientôt plus même assez d'âme pour goûter un bonheur quelconque, quelque matériel qu'il soit.

L'immortalité de l'âme et le sentiment du devoir sont des suppositions tout à fait gratuites dans le système qui fonde toutes nos idées sur nos sensations; car nulle sensation ne nous révèle l'immortalité dans la mort. Si les objets extérieurs ont seuls formé notre conscience, depuis la nourrice qui nous reçoit dans ses bras jusqu'au dernier acte d'une vieillesse avancée, toutes les impressions s'enchaînent tellement l'une à l'autre, qu'on ne peut en accuser avec équité la prétendue volonté, qui n'est qu'une fatalité de plus.

Je tâcherai de montrer dans la seconde partie de cette section que la morale fondée sur l'intérêt, si fortement prêchée par les écrivains français du dernier siècle, est dans une connexion intime avec la métaphysique, qui attribue toutes nos idées à nos sensations, et que les conséquences de l'une sont aussi mauvaises dans la pratique que celles de l'autre dans la théorie. Ceux qui ont pu lire les ouvrages licencieux qui ont été publiés en France vers la fin du dix-huitième siècle attesteront que, quand les auteurs de ces coupables écrits veulent s'appuyer d'une espèce de raisonnement, ils en appellent tous à l'influence du physique sur le moral; ils rapportent aux sensations toutes les opinions les plus condamnables; ils développent enfin sous toutes les formes la doctrine qui détruit le libre arbitre et la conscience.

On ne saurait nier, dira-t-on peut-être, que cette doctrine ne soit avilissante; mais néanmoins, si elle est vraie, faut-il la repousser et s'aveugler à dessein ? Certes, ils auraient fait une déplorable découverte ceux qui auraient détrôné notre âme, condamné l'esprit à s'immoler lui-même, en employant ses facultés à démontrer que les lois communes à tout ce qui est physique lui conviennent; mais, grâce à Dieu, et cette expression est ici bien placée, grâce à Dieu, dis-je, ce système est tout à fait faux dans son principe, et le parti qu'en ont tiré ceux qui soutenaient la cause de l'immortalité est une preuve de plus des erreurs qu'il renferme.

Si la plupart des hommes corrompus se sont appuyés sur la philosophie matérialiste, lorsqu'ils ont voulu s'avilir méthodiquement et mettre leurs actions en théorie, c'est qu'ils croyaient, en soumettant l'âme aux sensations, se délivrer ainsi de la responsabilité de leur conduite. Un être vertueux, convaincu de ce système, en serait profondément affligé, car il craindrait sans cesse que l'influence toute-puissante des objets extérieurs n'altérât la pureté de son âme et la force de ses résolutions. Mais quand on voit des hommes se réjouir en proclamant qu'ils sont en tout l'œuvre des circonstances, et que ces circonstances sont combinées par le hasard, on frémit au fond du cœur de leur satisfaction perverse.

Lorsque les sauvages mettent le feu à des cabanes, l'on dit qu'ils se chauffent avec plaisir à l'incendie qu'ils ont allumé : ils exercent alors du moins une sorte de supériorité sur le désordre dont ils sont coupables, ils font servir la destruction à leur usage; mais quand l'homme se plaît à dégrader la nature humaine, qui donc en profitera ?

CHAPITRE IV

DU PERSIFLAGE INTRODUIT PAR UN CERTAIN GENRE DE PHILOSOPHIE

Le système philosophique adopté dans un pays exerce une grande influence sur la tendance des esprits : c'est le moule universel dans lequel se jettent toutes les pensées; ceux même qui n'ont point étudié ce système se conforment sans le savoir à la disposition générale qu'il inspire. On a vu naître et s'accroître depuis près de cent ans, en Europe, une sorte de scepticisme moqueur dont la base est la métaphysique, qui attribue toutes nos idées à nos sensations. Le premier principe de cette philosophie est de ne croire que ce qui peut être prouvé comme un fait ou comme un calcul; à ce principe se joignent le dédain pour les sentiments qu'on appelle exaltés, et l'attachement aux jouissances matérielles. Ces trois points de la doctrine renferment tous les genres d'ironie dont la religion, la sensibilité et la morale peuvent être l'objet.

Bayle, dont le savant dictionnaire n'est guère lu par les gens du monde, est pourtant l'arsenal où l'on a puisé toutes les plaisanteries du scepticisme : Voltaire les a rendues piquantes par son esprit et par sa grâce; mais le fond de tout cela est toujours qu'on doit mettre au nombre des rêveries tout ce qui n'est pas aussi évident qu'une expérience physique. Il est adroit de faire passer l'incapacité d'attention pour une raison suprême qui repousse tout ce qui est obscur et douteux; en conséquence, on tourne en ridicule les plus grandes pensées, s'il faut réfléchir pour les comprendre, ou s'interroger au fond du cœur pour les sentir. On parle encore avec respect de Pascal, de Bossuet, de J.-J. Rousseau, etc., parce que l'autorité les a consacrés, et que l'autorité en tout genre est une chose très claire. Mais un grand nombre de lecteurs, étant convaincus que l'ignorance et la paresse sont les attributs d'un gentilhomme en fait d'esprit, croient au-dessous d'eux de se donner de la peine, et veulent lire comme un article de gazette les écrits qui ont pour objet l'homme et la nature.

Enfin, si par hasard de tels écrits étaient composés par un Allemand dont le nom ne fût pas français, et qu'on eût autant de peine à prononcer ce nom que celui du baron dans *Candide*, quelle foule de plaisanteries n'en tirerait-on pas ? Et ces plaisanteries veulent toutes dire : — J'ai de la grâce et de la légèreté, tandis que vous, qui avez le malheur de penser à quelque chose, et de tenir à quelques sentiments, vous ne vous jouez pas de tout avec la même élégance et la même facilité.

La philosophie des sensations est une des principales causes de cette frivolité. Depuis qu'on a considéré l'âme comme passive, un grand nombre de travaux philosophiques ont été dédaignés. Le jour où l'on a dit qu'il n'existait pas de mystères dans ce monde, ou du moins qu'il ne fallait pas s'en occuper, que toutes les idées venaient par les yeux et par les oreilles, et qu'il n'y avait de vrai que le palpable, les individus qui jouissent en parfaite santé de tous leurs sens se sont crus les véritables philosophes. On entend sans cesse dire à ceux qui ont assez d'idées pour gagner de l'argent quand ils sont pauvres, et pour le dépenser quand ils sont riches, qu'ils ont la seule philosophie raisonnable, et qu'il n'y a que des rêveurs qui puissent songer à autre chose. En effet, les sensations n'apprennent guère que cette philosophie, et si l'on ne peut rien savoir que par elles, il faut appeler du nom de folie tout ce qui n'est pas soumis à l'évidence matérielle.

Si l'on admettait au contraire que l'âme agit par elle-même, qu'il faut puiser en soi pour y trouver la vérité, et que cette vérité ne peut être saisie qu'à l'aide d'une méditation profonde, puisqu'elle n'est pas dans le cercle des expériences terrestres, la direction entière des esprits serait changée; on ne rejetterait pas avec dédain les plus hautes pensées, parce qu'elles exigent une attention réfléchie; mais ce qu'on trouverait insupportable, c'est le superficiel et le commun, car le vide est à la longue singulièrement lourd.

Voltaire sentait si bien l'influence que les systèmes métaphysiques exercent sur la tendance générale des esprits, que c'est pour combattre Leibniz qu'il a composé *Candide*. Il prit une humeur singulière contre les causes finales, l'optimisme, le libre arbitre, enfin contre toutes les opinions philosophiques qui relèvent la dignité de l'homme, et il fit *Candide*, cet ouvrage d'une gaieté infernale, car il semble écrit par un être d'une autre nature que nous, indifférent à notre sort, content de nos souffrances et riant comme un démon, ou comme un singe, des misères de cette espèce humaine avec laquelle il n'a rien de commun. Le plus grand poète du siècle, l'auteur d'*Alzire*, de *Tancrède*, de *Mérope*, de *Zaïre* et de *Brutus*, méconnut dans cet écrit toutes les grandeurs morales qu'il avait si dignement célébrées.

Quand Voltaire, comme auteur tragique, sentait et pensait dans le rôle d'un autre, il était admirable; mais quand il reste dans le sien propre, il est persifleur et cynique. La même mobilité qui lui faisait prendre le caractère des personnages qu'il voulait peindre ne lui a que trop bien inspiré le langage qui dans de certains moments convenait à celui de Voltaire.

Candide met en action cette philosophie moqueuse si indulgente en apparence, si féroce en réalité; il présente la nature humaine sous le plus déplorable aspect, et nous offre pour toute consolation le rire sardonique qui nous affranchit de la pitié envers les autres, en nous y faisant renoncer pour nous-mêmes.

C'est en conséquence de ce système que Voltaire a pour but, dans son *Histoire universelle*, d'attribuer les actions vertueuses, comme les grands crimes, à des événements fortuits qui ôtent aux unes tout leur mérite et tout leur tort aux autres. En effet, s'il n'y a rien dans l'âme que ce que les sensations y ont mis, l'on ne doit plus reconnaître que deux choses réelles et durables sur la terre, la force et le bien-être, la tactique et la gastronomie; mais si l'on fait grâce encore à l'esprit, tel que la philosophie moderne l'a formé, il sera bientôt réduit à désirer qu'un peu de nature exaltée reparaisse pour avoir au moins contre quoi s'exercer.

Les stoïciens ont souvent répété qu'il fallait braver tous les coups du sort, et ne s'occuper que de ce qui dépend de notre âme, nos sentiments et nos pensées.

La philosophie des sensations aurait un résultat tout à fait inverse; ce sont nos sentiments et nos pensées dont elle nous débarrasserait pour tourner tous nos efforts vers le bien-être matériel; elle nous dirait : — Attachez-vous au moment présent, considérez comme des chimères tout ce qui sort du cercle des plaisirs ou des affaires de ce monde, et passez cette courte vie le mieux que vous pourrez, en soignant votre santé qui est la base du bonheur. — On a connu de tout temps ces maximes; mais on les croyait réservées aux valets dans les comédies, et de nos jours on a fait la doctrine de la raison, fondée sur la nécessité, doctrine bien différente de la résignation religieuse, car l'une est aussi vulgaire que l'autre est noble et relevée.

Ce qui est singulier, c'est d'avoir su tirer d'une philosophie aussi commune la théorie de l'élégance; notre pauvre nature est souvent égoïste et vulgaire, il faut s'en affliger; mais c'est s'en vanter qui est nouveau. L'indifférence et le dédain pour les choses exaltées sont devenus le type de la grâce, et les plaisanteries ont été dirigées contre l'intérêt vif qu'on peut mettre à tout ce qui n'a pas dans ce monde un résultat positif.

Le principe raisonné de la frivolité du cœur et de l'esprit, c'est la métaphysique qui rapporte toutes nos idées à nos sensations; car il ne nous vient rien que de superficiel par le dehors, et la vie sérieuse est au fond de l'âme. Si la fatalité matérialiste, admise comme théorie de l'esprit humain, conduisait au dégoût de tout ce qui est extérieur, comme à l'incrédulité sur tout ce qui est intime, il y aurait encore dans ce système une certaine noblesse inactive, une indolence orientale qui pourrait avoir quelque grandeur; et des philosophes grecs ont trouvé le moyen de mettre presque de la dignité dans l'apathie; mais l'empire des sensations, en affaiblissant par degrés le sentiment, a laissé subsister l'activité de l'intérêt personnel, et ce ressort des actions a été d'autant plus puissant, qu'on avait brisé tous les autres.

A l'incrédulité de l'esprit, à l'égoïsme du cœur, il faut encore ajouter la doctrine sur la conscience qu'Helvétius a développée, lorsqu'il a dit que les actions vertueuses en elles-mêmes avaient pour but d'obtenir les jouissances physiques qu'on peut goûter ici-bas : il en est résulté qu'on a considéré comme une espèce de duperie les sacrifices qu'on pourrait faire au culte idéal de quelque opinion ou de quelque sentiment que ce soit; et comme rien ne paraît plus redoutable aux hommes que de passer pour dupes, ils se sont hâtés de jeter du ridicule sur tous les enthousiasmes qui tournaient mal; car ceux qui étaient récompensés par les succès échappaient à la moquerie : le bonheur a toujours raison auprès des matérialistes.

L'incrédulité dogmatique, c'est-à-dire celle qui révoque en doute tout ce qui n'est pas prouvé par les sensations, est la source de la grande ironie de l'homme envers lui-même : toute la dégradation morale vient de là. Cette philosophie doit sans doute être considérée autant comme l'effet que comme la cause de la disposition actuelle des esprits; néanmoins il est un mal dont elle est le premier auteur, elle a donné à l'insouciance de la légèreté l'apparence d'un raisonnement réfléchi : elle fournit des arguments spécieux à l'égoïsme, et fait considérer les sentiments les plus nobles comme une maladie accidentelle dont les circonstances extérieures seules sont la cause.

Il importe donc d'examiner si la nation, qui s'est constamment défendue de la métaphysique dont on a tiré de telles conséquences, n'avait pas raison en principe et plus encore dans l'application qu'elle a faite de ce principe au développement des facultés et à la conduite morale de l'homme.

CHAPITRE V

OBSERVATIONS GÉNÉRALES SUR LA PHILOSOPHIE ALLEMANDE

La philosophie spéculative a toujours trouvé beaucoup de partisans parmi les nations germaniques, et la philosophie expérimentale parmi les nations latines. Les Romains, très habiles dans les affaires de la vie, n'étaient point métaphysiciens; ils n'ont rien su à cet égard que par leurs rapports avec la Grèce, et les nations civilisées par eux ont hérité, pour la plupart, de leurs connaissances dans la politique et de leur indifférence pour les études qui ne pouvaient s'appliquer aux affaires de ce monde. Cette disposition se montre en France dans sa plus grande force, les Italiens et les Espagnols y ont aussi participé; mais l'imagination du Midi a quelquefois dévié de la raison pratique pour s'occuper des théories purement abstraites.

La grandeur d'âme des Romains donnait à leur patriotisme et à leur morale un caractère sublime; mais c'est aux institutions républicaines qu'il faut l'attribuer. Quand la liberté n'a plus existé à Rome, on y a vu régner presque sans partage un luxe égoïste et sensuel, une politique adroite qui devait porter tous les esprits vers l'observation et l'expérience. Les Romains ne gardèrent de l'étude qu'ils avaient faite de la littérature et de la philosophie des Grecs que le goût des arts, et ce goût même dégénéra bientôt en jouissances grossières.

L'influence de Rome ne s'exerça pas sur les peuples septentrionaux. Ils ont été civilisés presque en entier par le christianisme, et leur antique religion qui contenait en elle les principes de la chevalerie ne ressemblait en rien au paganisme du Midi. Il y avait un esprit de dévouement héroïque et généreux, un enthousiasme pour les femmes, qui faisait de l'amour un noble culte, enfin la rigueur du climat empêchant l'homme de se plonger dans les délices de la nature, il en goûtait d'autant mieux les plaisirs de l'âme.

On pourrait m'objecter que les Grecs avaient la même religion et le même climat que les Romains, et qu'ils se sont pourtant livrés plus qu'aucun autre peuple à la philosophie spéculative; mais ne peut-on pas attribuer aux Indiens quelques-uns des systèmes intellectuels développés chez les Grecs ? La philosophie idéaliste de Pythagore et de Platon ne s'accorde guère avec le paganisme tel que nous le connaissons, aussi les traditions historiques portent-elles à croire que c'est à travers l'Egypte que les peuples du Midi de l'Europe ont reçu l'influence de l'Orient. La philosophie d'Epicure est la seule vraiment originaire de la Grèce.

Quoi qu'il en soit de ces conjectures, il est certain que la spiritualité de l'âme et toutes les pensées qui en dérivent ont été facilement naturalisées chez les nations du Nord, et que parmi ces nations les Allemands se sont toujours montrés plus enclins qu'aucun autre peuple à la philosophie contemplative. Leur Bacon et leur Descartes, c'est Leibniz. On trouve dans ce beau génie toutes les qualités dont les philosophes allemands en général se font gloire d'approcher : érudition immense, bonne foi parfaite, enthousiasme caché sous des formes sévères. Il avait profondément étudié la théologie, la jurisprudence, l'histoire, les langues, les mathématiques, la physique, la chimie; car il était convaincu que l'universalité des connaissances est nécessaire pour être supérieur dans une partie quelconque; enfin tout manifestait en lui ces vertus qui tiennent à la hauteur de la pensée, et qui méritent à la fois l'admiration et le respect.

Ses ouvrages peuvent être divisés en trois branches, les sciences exactes, la philosophie théologique, et la philosophie de l'âme. Tout le monde sait que Leibniz était le rival de Newton dans la théorie du calcul. La connaissance des mathématiques sert beaucoup aux études métaphysiques; le raisonnement abstrait n'existe dans sa perfection que dans l'algèbre et la géométrie, nous chercherons à démontrer ailleurs les inconvénients de ce raisonnement, quand on veut y soumettre ce qui tient d'une manière quelconque à la sensibilité; mais il donne à l'esprit humain une force d'attention qui le rend beaucoup plus capable de s'analyser lui-même : il faut aussi connaître les lois et les forces de l'univers pour étudier l'homme sous tous les rapports. Il y a une telle analogie et une telle différence entre le monde physique et le monde moral, les ressemblances et les diversités se prêtent de telles lumières, qu'il est impossible d'être un savant du premier ordre sans le secours de la philosophie spéculative, ni un philosophe spéculatif sans avoir étudié les sciences positives.

Locke et Condillac ne s'étaient pas assez occupés de ces sciences; mais Leibniz avait, à cet égard, une supériorité incontestable. Descartes était aussi un très grand mathématicien, et il est à remarquer que la plupart des philosophes partisans de l'idéalisme ont tous fait un immense usage de leurs facultés intellectuelles. L'exercice de l'esprit, comme celui du cœur, donne un sentiment de l'activité interne dont tous les êtres qui s'abandonnent aux impressions qui viennent du dehors sont rarement capables.

La première classe des écrits de Leibniz contient ceux qu'on pourrait appeler théologiques, parce qu'ils portent sur les vérités qui sont du ressort de la religion, et la théorie de l'esprit humain est renfermée dans la seconde. Dans la première classe il s'agit de l'origine du bien et du mal, de la prescience divine, enfin de ces questions primitives qui dépassent l'intelligence humaine. Je ne prétends point blâmer, en m'exprimant ainsi, les grands hommes qui, depuis Pythagore et Platon jusqu'à nous, ont été attirés vers ces hautes spéculations philosophiques. Le génie ne s'impose de bornes à lui-même qu'après avoir lutté longtemps contre cette dure nécessité. Qui peut avoir la faculté de penser et ne pas s'essayer à connaître l'origine et le but des choses de ce monde ?

Tout ce qui a vie sur la terre, excepté l'homme, semble s'ignorer soi-même. Lui seul sait qu'il mourra, et cette terrible vérité réveille son intérêt pour toutes les grandes pensées qui s'y rattachent. Dès qu'on est capable de réflexion, on résout ou plutôt on croit résoudre à sa manière les questions philosophiques qui peuvent expliquer la destinée humaine; mais il n'a été accordé à personne de la comprendre dans son ensemble. Chacun en saisit un côté différent, chaque homme a sa philosophie, comme sa poétique, comme son amour.

Cette philosophie est d'accord avec la tendance particulière de son caractère et de son esprit. Quand on s'élève jusqu'à l'infini, mille explications peuvent être également vraies, quoique diverses, parce que des questions sans bornes ont des milliers de faces, dont une seule peut occuper la durée entière de l'existence.

Si le mystère de l'univers est au-dessus de la portée de l'homme, néanmoins l'étude de ce mystère donne plus d'étendue à l'esprit; il en est de la métaphysique comme de l'alchimie : en cherchant la pierre philosophale, en s'attachant à découvrir l'impossible, on rencontre sur la route des vérités qui nous seraient restées inconnues; d'ailleurs on ne peut empêcher un être méditatif de s'occuper au moins quelque temps de la philosophie transcendante; cet élan de la nature spirituelle ne saurait être combattu qu'en la dégradant.

On a réfuté avec succès l'harmonie préétablie de Leibniz qu'il croyait une grande découverte; il se flattait d'expliquer les rapports de l'âme et de la matière en les considérant l'une et l'autre comme des instruments accordés d'avance qui se répètent, se répondent et s'imitent mutuellement. Ses monades, dont il fait les éléments simples de l'univers, ne sont qu'une hypothèse aussi gratuite que toutes celles dont on s'est servi pour expliquer l'origine des choses; néanmoins dans quelle perplexité singulière l'esprit humain n'est-il pas ? Sans cesse attiré vers le secret de son être, il lui est également impossible et de le découvrir, et de n'y pas songer toujours.

Les Persans disent que Zoroastre interrogea la Divinité et lui demanda comment le monde avait commencé, quand il devait finir, quelle était l'origine du bien et du mal. La Divinité répondit à toutes ces questions : *Fais le bien et gagne l'immortalité*. Ce qui rend surtout cette réponse admirable, c'est qu'elle ne décourage point l'homme des méditations les plus sublimes; elle lui enseigne seulement que c'est par la conscience et le sentiment qu'il peut s'élever aux plus profondes conceptions de la philosophie.

Leibniz était un idéaliste qui ne fondait son système que sur le raisonnement; et de là vient qu'il a poussé trop loin les abstractions et qu'il n'a point assez appuyé sa théorie sur la persuasion intime, seule véritable base de ce qui est supérieur à l'entendement; en effet, raisonnez sur la liberté de l'homme, et vous n'y croirez pas; mettez la main sur votre conscience, et vous n'en pourrez douter.

La conséquence et la contradiction, dans le sens que nous attachons à l'une et à l'autre, n'existent pas dans la sphère des grandes questions sur la liberté de l'homme, sur l'origine du bien et du mal, sur la prescience divine, etc. Dans ces questions le sentiment est presque toujours en opposition avec le raisonnement, afin que l'homme apprenne que ce qu'il appelle l'incroyable dans l'ordre des choses terrestres est peut-être la vérité suprême sous des rapports universels.

Le Dante a exprimé une grande pensée philosophique par ce vers :

A guisa del ver primo che l'uom crede [1].

Il faut croire à de certaines vérités comme à l'existence; c'est l'âme qui nous les révèle, et les raisonnements de tout genre ne sont jamais que de faibles dérivés de cette source.

La *Théodicée* de Leibniz traite de la prescience divine et de la cause du bien et du mal : c'est un des ouvrages les plus profonds et les mieux raisonnés sur la théorie de l'infini; toutefois l'auteur applique trop souvent à ce qui est sans bornes une logique dont les objets circonscrits sont seuls susceptibles. Leibniz était un homme très religieux; mais par cela même il se croyait obligé de fonder les vérités de la foi sur des raisonnements mathématiques, afin de les appuyer sur les bases qui sont admises dans l'empire de l'expérience : cette erreur tient à un respect qu'on ne s'avoue pas pour les esprits froids et arides : on veut les convaincre à leur manière; on croit que des arguments dans la forme logique ont plus de certitude qu'une preuve de sentiment, et il n'en est rien.

Dans la région des vérités intellectuelles et religieuses que Leibniz a traitées, il faut se servir de notre conscience intime comme d'une démonstration. Leibniz, en voulant s'en tenir aux raisonnements abstraits, exige des esprits une sorte de tension dont la plupart sont incapables; des ouvrages métaphysiques, qui ne sont fondés ni sur l'expérience ni sur le sentiment, fatiguent singulièrement la pensée et l'on peut en éprouver un malaise physique et moral, tel qu'en s'obstinant à le vaincre on briserait dans sa tête les organes de la raison. Un poète, Baggesen, fait du Vertige une divinité : il faut se recommander à elle quand on veut étudier ces ouvrages qui nous placent

1. C'est ainsi que l'homme croit à la vérité primitive. (Note de Mme de Staël.)

tellement au sommet des idées, que nous n'avons plus d'échelons pour redescendre à la vie.

Les écrivains métaphysiques et religieux, éloquents et sensibles tout à la fois, tels qu'il en existe quelques-uns, conviennent bien mieux à notre nature. Loin d'exiger de nous que nos facultés sensibles se taisent, afin que notre faculté d'abstraction soit plus nette, ils nous demandent de penser, de sentir, de vouloir, pour que toute la force de l'âme nous aide à pénétrer dans les profondeurs des cieux; mais s'en tenir à l'abstraction est un effort tel qu'il est assez simple que la plupart des hommes y aient renoncé, et qu'il leur ait paru plus facile de ne rien admettre au-delà de ce qui est visible.

La philosophie expérimentale est complète en elle-même; c'est un tout assez vulgaire, mais compact, borné, conséquent; et quand on s'en tient au raisonnement, tel qu'il est reçu dans les affaires de ce monde, on doit s'en contenter : l'immortel et l'infini ne nous sont sensibles que par l'âme; elle seule peut répandre de l'intérêt sur la haute métaphysique. On se persuade bien à tort que plus une théorie est abstraite, plus elle doit préserver de toute illusion; car c'est précisément ainsi qu'elle peut induire en erreur. On prend l'enchaînement des idées pour leur preuve, on aligne avec exactitude des chimères, et l'on se figure que c'est une armée. Il n'y a que le génie du sentiment qui soit au-dessus de la philosophie expérimentale comme de la philosophie spéculative; il n'y a que lui qui puisse porter la conviction au-delà des limites de la raison humaine.

Il me semble donc que, tout en admirant la force de tête et la profondeur du génie de Leibniz, on désirerait, dans ses écrits sur les questions de théologie métaphysique, plus d'imagination et de sensibilité, afin de reposer de la pensée par l'émotion. Leibniz se faisait presque scrupule d'y recourir, craignant d'avoir ainsi l'air de séduire en faveur de la vérité : il avait tort; car le sentiment est la vérité elle-même dans des sujets de cette nature.

Les objections que je me suis permises sur les ouvrages de Leibniz, qui ont pour objet des questions insolubles par le raisonnement, ne s'appliquent point à ses écrits sur la formation des idées dans l'esprit humain : ceux-là sont d'une clarté lumineuse; ils portent sur un mystère que l'homme peut, jusqu'à un certain point, pénétrer; car il en sait plus sur lui-même que sur l'univers. Les opinions de Leibniz à cet égard tendent surtout au perfectionnement moral, s'il est vrai, comme les philosophes allemands ont tâché de le prouver, que le libre arbitre repose sur la doctrine qui affranchit l'âme des objets extérieurs, et que la vertu ne puisse exister sans la parfaite indépendance du vouloir.

Leibniz a combattu avec une force de dialectique admirable le système de Locke, qui attribue toutes nos idées à nos sensations. On avait mis en action cet axiome si connu, qu'il n'y avait rien dans l'intelligence qui n'eût été d'abord dans les sensations, et Leibniz y ajouta cette sublime restriction, *si ce n'est l'intelligence elle-même* [1]. De ce principe dérive toute la philosophie nouvelle qui exerce tant d'influence sur les esprits en Allemagne. Cette philosophie est aussi expérimentale, car elle s'attache à connaître ce qui se passe en nous. Elle ne fait que mettre l'observation du sentiment intime à la place des sensations extérieures.

La doctrine de Locke eut pour partisans en Allemagne des hommes qui cherchèrent, comme Bonnet à Genève, et plusieurs autres philosophes en Angleterre, à concilier cette doctrine avec les sentiments religieux que Locke lui-même a toujours professés. Le génie de Leibniz prévit toutes les conséquences de cette métaphysique; et ce qui fonde à jamais sa gloire, c'est d'avoir su maintenir en Allemagne la philosophie de la liberté morale contre celle de la fatalité sensuelle. Tandis que le reste de l'Europe adoptait les principes qui font considérer l'âme comme passive, Leibniz fut avec constance le défenseur éclairé de la philosophie idéaliste, telle que son génie la concevait. Elle n'avait aucun rapport ni avec le système de Berkeley, ni avec les rêveries des sceptiques grecs sur la non-existence de la matière; mais elle maintenait l'être moral dans son indépendance et dans ses droits.

1. *Nihil est in intellectu, quod non fuerit in sensu, nisi intellectus ipse* (Note de Mme de Staël.)

CHAPITRE VI

KANT

Kant a vécu jusque dans un âge très avancé, et jamais il n'est sorti de Kœnigsberg; c'est là qu'au milieu des glaces du Nord il a passé sa vie entière à méditer sur les lois de l'intelligence humaine. Une ardeur infatigable pour l'étude lui a fait acquérir des connaissances sans nombre. Les sciences, les langues, la littérature, tout lui était familier; et sans rechercher la gloire dont il n'a joui que très tard, n'entendant que dans sa vieillesse le bruit de sa renommée, il s'est contenté du plaisir silencieux de la réflexion. Solitaire, il contemplait son âme avec recueillement; l'examen de la pensée lui prêtait de nouvelles forces à l'appui de la vertu, et quoiqu'il ne se mêlât jamais avec les passions ardentes des hommes, il a su forger des armes pour ceux qui seraient appelés à les combattre.

On n'a guère d'exemple que chez les Grecs d'une vie aussi rigoureusement philosophique, et déjà cette vie répond de la bonne foi de l'écrivain. A cette bonne foi la plus pure il faut encore ajouter un esprit fin et juste qui servait de censeur au génie quand il se laissait emporter trop loin. C'en est assez, ce me semble, pour qu'on doive juger au moins impartialement les travaux persévérants d'un tel homme.

Kant publia d'abord divers écrits sur les sciences physiques, et il montra dans ce genre d'étude une telle sagacité que c'est lui qui prévit le premier l'existence de la planète Uranus. Herschel lui-même, après l'avoir découverte, a reconnu que c'était Kant qui l'avait annoncée.

Son traité sur la nature de l'entendement humain, intitulé *Critique de la raison pure*, parut il y a près de trente ans, et cet ouvrage fut quelque temps inconnu; mais lorsque enfin on découvrit les trésors d'idées qu'il renferme, il produisit une telle sensation en Allemagne, que presque tout ce qui s'est fait depuis lors, en littérature comme en philosophie, vient de l'impulsion donnée par cet ouvrage.

A ce traité de l'entendement humain succéda la *Critique de la raison pratique*, qui portait sur la morale, et la *Critique du jugement*, qui avait la nature du beau pour objet; la même théorie sert de base à ces trois traités, qui embrassent les lois de l'intelligence, les principes de la nature et la contemplation des beautés de la nature et des arts.

Je vais tâcher de donner un aperçu des idées principales que renferme cette doctrine. Quelque soin que je prenne pour l'exposer avec clarté, je ne me dissimule point qu'il faudra toujours de l'attention pour la comprendre. Un prince qui apprenait les mathématiques s'impatientait du travail qu'exigeait cette étude : — Il faut nécessairement, lui dit celui qui les enseignait, que Votre Altesse se donne la peine d'étudier pour savoir; car il n'y a point de route royale en mathématiques. — Le public français, qui a tant de raisons de se croire un prince, permettra bien qu'on lui dise qu'il n'y a point de route royale en métaphysique, et que, pour arriver à la conception d'une théorie quelconque, il faut passer par les intermédiaires qui ont conduit l'auteur lui-même aux résultats qu'il présente.

La philosophie matérialiste livrait l'entendement humain à l'empire des objets extérieurs, la morale à l'intérêt personnel, et réduisait le beau à n'être que l'agréable. Kant voulut rétablir les vérités primitives et l'activité spontanée dans l'âme, la conscience dans la morale, et l'idéal dans les arts. Examinons maintenant de quelle manière il a rempli ces différents buts.

A l'époque où parut *la Critique de la raison pure*, il n'existait que deux systèmes sur l'entendement humain parmi les penseurs; l'un, celui de Locke, attribuait toutes nos idées à nos sensations; l'autre, celui de Descartes et de Leibniz, s'attachait à démontrer la spiritualité et l'activité de l'âme, le libre arbitre, enfin toute la doctrine idéaliste; mais ces deux philosophes appuyaient leur doctrine sur des preuves purement spéculatives. J'ai exposé dans le chapitre précédent les inconvénients qui résultent de ces efforts d'abstraction qui arrêtent pour ainsi dire notre sang dans nos veines, afin que les facultés intellectuelles règnent seules en nous. La méthode algébrique, appliquée à des objets qu'on ne peut saisir par le raisonnement seul, ne laisse aucune trace durable dans l'esprit. Pendant qu'on lit ces écrits sur les hautes conceptions philosophiques, on croit les comprendre, on croit les croire, mais les arguments qui ont paru les plus convaincants échappent bientôt au souvenir.

L'homme lassé de ces efforts se borne-t-il à ne rien connaître que par les sens, tout sera douleur pour son âme. Aura-t-il l'idée de l'immortalité quand les avant-coureurs de la destruction sont si profondément gravés sur le visage des mortels, et que la nature vivante tombe sans cesse en poussière ? Lorsque tous les sens parlent de mourir, quel faible espoir nous entretiendrait de renaître ? Si l'on ne consultait que les sensations, quelle idée se ferait-on de la bonté suprême ? Tant de douleurs se disputent notre vie, tant d'objets hideux déshonorent la nature, que la créature infortunée maudit cent fois l'existence avant qu'une dernière convulsion la lui ravisse. L'homme, au contraire, rejette-t-il le témoignage des sens, comment se guidera-t-il sur cette terre ? Et s'il n'en croyait qu'eux cependant, quel enthousiasme, quelle morale, quelle religion résisteraient aux assauts réitérés que leur livreraient tour à tour la douleur et le plaisir ?

La réflexion errait dans cette incertitude immense, lorsque Kant essaya de tracer les limites des deux empires, des sens et de l'âme, de la nature extérieure et de la nature intellectuelle. La puissance de méditation et la sagesse avec laquelle il marqua ces limites n'avaient peut-être point eu d'exemple avant lui : il ne s'égara point dans de nouveaux systèmes sur la création de l'univers ; il reconnut les bornes que les mystères éternels imposent à l'esprit humain, et ce qui sera nouveau peut-être pour ceux qui n'ont fait qu'entendre parler de Kant, c'est qu'il n'y a point eu de philosophe plus opposé, sous plusieurs rapports, à la métaphysique ; il ne s'est rendu si profond dans cette science que pour employer les moyens mêmes qu'elle donne à démontrer son insuffisance. On dirait que, nouveau Curtius, il s'est jeté dans le gouffre de l'abstraction pour le combler.

Locke avait combattu victorieusement la doctrine des idées innées dans l'homme, parce qu'il a toujours représenté les idées comme faisant partie des connaissances expérimentales. L'examen de la raison pure, c'est-à-dire des facultés primitives dont l'intelligence se compose, ne fixa pas son attention. Leibniz, comme nous l'avons dit plus haut, prononça cet axiome sublime : « Il n'y a rien dans l'intelligence qui ne vienne par les sens, si ce n'est l'intelligence elle-même. » Kant a reconnu de même que Locke qu'il n'y avait point d'idées innées, mais il s'est proposé de pénétrer dans le sens de l'axiome de Leibniz, en examinant quelles sont les lois et les sentiments qui constituent l'essence de l'âme humaine indépendamment de toute expérience. La *Critique de la raison pure* s'attache à montrer en quoi consistent ces lois et quels sont les objets sur lesquels elles peuvent s'exercer.

Le scepticisme, auquel le matérialisme conduit presque toujours, était porté si loin que Hume avait fini par ébranler la base du raisonnement même en cherchant des arguments contre l'axiome qu'il n'y a point d'effet sans cause. Et telle est l'instabilité de la nature humaine quand on ne place pas au centre de l'âme le principe de toute conviction, que l'incrédulité, qui commence par attaquer l'existence du monde moral, arrive à défaire aussi le monde matériel dont elle s'était d'abord servie pour renverser l'autre.

Kant voulait savoir si la certitude absolue était possible à l'esprit humain, et il ne la trouva que dans les notions nécessaires, c'est-à-dire dans toutes les lois de notre entendement, qui sont de nature à ce que nous ne puissions rien concevoir autrement que ces lois ne nous le représentent.

Au premier rang des formes impératives de notre esprit sont l'espace et le temps. Kant démontre que toutes nos perceptions sont soumises à ces deux formes, il en conclut qu'elles sont en nous et non pas dans les objets, et qu'à cet égard, c'est notre entendement qui donne des lois à la nature extérieure au lieu d'en recevoir d'elle. La géométrie qui mesure l'espace et l'arithmétique qui divise le temps sont des sciences d'une évidence complète parce qu'elles reposent sur les notions nécessaires de notre esprit.

Les vérités acquises par l'expérience n'emportent jamais avec elles cette certitude absolue; quand on dit *le soleil se lève chaque jour*, *tous les hommes sont mortels*, etc., l'imagination pourrait se figurer une exception à ces vérités que l'expérience seule fait considérer comme indubitables, mais l'imagination elle-même ne saurait rien supposer hors de l'espace et du temps; et l'on ne peut considérer comme un résultat de l'habitude, c'est-à-dire de la répétition constante des mêmes phénomènes, ces formes de notre pensée que nous imposons aux choses; les sensations peuvent être douteuses, mais le prisme à travers lequel nous les recevons est immuable.

A cette intuition primitive de l'espace et du temps il faut ajouter ou plutôt donner pour base les principes de raisonnement, sans lesquels nous ne pouvons rien comprendre, et qui sont les lois de notre intelligence; la liaison des causes et des effets, l'unité, la pluralité, la totalité, la possibilité, la réalité, la nécessité, etc.[1]. Kant les considère également comme des notions nécessaires, et il n'élève au rang de sciences que celles qui sont fondées immédiatement sur ces notions, parce que c'est dans celles-là seulement que la certitude peut exister. Les formes du raisonnement n'ont de résultat que quand on les applique au jugement des objets extérieurs, et dans cette application elles sont sujettes à l'erreur; mais elles n'en sont pas moins nécessaires en elles-mêmes, c'est-à-dire que nous ne pouvons nous en départir dans aucune de nos pensées; il nous est impossible de nous rien figurer hors des relations de causes et d'effets, de possibilité, de quantité, etc.; et ces notions sont aussi inhérentes à notre conception que l'espace et le temps. Nous n'apercevons rien qu'à travers les lois immuables de notre manière de raisonner; donc ces lois aussi sont en nous-mêmes et non au-dehors de nous.

On appelle, dans la philosophie allemande, idées *subjectives* celles qui naissent de la nature de notre intelligence et de ses facultés, et idées *objectives* toutes celles qui sont excitées par les sensations. Quelle que soit la dénomination qu'on adopte à cet égard, il me semble que l'examen de notre esprit s'accorde avec la pensée dominante de Kant, c'est-à-dire la distinction qu'il établit entre les formes de notre entendement et les objets que nous connaissons d'après ces formes; et soit qu'il tienne aux conceptions abstraites, soit qu'il en appelle, dans la religion et dans la morale, aux sentiments qu'il considère aussi comme indépendants de l'expérience,

(1) Kant donne le nom de *catégories* aux diverses notions nécessaires de l'entendement dont il présente le tableau. (Note de Mme de Staël.)

rien n'est plus lumineux que la ligne de démarcation qu'il trace entre ce qui nous vient par les sensations et ce qui tient à l'action spontanée de notre âme.

Quelques mots de la doctrine de Kant ayant été mal interprétés, on a prétendu qu'il croyait aux connaissances *a priori*, c'est-à-dire à celles qui seraient gravées dans notre esprit avant que nous les eussions apprises. D'autres philosophes allemands, plus rapprochés du système de Platon, ont en effet pensé que le type du monde était dans l'esprit humain, et que l'homme ne pourrait concevoir l'univers s'il n'en avait pas l'image innée en lui-même; mais il n'est pas question de cette doctrine dans Kant : il réduit les sciences intellectuelles à trois, la logique, la métaphysique et les mathématiques. La logique n'enseigne rien par elle-même, mais comme elle repose sur les lois de notre entendement, elle est incontestable dans ses principes, abstraitement considérés; cette science ne peut conduire à la vérité que dans son application aux idées et aux choses; ses principes sont innés, son application est expérimentale. Quant à la métaphysique, Kant nie son existence, puisqu'il prétend que le raisonnement ne peut avoir lieu que dans la sphère de l'expérience. Les mathématiques seules lui paraissent dépendre immédiatement de la notion de l'espace et du temps, c'est-à-dire des lois de notre entendement, antérieures à l'expérience. Il cherche à prouver que les mathématiques ne sont point une simple analyse, mais une science synthétique, positive, créatrice, et certaine par elle-même, sans qu'on ait besoin de recourir à l'expérience pour s'assurer de sa vérité. On peut étudier dans le livre de Kant les arguments sur lesquels il appuie cette manière de voir; mais au moins est-il vrai qu'il n'y a point d'homme plus opposé à ce qu'on appelle la philosophie des rêveurs, et qu'il aurait plutôt du penchant pour une façon de penser sèche et didactique, quoique sa doctrine ait pour objet de relever l'espèce humaine dégradée par la philosophie matérialiste.

Loin de rejeter l'expérience, Kant considère l'œuvre de la vie comme n'étant autre chose que l'action de nos facultés innées sur les connaissances qui nous viennent du dehors. Il croit que l'expérience ne serait qu'un chaos sans les lois de l'entendement, mais que les lois de l'entendement n'ont pour objet que les éléments donnés par l'expérience. Il s'ensuit qu'au-delà de ses limites la métaphysique elle-même ne peut rien nous apprendre, et que c'est au sentiment que l'on doit attribuer la prescience et la conviction de tout ce qui sort du monde visible.

Lorsqu'on veut se servir du raisonnement seul pour établir les vérités religieuses, c'est un instrument pliable en tous sens, qui peut également les défendre et les attaquer, parce qu'on ne saurait à cet égard trouver aucun point d'appui dans l'expérience. Kant place sur deux lignes parallèles les arguments pour et contre la liberté de l'homme, l'immortalité de l'âme, la durée passagère ou éternelle du monde; et c'est au sentiment qu'il en appelle pour faire pencher la balance, car les preuves métaphysiques lui paraissent en égale force de part et d'autre [1]. Peut-être a-t-il eu tort de pousser jusque-là le scepticisme du raisonnement; mais c'est pour anéantir plus sûrement ce scepticisme, en écartant de certaines questions les discussions arbitraires qui l'ont fait naître.

Il serait injuste de soupçonner la piété sincère de Kant, parce qu'il a soutenu qu'il y avait parité entre les raisonnements pour et contre dans les grandes questions de la métaphysique transcendante. Il me semble au contraire qu'il y a de la candeur dans cet aveu. Un si petit nombre d'esprits sont en état de comprendre de tels raisonnements, et ceux qui en sont capables ont une telle tendance à se combattre les uns les autres, que c'est rendre grand service à la foi religieuse que de bannir la métaphysique de toutes les questions qui tiennent à l'existence de Dieu, au libre arbitre, à l'origine du bien et du mal.

Quelques personnes respectables ont dit qu'il ne faut négliger aucune arme, et que les arguments métaphysiques aussi doivent être employés pour persuader ceux sur qui ils ont de l'empire; mais ces arguments conduisent à la discussion, et la discussion au doute sur quelque sujet que ce soit.

Les belles époques de l'espèce humaine dans tous les temps ont été celles où des vérités d'un certain ordre n'étaient jamais contestées ni par des écrits ni par des discours. Les passions pouvaient entraîner à des actes coupables, mais nul ne révoquait en doute la religion même à laquelle il n'obéissait pas. Les sophismes de tout genre, abus d'une certaine philosophie, ont détruit,

1. Ces arguments opposés sur les grandes questions métaphysiques sont appelés *antinomies* dans le livre de Kant. (Note de Mme de Staël.)

dans divers pays et dans différents siècles, cette noble fermeté de croyance, source du dévouement héroïque. N'est-ce donc pas une belle idée à un philosophe que d'interdire à la science même qu'il professe l'entrée du sanctuaire, et d'employer toute la force de l'abstraction à prouver qu'il y a des régions dont elle doit être bannie ?

Des despotes et des fanatiques ont essayé de défendre à la raison humaine l'examen de certains sujets, et toujours la raison s'est affranchie de ces injustes entraves. Mais les bornes qu'elle s'impose à elle-même, loin de l'asservir, lui donnent une nouvelle force, celle qui résulte toujours de l'autorité des lois librement consenties par ceux qui s'y soumettent.

Un sourd-muet, avant d'avoir été élevé par l'abbé Sicard, pourrait avoir une certitude intime de l'existence de la Divinité. Beaucoup d'hommes sont aussi loin des penseurs profonds que les sourds-muets le sont des autres hommes, et cependant ils n'en sont pas moins susceptibles d'éprouver pour ainsi dire en eux-mêmes les vérités primitives, parce que ces vérités sont du ressort du sentiment.

Les médecins, dans l'étude physique de l'homme, reconnaissent le principe qui l'anime, et cependant nul ne sait ce que c'est que la vie, et, si l'on se mettait à raisonner, on pourrait très bien, comme l'ont fait quelques philosophes grecs, prouver aux hommes qu'ils ne vivent pas. Il en est de même de Dieu, de la conscience, du libre arbitre. Il faut y croire, parce qu'on les sent : tout argument sera toujours d'un ordre inférieur à ce fait.

L'anatomie ne peut s'exercer sur un corps vivant sans le détruire; l'analyse, en s'essayant sur des vérités indivisibles, les dénature par cela même qu'elle porte atteinte à leur unité. Il faut partager notre âme en deux pour qu'une moitié de nous-mêmes observe l'autre. De quelque manière que ce partage ait lieu, il ôte à notre être l'identité sublime sans laquelle nous n'avons pas la force nécessaire pour croire ce que la conscience seule peut affirmer.

Réunissez un grand nombre d'hommes au théâtre et dans la place publique, et dites-leur quelque vérité de raisonnement, quelque idée générale que ce puisse être, à l'instant vous verrez se manifester presque autant d'opinions diverses qu'il y aura d'individus rassemblés. Mais si quelques traits de grandeur d'âme sont racontés, si quelques accents de générosité se font entendre, aussitôt des transports unanimes vous apprendront que vous avez touché à cet instinct de l'âme, aussi vif, aussi puissant dans notre être, que l'instinct conservateur de l'existence.

En rapportant au sentiment, qui n'admet point le doute, la connaissance des vérités transcendantes, en cherchant à prouver que le raisonnement n'est valable que dans la sphère des sensations, Kant est bien loin de considérer cette puissance du sentiment comme une illusion; il lui assigne au contraire le premier rang dans la nature humaine; il fait de la conscience le principe inné de notre existence morale, et le sentiment du juste et de l'injuste est, selon lui, la loi primitive du cœur, comme l'espace et le temps celle de l'intelligence.

L'homme, à l'aide du raisonnement, n'a-t-il pas nié le libre arbitre ? Et cependant il en est si convaincu qu'il se surprend à éprouver de l'estime ou du mépris pour les animaux eux-mêmes, tant il croit au choix spontané du bien et du mal dans tous les êtres!

C'est le sentiment qui nous donne la certitude de notre liberté, et cette liberté est le fondement de la doctrine du devoir; car, si l'homme est libre, il doit se créer à lui-même des motifs tout-puissants qui combattent l'action des objets extérieurs et dégagent la volonté de l'égoïsme. Le devoir est la preuve et la garantie de l'indépendance mystique de l'homme.

Nous examinerons dans les chapitres suivants les arguments de Kant contre la morale fondée sur l'intérêt personnel, et la sublime théorie qu'il met à la place de ce sophisme hypocrite ou de cette doctrine perverse. Il peut exister deux manières de voir sur le premier ouvrage de Kant, *la Critique de la raison pure ;* précisément parce qu'il a reconnu lui-même le raisonnement pour insuffisant et pour contradictoire, il devait s'attendre à ce qu'on s'en servirait contre lui; mais il me semble impossible de ne pas lire avec respect sa *Critique de la raison pratique*, et les différents écrits qu'il a composés sur la morale.

Non seulement les principes de la morale de Kant sont austères et purs, comme on devait les attendre de l'inflexibilité philosophique; mais il rallie constamment l'évidence du cœur à celle de l'entendement, et se complaît singulièrement à faire servir sa théorie abstraite sur la nature de l'intelligence à l'appui des sentiments les plus simples et les plus forts.

Une conscience acquise par les sensations pourrait être

étouffée par elles, et l'on dégrade la dignité du devoir en le faisant dépendre des objets extérieurs. Kant revient donc sans cesse à montrer que le sentiment profond de cette dignité est la condition nécessaire de notre être moral, la loi par laquelle il existe. L'empire des sensations et les mauvaises actions qu'elles font commettre ne peuvent pas plus détruire en nous la notion du bien ou du mal que celle de l'espace et du temps n'est altérée par les erreurs d'application que nous en pouvons faire. Il y a toujours, dans quelque situation qu'on soit, une force de réaction contre les circonstances, qui naît du fond de l'âme; et l'on sent bien que ni les lois de l'entendement, ni la liberté morale, ni la conscience, ne viennent en nous de l'expérience.

Dans son traité sur le sublime et le beau, intitulé : *Critique du jugement*, Kant applique aux plaisirs de l'imagination le même système dont il a tiré des développements si féconds dans la sphère de l'intelligence et du sentiment, ou plutôt c'est la même âme qu'il examine, et qui se manifeste dans les sciences, la morale et les beaux-arts. Kant soutient qu'il y a dans la poésie et dans les arts dignes comme elle de peindre les sentiments par des images, deux genres de beauté, l'un qui peut se rapporter au temps et à cette vie, l'autre à l'éternel et à l'infini.

Et qu'on ne dise pas que l'infini et l'éternel sont intelligibles, c'est le fini et le passager qu'on serait souvent tenté de prendre pour un rêve; car la pensée ne peut voir de terme à rien, et l'être ne saurait concevoir le néant. On ne peut approfondir les sciences exactes elles-mêmes sans y rencontrer l'infini et l'éternel; et les choses les plus positives appartiennent autant, sous de certains rapports, à cet infini et à cet éternel, que le sentiment et l'imagination.

De cette application du sentiment de l'infini aux beaux-arts doit naître l'idéal, c'est-à-dire le beau, considéré, non pas comme la réunion et l'imitation de ce qu'il y a de mieux dans la nature, mais comme l'image réalisée de ce que notre âme se représente. Les philosophes matérialistes jugent le beau sous le rapport de l'impression agréable qu'il cause, et le placent ainsi dans l'empire des sensations; les philosophes spiritualistes, qui rapportent tout à la raison, voient dans le beau le parfait, et lui trouvent quelque analogie avec l'utile et le bon, qui sont les premiers degrés du parfait. Kant a rejeté l'une et l'autre explication.

Le beau, considéré seulement comme l'agréable, serait renfermé dans la sphère des sensations, et soumis par conséquent à la différence des goûts; il ne pourrait mériter cet assentiment universel qui est le véritable caractère de la beauté. Le beau, défini comme la perfection, exigerait une sorte de jugement pareil à celui qui fonde l'estime : l'enthousiasme que le beau doit inspirer ne tient ni aux sensations, ni au jugement; c'est une disposition innée, comme le sentiment du devoir et les notions nécessaires de l'entendement, et nous reconnaissons la beauté quand nous la voyons, parce qu'elle est l'image extérieure de l'idéal, dont le type est dans notre intelligence. La diversité des goûts peut s'appliquer à ce qui est agréable, car les sensations sont la source de ce genre de plaisir ; mais tous les hommes doivent admirer ce qui est beau, soit dans les arts, soit dans la nature, parce qu'ils ont dans leur âme des sentiments d'origine céleste que la beauté réveille, et dont elle les fait jouir.

Kant passe de la théorie du beau à celle du sublime, et cette seconde partie de sa critique du jugement est plus remarquable encore que la première : il fait consister le sublime dans la liberté morale, aux prises avec le destin ou avec la nature. La puissance sans bornes nous épouvante, la grandeur nous accable, toutefois nous échappons par la vigueur de la volonté au sentiment de notre faiblesse physique. Le pouvoir du destin et l'immensité de la nature sont dans une opposition infinie avec la misérable dépendance de la créature sur la terre; mais une étincelle du feu sacré dans notre sein triomphe de l'univers, puisqu'il suffit de cette étincelle pour résister à ce que toutes les forces du monde pourraient exiger de nous.

Le premier effet sublime est d'accabler l'homme; et le second, de le relever. Quand nous contemplons l'orage qui soulève les flots de la mer et semble menacer et la terre et le ciel, l'effroi s'empare d'abord de nous à cet aspect, bien qu'aucun danger personnel ne puisse alors nous atteindre; mais quand les nuages s'amoncellent, quand toute la fureur de la nature se manifeste, l'homme se sent une énergie intérieure qui peut l'affranchir de toutes les craintes, par la volonté ou par la résignation, par l'exercice ou par l'abdication de sa liberté morale; et cette conscience de lui-même le ranime et l'encourage.

Quand on nous raconte une action généreuse, quand on nous apprend que des hommes ont supporté des douleurs inouïes pour rester fidèles à leur opinion, jusque dans ses moindres nuances, d'abord l'image des supplices qu'ils ont soufferts confond notre pensée; mais, par degrés, nous reprenons des forces, et la sympathie que nous nous sentons avec la grandeur d'âme nous fait espérer que nous aussi nous saurions triompher des misérables sensations de cette vie, pour rester vrais, nobles et fiers jusqu'à notre dernier jour.

Au reste, personne ne saurait définir ce qui est pour ainsi dire au sommet de notre existence; *nous sommes trop élevés à l'égard de nous-mêmes pour nous comprendre*, dit saint Augustin. Il serait bien pauvre en imagination celui qui croirait pouvoir épuiser la contemplation de la plus simple fleur; comment donc parviendrait-on à connaître tout ce que renferme l'idée du sublime ?

Je ne me flatte assurément pas d'avoir pu rendre compte, en quelques pages, d'un système qui occupe, depuis vingt ans, toutes les têtes pensantes de l'Allemagne; mais j'espère en avoir dit assez pour indiquer l'esprit général de la philosophie de Kant, et pouvoir expliquer dans les chapitres suivants l'influence qu'elle a exercée sur la littérature, les sciences, et la morale.

Pour bien concilier la philosophie expérimentale avec la philosophie idéaliste, Kant n'a point soumis l'une à l'autre, mais il a su donner à chacune des deux séparément un nouveau degré de force. L'Allemagne était menacée de cette doctrine aride, qui considérait tout enthousiasme comme une erreur, et rangeait au nombre des préjugés les sentiments consolateurs de l'existence. Ce fut une satisfaction vive pour des hommes à la fois si philosophes et si poètes, si capables d'étude et d'exaltation, de voir toutes les belles affections de l'âme défendues avec la vigueur des raisonnements les plus abstraits. La force de l'esprit ne peut jamais être longtemps négative, c'est-à-dire consister principalement dans ce qu'on ne croit pas, dans ce qu'on ne comprend pas, dans ce qu'on dédaigne. Il faut une philosophie de croyance, d'enthousiasme; une philosophie qui confirme par la raison ce que le sentiment nous révèle.

Les adversaires de Kant l'ont accusé de n'avoir fait que répéter les arguments des anciens idéalistes; ils ont prétendu que la doctrine du philosophe allemand n'était qu'un ancien système dans un langage nouveau. Ce reproche n'est pas fondé. Il y a non seulement des idées nouvelles, mais un caractère particulier dans la doctrine de Kant.

Elle se ressent de la philosophie du dix-huitième siècle, quoiqu'elle soit destinée à la réfuter, parce qu'il est dans la nature de l'homme d'entrer toujours en composition avec l'esprit de son temps, lors même qu'il veut le combattre. La philosophie de Platon est plus poétique que celle de Kant, la philosophie de Malebranche plus religieuse; mais le grand mérite du philosophe allemand a été de relever la dignité morale, en donnant pour base à tout ce qu'il y a de beau dans le cœur une théorie fortement raisonnée. L'opposition qu'on a voulu mettre entre la raison et le sentiment conduit nécessairement la raison à l'égoïsme et le sentiment à la folie; mais Kant, qui semblait appelé à conclure toutes les grandes alliances intellectuelles, a fait de l'âme un seul foyer où toutes les facultés sont d'accord entre elles.

La partie polémique des ouvrages de Kant, celle dans laquelle il attaque la philosophie matérialiste, serait à elle seule un chef-d'œuvre. Cette philosophie a jeté dans les esprits de si profondes racines, il en est résulté tant d'irréligion et d'égoïsme, qu'on devrait encore regarder comme les bienfaiteurs de leur pays ceux qui n'auraient fait que combattre ce système, et raviver les pensées de Platon, de Descartes et de Leibniz : mais la philosophie de la nouvelle école allemande contient une foule d'idées qui lui sont propres; elle est fondée sur d'immenses connaissances scientifiques, qui se sont accrues chaque jour, et sur une méthode de raisonnement singulièrement abstraite et logique; car, bien que Kant blâme l'emploi de ces raisonnements dans l'examen des vérités hors du cercle de l'expérience, il montre dans ses écrits une force de tête en métaphysique qui le place, sous ce rapport, au premier rang des penseurs.

On ne saurait nier que le style de Kant, dans sa *Critique de la raison pure*, ne mérite presque tous les reproches que ses adversaires lui ont faits. Il s'est servi d'une terminologie très difficile à comprendre, et du néologisme le plus fatigant. Il vivait seul avec ses pensées, et se persuadait qu'il fallait des mots nouveaux pour des idées nouvelles, et cependant il y a des paroles pour tout.

Dans les objets les plus clairs par eux-mêmes, Kant prend souvent pour guide une métaphysique fort obscure, et ce n'est que dans les ténèbres de la pensée qu'il porte un flambeau lumineux : il rappelle les Israélites, qui avaient pour guide une colonne de feu pendant la nuit, et une colonne nébuleuse pendant le jour.

Personne en France ne se serait donné la peine d'étudier des ouvrages aussi hérissés de difficultés que ceux de Kant; mais il avait affaire à des lecteurs patients et persévérants. Ce n'était pas sans doute une raison pour en abuser; peut-être toutefois n'aurait-il pas creusé si profondément dans la science de l'entendement humain, s'il avait mis plus d'importance aux expressions dont il se servait pour l'expliquer. Les philosophes anciens ont toujours divisé leur doctrine en deux parties distinctes, celle qu'ils réservaient pour les initiés et celle qu'ils professaient en public. La manière d'écrire de Kant est tout à fait différente, lorsqu'il s'agit de sa théorie, ou de l'application de cette théorie.

Dans ses traités de métaphysique il prend les mots comme des chiffres, et leur donne la valeur qu'il veut, sans s'embarrasser de celle qu'ils tiennent de l'usage. C'est, ce me semble, une grande erreur; car l'attention du lecteur s'épuise à comprendre le langage avant d'arriver aux idées, et le connu ne sert jamais d'échelon pour parvenir à l'inconnu.

Il faut néanmoins rendre à Kant la justice qu'il mérite même comme écrivain, quand il renonce à son langage scientifique. En parlant des arts, et surtout de la morale, son style est presque toujours parfaitement clair, énergique et simple. Combien sa doctrine paraît alors admirable! Comme il exprime le sentiment du beau et l'amour du devoir! Avec quelle force il les sépare tous les deux de tout calcul d'intérêt ou d'utilité! Comme il ennoblit les actions par leur source et non par leur succès! Enfin, quelle grandeur morale ne sait-il pas donner à l'homme, soit qu'il l'examine en lui-même, soit qu'il le considère dans ses rapports extérieurs; l'homme, cet exilé du ciel, ce prisonnier de la terre, si grand, comme exilé, si misérable, comme captif!

On pourrait extraire des écrits de Kant une foule d'idées brillantes sur tous les sujets, et peut-être même est-ce de cette doctrine seule qu'il est possible de tirer maintenant des aperçus ingénieux et nouveaux; car le point de vue matérialiste en toutes choses n'offre plus rien d'intéressant ni d'original. Le piquant des plaisanteries contre ce qui est sérieux, noble et divin, est usé, et l'on ne rendra désormais quelque jeunesse à la race humaine qu'en retournant à la religion par la philosophie, et au sentiment par la raison.

CHAPITRE VII

DES PHILOSOPHES LES PLUS CÉLÈBRES DE L'ALLEMAGNE AVANT ET APRÈS KANT

L'esprit philosophique par sa nature ne saurait être généralement répandu dans aucun pays. Cependant il y a en Allemagne une telle tendance vers la réflexion, que la nation allemande peut être considérée comme la nation métaphysique par excellence. Elle renferme tant d'hommes en état de comprendre les questions les plus abstraites, que le public même y prend intérêt aux arguments employés dans ce genre de discussions.

Chaque homme d'esprit a sa manière de voir à lui sur les questions philosophiques. Les écrivains du second et du troisième ordre en Allemagne ont encore des connaissances assez approfondies pour être chefs ailleurs. Les rivaux se haïssent dans ce pays comme dans tout autre, mais aucun n'oserait se présenter au combat sans avoir prouvé par des études solides l'amour sincère de la science dont il s'occupe. Il ne suffit pas d'aimer le succès, il faut le mériter pour être admis seulement à concourir. Les Allemands, si indulgents quand il s'agit de ce qui peut manquer à la forme d'un ouvrage, sont impitoyables sur sa valeur réelle; et quand ils aperçoivent quelque chose de superficiel dans l'esprit, dans l'âme ou dans le savoir d'un écrivain, ils tâchent d'emprunter la plaisanterie française elle-même pour tourner en ridicule ce qui est frivole.

Je me suis proposé de donner dans ce chapitre un

aperçu rapide des principales opinions des philosophes célèbres avant et après Kant; on ne pourrait pas bien juger la marche qu'ont suivie ses successeurs, si l'on ne retournait pas en arrière pour se représenter l'état des esprits au moment où la doctrine *kantienne* se répandit en Allemagne : elle combattait à la fois le système de Locke, comme tendant au matérialisme, et l'école de Leibniz, comme ayant tout réduit à l'abstraction.

Les pensées de Leibniz étaient hautes; mais ses disciples, Wolf à leur tête, les commentèrent avec des formes logiques et métaphysiques. Leibniz avait dit que les notions qui nous viennent par les sens sont confuses, et que celles qui appartiennent aux perceptions immédiates de l'âme sont les seules claires : sans doute il voulait indiquer par là que les vérités invisibles sont plus certaines et plus en harmonie avec notre être moral que tout ce que nous apprenons par le témoignage des sens. Wolf et ses disciples en tirèrent pour conséquence qu'il fallait réduire en idées abstraites tout ce qui peut occuper notre esprit. Kant reporta l'intérêt et la chaleur dans cet idéalisme sans vie; il fit à l'expérience une juste part comme aux facultés innées, et l'art avec lequel il appliqua sa théorie à tout ce qui intéresse les hommes, à la morale, à la poésie et aux beaux-arts, en étendit l'influence.

Trois hommes principaux, Lessing, Hemsterhuis et Jacobi, précédèrent Kant dans la carrière philosophique. Ils n'avaient point une école, puisqu'ils ne fondaient pas un système; mais ils commencèrent l'attaque contre la doctrine des matérialistes. Lessing est celui des trois dont les opinions à cet égard étaient les moins décidées; toutefois il avait trop d'étendue dans l'esprit pour se renfermer dans le cercle borné qu'on peut se tracer si facilement en renonçant aux vérités les plus hautes. La toute-puissante polémique de Lessing réveillait le doute sur les questions les plus importantes, et portait à faire de nouvelles recherches en tout genre. Lessing lui-même ne peut être considéré ni comme matérialiste ni comme idéaliste; mais le besoin d'examiner et d'étudier pour connaître était le mobile de son existence. « Si le Tout-Puissant, disait-il, tenait dans une main la vérité, et dans l'autre la recherche de la vérité, c'est la recherche que je lui demanderais par préférence. »

Lessing n'était point orthodoxe en religion. Le christianisme ne lui était point nécessaire comme sentiment, et toutefois il savait l'admirer philosophiquement. Il comprenait ses rapports avec le cœur humain, et c'est toujours d'un point de vue universel qu'il considère toutes les manières de voir. Rien d'intolérant, rien d'exclusif ne se trouve dans ses écrits. Quand on se place au centre des idées, on a toujours de la bonne foi, de la profondeur et de l'étendue. Ce qui est injuste, vaniteux et borné vient du besoin de tout rapporter à quelques aperçus partiels qu'on s'est appropriés, et dont on se fait un objet d'amour-propre.

Lessing exprime avec un style tranchant et positif des opinions pleines de chaleur. Hemsterhuis, philosophe hollandais, fut le premier qui, au milieu du dix-huitième siècle, indiqua dans ses écrits la plupart des idées généreuses sur lesquelles la nouvelle école allemande est fondée. Ses ouvrages sont aussi très remarquables par le contraste qui existe entre le caractère de son style et les pensées qu'il énonce. Lessing est enthousiaste avec des formes ironiques, Hemsterhuis avec un langage mathématicien. On ne trouve guère que parmi les nations germaniques le phénomène de ces écrivains qui consacrent la métaphysique la plus abstraite à la défense des systèmes les plus exaltés, et qui cachent une imagination vive sous une logique austère.

Les hommes, qui se mettent toujours en garde contre l'imagination qu'ils n'ont pas, se confient plus volontiers aux écrivains qui bannissent des discussions philosophiques le talent et la sensibilité, comme s'il n'était pas au moins aussi facile de déraisonner sur de tels sujets avec des syllogismes qu'avec de l'éloquence. Car le syllogisme, posant toujours pour base qu'une chose est ou n'est pas, réduit dans chaque circonstance à une simple alternative la foule immense de nos impressions, tandis que l'éloquence en embrasse l'ensemble. Néanmoins, quoique Hemsterhuis ait trop souvent exprimé les vérités philosophiques avec des formes algébriques, un sentiment moral, un pur amour du beau se fait admirer dans ses écrits : il a senti, l'un des premiers, l'union qui existe entre l'idéalisme, ou, pour mieux dire, le libre arbitre de l'homme et la morale stoïque; et c'est sous ce rapport surtout que la nouvelle doctrine des Allemands acquiert une grande importance.

Avant même que les écrits de Kant eussent paru, Jacobi avait déjà combattu la philosophie des sensations, et plus victorieusement encore la morale fondée sur l'intérêt. Il ne s'était point astreint exclusivement dans sa philosophie aux formes abstraites du raisonnement. Son analyse de l'âme humaine est pleine d'éloquence et de charme. Dans les chapitres suivants j'examinerai la plus belle partie de ses ouvrages, celle qui tient à la morale; mais il mérite comme philosophe une gloire à part. Plus instruit que personne dans l'histoire de la philosophie ancienne et moderne, il a consacré ses études à l'appui des vérités les plus simples. Le premier, parmi les philosophes de son temps, il a fondé notre nature intellectuelle tout entière sur le sentiment religieux, et l'on dirait qu'il n'a si bien appris la langue des métaphysiciens et des savants que pour rendre hommage aussi dans cette langue à la vertu et à la Divinité.

Jacobi s'est montré l'adversaire de la philosophie de Kant; mais il ne l'attaque point en partisan de la philosophie des sensations [1]. Au contraire, ce qu'il lui reproche, c'est de ne pas s'appuyer assez sur la religion, considérée comme la seule philosophie possible dans les vérités au-delà de l'expérience.

La doctrine de Kant a rencontré beaucoup d'autres adversaires en Allemagne; mais on ne l'a point attaquée sans la connaître, ou en lui opposant pour toute réponse les opinions de Locke et de Condillac. Leibniz conservait encore trop d'ascendant sur les esprits de ses compatriotes pour qu'ils ne montrassent pas du respect pour toute opinion analogue à la sienne. Une foule d'écrivains, pendant dix ans, n'ont cessé de commenter les ouvrages de Kant. Mais aujourd'hui les philosophes allemands, d'accord avec Kant sur l'activité spontanée de la pensée, ont adopté néanmoins chacun un système particulier à cet égard. En effet, qui n'a pas essayé de se comprendre soi-même selon ses forces ? Mais parce que l'homme a donné une innombrable diversité d'explications de son être, s'ensuit-il que cet examen philosophique soit inutile ? Non, sans doute. Cette diversité même est la preuve de l'intérêt qu'un tel examen doit inspirer.

On dirait de nos jours qu'on voudrait en finir avec la nature morale et lui solder son compte en une fois, pour n'en plus entendre parler. Les uns déclarent que la langue a été fixée tel jour de tel mois, et que depuis ce moment l'introduction d'un mot nouveau serait une barbarie. D'autres affirment que les règles dramatiques ont

1. Cette philosophie a reçu généralement en Allemagne le nom de *philosophie empirique*. (Note de Mme de Staël.)

été définitivement arrêtées dans telle année, et que le génie qui voudrait maintenant y changer quelque chose a tort de n'être pas né avant cette année sans appel, où l'on a terminé toutes les discussions littéraires passées, présentes et futures. Enfin, dans la métaphysique surtout, l'on a décidé que depuis Condillac on ne peut faire un pas de plus sans s'égarer. Les progrès sont encore permis aux sciences physiques, parce qu'on ne peut les leur nier; mais dans la carrière philosophique et littéraire on voudrait obliger l'esprit humain à courir sans cesse la bague de la vanité autour du même cercle.

Ce n'est point simplifier le système de l'univers que de s'en tenir à cette philosophie expérimentale, qui présente un genre d'évidence faux dans le principe, quoique spécieux dans la forme. En considérant comme non existant tout ce qui dépasse les lumières des sensations, on peut mettre aisément beaucoup de clarté dans un système dont on trace soi-même les limites : c'est un travail qui dépend de celui qui le fait. Mais tout ce qui est au-delà de ces limites en existe-t-il moins parce qu'on le compte pour rien ? L'incomplète vérité de la philosophie spéculative approche bien plus de l'essence même des choses que cette lucidité apparente qui tient à l'art d'écarter les difficultés d'un certain ordre. Quand on lit dans les ouvrages philosophiques du dernier siècle ces phrases si souvent répétées : *Il n'y a que cela de vrai, tout le reste est chimère*, on se rappelle cette histoire connue d'un acteur français, qui, devant se battre avec un homme beaucoup plus gros que lui, proposa de tirer sur le corps de son adversaire une ligne au-delà de laquelle les coups ne compteraient plus. Au-delà de cette ligne cependant comme en deçà il y avait le même être qui pouvait recevoir des coups mortels. De même ceux qui placent au terme de leur horizon les colonnes d'Hercule ne sauraient empêcher qu'il y ait une nature par-delà la leur, où l'existence est plus vive encore que dans la sphère matérielle à laquelle on veut nous borner.

Les deux philosophes les plus célèbres qui aient succédé à Kant, c'est Fichte et Schelling, ils prétendirent aussi simplifier son système; mais c'était en mettant à sa place une philosophie plus transcendante encore que la sienne qu'ils se flattèrent d'y parvenir.

Kant avait séparé d'une main ferme les deux empires de l'âme et des sensations; ce *dualisme* philosophique était fatigant pour les esprits qui aiment à se reposer dans les idées absolues. Depuis les Grecs jusqu'à nos jours on a souvent répété cet axiome, *Que tout est un*, et les efforts des philosophes ont toujours tendu à trouver dans un seul principe, dans l'âme ou dans la nature, l'explication du monde. J'oserai le dire cependant, il me semble qu'un des titres de la philosophie de Kant à la confiance des hommes éclairés, c'est d'avoir affirmé, comme nous le sentons, qu'il existe une âme et une nature extérieure, et qu'elles agissent mutuellement l'une sur l'autre par telles ou telles lois. Je ne sais pourquoi l'on trouve plus de hauteur philosophique dans l'idée d'un seul principe, soit matériel, soit intellectuel; un ou deux ne rend pas l'univers plus facile à comprendre, et notre sentiment s'accorde mieux avec les systèmes qui reconnaissent comme distincts le physique et le moral.

Fichte et Schelling se sont partagé l'empire que Kant avait reconnu pour divisé, et chacun a voulu que sa moitié fût le tout. L'un et l'autre sont sortis de la sphère de nous-mêmes, et ont voulu s'élever jusqu'à connaître le système de l'univers. Bien différents en cela de Kant, qui a mis autant de force d'esprit à montrer ce que l'esprit humain ne parviendra jamais à comprendre qu'à développer ce qu'il peut savoir.

Cependant nul philosophe, avant Fichte, n'avait poussé le système de l'idéalisme à une rigueur aussi scientifique; il fait de l'activité de l'âme l'univers entier. Tout ce qui peut être conçu, tout ce qui peut être imaginé vient d'elle; c'est d'après ce système qu'il a été soupçonné d'incrédulité. On lui entendait dire que, dans la leçon suivante, il allait créer DIEU, et l'on était avec raison scandalisé de cette expression. Ce qu'elle signifiait, c'est qu'elle allait montrer comment l'idée de la Divinité naissait et se développait dans l'âme de l'homme. Le mérite principal de la philosophie de Fichte, c'est la force incroyable d'attention qu'elle suppose. Car il ne se contente pas de tout rapporter à l'existence intérieure de l'homme, au MOI qui sert de base à tout; mais il distingue encore dans ce MOI celui qui est passager, et celui qui est durable. En effet, quand on réfléchit sur les opérations de l'entendement, on croit assister soi-même à sa pensée, on croit la voir passer comme l'onde, tandis que la portion de soi qui la contemple est immuable. Il arrive souvent à ceux qui réunissent un caractère passionné à un esprit observateur de se regarder souffrir, et de sentir en eux-mêmes un être supérieur à sa propre peine, qui la voit, et tour à tour la blâme ou la plaint.

Il s'opère des changements continuels en nous, par les circonstances extérieures de notre vie, et néanmoins nous avons toujours le sentiment de notre identité. Qu'est-ce donc qui atteste cette identité, si ce n'est le MOI toujours le même, qui voit passer devant son tribunal le MOI modifié par les impressions extérieures ?

C'est à cette âme inébranlable, témoin de l'âme mobile, que Fichte attribue le don de l'immortalité et la puissance de créer, ou, pour traduire plus exactement, de *rayonner en elle-même* l'image de l'univers. Ce système qui fait tout reposer sur le sommet de notre existence, et place la pyramide sur la pointe, est singulièrement difficile à suivre. Il dépouille les idées des couleurs qui servent si bien à les faire comprendre; et les beaux-arts, la poésie, la contemplation de la nature disparaissent dans ces abstractions sans mélange d'imagination ni de sensibilité.

Fichte ne considère le monde extérieur que comme une borne de notre existence, sur laquelle la pensée travaille. Dans son système, cette borne est créée par l'âme elle-même, dont l'activité constante s'exerce sur le tissu qu'elle a formé. Ce que Fichte a écrit sur le MOI métaphysique ressemble un peu au réveil de la statue de Pygmalion, qui, touchant alternativement elle-même et la pierre sur laquelle elle était placée, dit tour à tour : — C'est moi, et ce n'est pas moi. Mais quand, en prenant la main de Pygmalion, elle s'écrie : — C'est encore moi! il s'agit déjà d'un sentiment qui dépasse de beaucoup la sphère des idées abstraites. L'idéalisme dépouillé du sentiment a néanmoins l'avantage d'exciter au plus haut degré l'activité de l'esprit; mais la nature et l'amour perdent tout leur charme par ce système; car si les objets que nous voyons et les êtres que nous aimons ne sont rien que l'œuvre de nos idées, c'est l'homme lui-même qu'on peut considérer alors comme *le grand célibataire du monde*.

Il faut reconnaître cependant deux grands avantages de la doctrine de Fichte : l'un sa morale stoïque, qui n'admet aucune excuse; car tout venant du MOI, c'est à ce MOI seul à répondre de l'usage qu'il fait de sa volonté : l'autre un exercice de la pensée, tellement fort et subtil en même temps, que celui qui a bien compris ce système, dût-il ne pas l'adopter, aurait acquis une puissance d'attention et une sagacité d'analyse qu'il pourrait ensuite appliquer en se jouant à tout autre genre d'étude. De quelque manière qu'on juge l'utilité de la métaphysique, on ne peut nier qu'elle ne soit la gymnastique de l'esprit. On impose aux enfants divers genres de lutte dans leurs premières années, quoiqu'ils ne soient point appelés à se battre de cette manière un jour. On peut dire avec vérité que l'étude de la métaphysique idéaliste est presque un moyen sûr de développer les facultés morales de ceux qui s'y livrent. La pensée réside, comme tout ce qui est précieux, au fond de nous-mêmes; car, à la superficie, il n'y a rien que de la sottise ou de l'insipidité. Mais quand on oblige de bonne heure les hommes à creuser dans leur réflexion, à tout voir dans leur âme, ils y puisent une force et une sincérité de jugement qui ne se perdent jamais.

Fichte est dans les idées abstraites une tête mathématique comme Euler ou Lagrange. Il méprise singulièrement toutes les expressions un peu substantielles, l'existence est déjà un mot trop prononcé pour lui. L'être, le principe, l'essence sont à peine des paroles assez éthérées pour indiquer les subtiles nuances de ses opinions. On dirait qu'il craint le contact des choses réelles, et qu'il tend toujours à y échapper. A force de le lire ou de s'entretenir avec lui, l'on perd la conscience de ce monde, et l'on a besoin, comme les ombres que nous peint Homère, de rappeler en soi les souvenirs de la vie. Le matérialisme absorbe l'âme en la dégradant, l'idéalisme de Fichte, à force de l'exalter, la sépare de la nature. Dans l'un et l'autre extrême, le sentiment, qui est la véritable beauté de l'existence, n'a point le rang qu'il mérite.

Schelling a bien plus de connaissance de la nature et des beaux-arts que Fichte, et son imagination, pleine de vie, ne saurait se contenter des idées abstraites; mais, de même que Fichte, il a pour but de réduire l'existence à un seul principe. Il traite avec un profond dédain tous les philosophes qui en admettent deux; et il ne veut accorder le nom de philosophie qu'au système dans lequel tout s'enchaîne, et qui explique tout. Certainement il a raison d'affirmer que celui-là serait le meilleur; mais où est-il ? Schelling prétend que rien n'est plus absurde que cette expression communément reçue : la philosophie de Platon, la philosophie d'Aristote. Dirait-on : la géométrie d'Euler, la géométrie de Lagrange ? Il n'y a qu'une philosophie, selon l'opinion de Schelling, ou il n'y en a point. Certes, si l'on n'entendait par philosophie que le mot de l'énigme de l'univers, on pourrait dire avec vérité qu'il n'y a point de philosophie.

Le système de Kant parut insuffisant à Schelling comme à Fichte, parce qu'il reconnaît deux natures, deux sources de nos idées, les objets extérieurs et les facultés de l'âme. Mais pour arriver à cette unité tant désirée, pour se débarrasser de cette double vie physique et morale, qui déplaît tant aux partisans des idées absolues, Schelling rapporte tout à la nature, tandis que Fichte fait tout ressortir de l'âme. Fichte ne voit dans la nature que l'opposé de l'âme : elle n'est à ses yeux qu'une limite ou qu'une chaîne dont il faut travailler sans cesse à se dégager. Le système de Schelling repose et charme davantage l'imagination, néanmoins il rentre nécessairement dans celui de Spinoza; mais au lieu de faire descendre l'âme jusqu'à la matière, comme cela s'est pratiqué de nos jours, Schelling tâche d'élever la matière jusqu'à l'âme; et quoique sa théorie dépende en entier de la nature physique, elle est cependant très idéaliste dans le fond, et plus encore dans la forme.

L'idéal et le réel tiennent, dans son langage, la place de l'intelligence et de la matière, de l'imagination et de l'expérience; et c'est dans la réunion de ces deux puissances en une harmonie complète que consiste, selon lui, le principe unique et absolu de l'univers organisé. Cette harmonie, dont les deux pôles et le centre sont l'image, et qui est renfermée dans le nombre trois, de tout temps si mystérieux, fournit à Schelling les applications les plus ingénieuses. Il croit la retrouver dans les beaux-arts comme dans la nature, et ses ouvrages sur les sciences physiques sont estimés même des savants qui ne considèrent que les faits et leurs résultats. Enfin, dans l'examen de l'âme, il cherche à démontrer comment les sensations et les conceptions intellectuelles se confondent dans le sentiment qui réunit ce qu'il y a d'involontaire et de réfléchi dans les unes et dans les autres, et contient ainsi tout le mystère de la vie.

Ce qui intéresse surtout dans ces systèmes, ce sont leurs développements. La base première de la prétendue explication du monde est également vraie comme également fausse dans la plupart des théories; car toutes sont comprises dans l'immense pensée qu'elles veulent embrasser : mais dans l'application aux choses de ce monde, ces théories sont très spirituelles, et répandent souvent de grandes lumières sur plusieurs objets en particulier.

Schelling s'approche beaucoup, on ne saurait le nier, des philosophes appelés panthéistes, c'est-à-dire de ceux qui accordent à la nature les attributs de la Divinité. Mais ce qui le distingue, c'est l'étonnante sagacité avec laquelle il a su rallier à sa doctrine les sciences et les arts : il instruit, il donne à penser dans chacune de ses observations, et la profondeur de son esprit étonne surtout quand il ne prétend pas l'appliquer au secret de l'univers; car aucun homme ne peut atteindre à aucun genre de supériorité qui ne saurait exister entre des êtres de la même espèce, à quelque distance qu'ils soient l'un de l'autre.

Pour conserver des idées religieuses au milieu de l'apothéose de la nature, l'école de Schelling suppose que l'individu périt en nous, mais que les qualités intimes que nous possédons rentrent dans le grand tout de la création éternelle. Cette immortalité-là ressemble terriblement à la mort; car la mort physique elle-même n'est autre chose que la nature universelle qui se ressaisit des dons qu'elle avait faits à l'individu.

Schelling tire de son système des conclusions très nobles sur la nécessité de cultiver dans notre âme les qualités immortelles, celles qui sont en relation avec l'univers, et de mépriser en nous-mêmes tout ce qui ne tient qu'à nos circonstances. Mais les affections du cœur et la conscience elle-même ne sont-elles pas attachées aux rapports de cette vie ? Nous éprouvons dans la plupart des situations deux mouvements tout à fait distincts, celui qui nous unit à l'ordre général, et celui qui nous ramène à nos intérêts particuliers; le sentiment du devoir, et la personnalité. Le plus noble de ces deux mouvements c'est l'universel. Mais c'est précisément parce que nous avons un instinct, conservateur de l'existence, qu'il est beau de le sacrifier; c'est parce que nous sommes des êtres concentrés en nous-mêmes, que notre attraction vers l'ensemble est généreuse; enfin, c'est parce que nous subsistons individuellement et séparément, que nous pouvons nous choisir et nous aimer les uns et les autres. Que serait donc cette immortalité abstraite qui nous dépouillerait de nos souvenirs les plus chers comme de modifications accidentelles ?

— Voulez-vous, disent-ils en Allemagne, ressusciter avec toutes vos circonstances actuelles, renaître baron ou marquis ? — Non sans doute; mais qui ne voudrait pas renaître fille et mère, et comment serait-on soi si l'on ne ressentait plus les mêmes amitiés! Les vagues idées de réunion avec la nature détruisent à la longue l'empire de la religion sur les âmes, car la religion s'adresse à chacun de nous en particulier. La Providence nous protège dans tous les détails de notre sort. Le christianisme se proportionne à tous les esprits, et répond comme un confident aux besoins individuels de notre cœur. Le panthéisme, au contraire, c'est-à-dire la nature divinisée, à force d'inspirer de la religion pour tout, la disperse sur l'univers et ne la concentre point en nous-mêmes.

Ce système a eu dans tous les temps beaucoup de partisans parmi les philosophes. La pensée tend toujours à se généraliser de plus en plus, et l'on prend quelquefois pour une idée nouvelle ce travail de l'esprit qui s'en va toujours ôtant ses bornes. On croit parvenir à comprendre l'univers comme l'espace, en renversant toujours les barrières, en reculant les difficultés sans les résoudre, et l'on n'approche pas davantage ainsi de l'infini. Le sentiment seul nous le révèle sans l'expliquer.

Ce qui est vraiment admirable dans la philosophie allemande, c'est l'examen qu'elle nous fait faire de nous-mêmes; elle remonte jusqu'à l'origine de la volonté, jusqu'à cette source inconnue du fleuve de notre vie; et c'est là que, pénétrant dans les secrets les plus intimes de la douleur et de la foi, elle nous éclaire et nous affermit. Mais tous les systèmes qui aspirent à l'explication de l'univers ne peuvent guère être analysés clairement par aucune parole : les mots ne sont pas propres à ce genre d'idées, et il en résulte que, pour les y faire servir, on répand sur toutes choses l'obscurité qui précéda la création, mais non la lumière qui l'a suivie. Les expressions scientifiques prodiguées sur un sujet auquel tout le monde croit avoir des droits révoltent l'amour-propre. Ces écrits si difficiles à comprendre prêtent, quelque sérieux qu'on soit, à la plaisanterie, car il y a toujours des méprises dans les ténèbres. L'on se plaît à réduire à quelques assertions principales et faciles à combattre cette foule de nuances et de restrictions qui paraissent toutes sacrées à l'auteur, mais que bientôt les profanes oublient ou confondent.

Les Orientaux ont été de tout temps idéalistes, et l'Asie ne ressemble en rien au Midi de l'Europe. L'excès de la chaleur porte dans l'Orient à la contemplation, comme l'excès du froid dans le Nord. Les systèmes religieux de l'Inde sont très mélancoliques et très spiritualistes, tandis que les peuples du Midi de l'Europe ont toujours eu du penchant pour un paganisme assez matériel. Les savants anglais qui ont voyagé dans l'Inde ont fait de profondes recherches sur l'Asie; et des Allemands, qui n'avaient pas, comme les princes de la mer, les occasions de s'instruire par leurs propres yeux, sont arrivés, avec l'unique secours de l'étude, à des découvertes très intéressantes sur la religion, la littérature et les langues des nations asiatiques; ils sont portés à croire, d'après plusieurs indices, que des lumières surnaturelles ont éclairé jadis les peuples de ces contrées et qu'il en est resté des traces ineffaçables. La philosophie des Indiens ne peut être bien comprise que par des idéalistes allemands; les rapports d'opinion les aident à la concevoir.

Frédéric Schlegel, non content de savoir presque toutes les langues de l'Europe, a consacré des travaux inouïs à la connaissance de ce pays, berceau du monde. L'ouvrage qu'il vient de publier sur la langue et la philosophie des Indiens contient des vues profondes et des connaissances positives qui doivent fixer l'attention des hommes éclairés de l'Europe. Il croit, et plusieurs philosophes, au nombre desquels il faut compter Bailly, ont soutenu la même opinion, qu'un peuple primitif a occupé quelques parties de la terre, et particulièrement l'Asie, dans une époque antérieure à tous les documents de l'histoire. Frédéric Schlegel trouve des traces de ce peuple dans la culture intellectuelle des nations et dans la formation des langues. Il remarque une ressemblance extraordinaire entre les idées principales et même les mots qui les expriment chez plusieurs peuples du monde, alors même que, d'après ce que nous connaissons de l'histoire, ils n'ont jamais eu de rapport entre eux. Frédéric Schlegel n'admet point dans ses écrits la supposition assez généralement reçue, que les hommes ont commencé par l'état sauvage, et que les besoins mutuels ont formé les langues par degrés. C'est donner une origine bien grossière au développement de l'esprit et de l'âme, que de l'attribuer ainsi à notre nature animale, et la raison combat cette hypothèse que l'imagination repousse.

On ne conçoit point par quelle gradation il serait possible d'arriver du cri sauvage à la perfection de la langue grecque; l'on dirait que dans les progrès nécessaires pour parcourir cette distance infinie il faudrait que chaque pas franchît un abîme; nous voyons de nos jours que les sauvages ne se civilisent jamais d'eux-mêmes, et que ce sont les nations voisines qui leur enseignent avec grande peine ce qu'ils ignorent. On est donc bien tenté de croire que le peuple primitif a été l'instituteur du genre humain; et ce peuple, qui l'a formé, si ce n'est une révélation ? Toutes les nations ont exprimé de tout temps des regrets sur la perte d'un état heureux qui précédait l'époque où elles se trouvaient : d'où vient cette idée si généralement répandue ? dira-t-on que c'est une erreur ? Les erreurs universelles sont toujours fondées sur quelques vérités altérées, défigurées peut-être, mais qui avaient pour base des faits cachés dans la nuit des temps ou quelques forces mystérieuses de la nature.

Ceux qui attribuent la civilisation du genre humain aux besoins physiques qui ont réuni les hommes entre eux expliqueront difficilement comment il arrive que la culture morale des peuples les plus anciens est plus poétique, plus favorable aux beaux-arts, plus noblement inutile enfin, sous les rapports matériels, que ne le sont les raffinements de la civilisation moderne. La philosophie des Indiens est idéaliste et leur religion mystique : ce n'est certes pas le besoin de maintenir l'ordre dans la société qui a donné naissance à cette philosophie ni à cette religion.

La poésie presque partout a précédé la prose, et l'introduction des mètres du rythme, de l'harmonie, est antérieure à la précision rigoureuse, et par conséquent à l'utile emploi des langues. L'astronomie n'a pas été étudiée seulement pour servir à l'agriculture; mais les Chaldéens, les Egyptiens, etc., ont poussé leurs recherches fort au-delà des avantages pratiques qu'on pouvait en retirer, et l'on croit voir l'amour du ciel et le culte du temps dans ces observations si profondes et si exactes sur les divisions de l'année, le cours des astres et les périodes de leur jonction.

Les rois, chez les Chinois, étaient les premiers astronomes de leur pays; ils passaient les nuits à contempler la marche des étoiles, et leur dignité royale consistait dans ces belles connaissances et dans ces occupations désintéressées qui les élevaient au-dessus du vulgaire. Le magnifique système qui donne à la civilisation pour origine une révélation religieuse est appuyé par une érudition dont les partisans des opinions matérialistes sont rarement capables; c'est être déjà presque idéaliste que de se vouer entièrement à l'étude.

Les Allemands, accoutumés à réfléchir profondément et solitairement, pénètrent si avant dans la vérité, qu'il faut être, ce me semble, un ignorant ou un fat pour dédaigner aucun de leurs écrits avant de s'en être longtemps occupé. Il y avait autrefois beaucoup d'erreurs et de superstitions qui tenaient au manque de connaissances; mais quand, avec les lumières de notre temps et d'immenses travaux individuels, on énonce des opinions hors du cercle des expériences communes, il faut s'en réjouir pour l'espèce humaine, car son trésor actuel est assez pauvre, du moins si l'on en juge par l'usage qu'elle en fait.

En lisant le compte que je viens de rendre des idées principales de quelques philosophes allemands, d'une part, leurs partisans trouveront avec raison que j'ai indiqué bien superficiellement des recherches très importantes, et de l'autre, les gens du monde se demanderont à quoi sert tout cela. Mais à quoi servent l'Apollon du Belvédère, les tableaux de Raphaël, les tragédies de Racine ? à quoi sert tout ce qui est beau, si ce n'est à l'âme ? Il en est de même de la philosophie, elle est la beauté de la pensée, elle atteste la dignité de l'homme qui peut s'occuper de l'éternel et de l'invisible, quoique tout ce qu'il y a de grossier dans sa nature l'en éloigne.

Je pourrais encore citer beaucoup d'autres noms justement honorés dans la carrière de la philosophie; mais il me semble que cette esquisse, quelque imparfaite qu'elle soit, suffit pour servir d'introduction à l'examen de l'influence que la philosophie transcendante des Allemands a exercée sur le développement de l'esprit et sur le caractère et la moralité de la nation où règne cette philosophie; et c'est là surtout le but que je me suis proposé.

CHAPITRE VIII

INFLUENCE DE LA NOUVELLE PHILOSOPHIE ALLEMANDE SUR LE DÉVELOPPEMENT DE L'ESPRIT

L'attention est peut-être de toutes les facultés de l'esprit humain celle qui a le plus de pouvoir, et l'on ne saurait nier que la métaphysique idéaliste la fortifie d'une manière étonnante. M. de Buffon prétendait que le génie pouvait s'acquérir par la patience, c'était trop dire; mais cet hommage rendu à l'attention, sous le nom de la patience, honore beaucoup un homme d'une imagination aussi brillante. Les idées abstraites exigent déjà un grand effort de méditation, mais quand on y joint l'observation la plus exacte et la plus persévérante des actes intérieurs de la volonté, toute la force de l'intelligence y est employée. La subtilité de l'esprit est un grand défaut dans les affaires de ce monde; mais certes les Allemands n'en sont pas soupçonnés. La subtilité philosophique qui nous fait démêler les moindres fils de nos pensées est précisément ce qui doit porter le plus loin le génie, car une réflexion dont il résulterait peut-être les plus sublimes inventions, les plus étonnantes découvertes, passe en nous-mêmes inaperçue, si nous n'avons pas pris l'habitude d'examiner avec sagacité les conséquences et les liaisons des idées les plus éloignées en apparence.

En Allemagne, un homme supérieur se borne rarement à une seule carrière. Gœthe fait des découvertes dans les sciences, Schelling est un excellent littérateur, Frédéric Schlegel un poète plein d'originalité. On ne saurait peut-être réunir un grand nombre de talents divers, mais la vue de l'entendement doit tout embrasser.

La nouvelle philosophie allemande est nécessairement plus favorable qu'aucune autre à l'étendue de l'esprit; car, rapportant tout au foyer de l'âme, et considérant le monde lui-même comme régi par des lois dont le type est en nous, elle ne saurait admettre le préjugé qui destine chaque homme d'une manière exclusive à telle ou telle branche d'études. Les philosophes idéalistes croient qu'un art, qu'une science, qu'une partie quelconque ne saurait être comprise sans des connaissances universelles, et que depuis le moindre phénomène jusqu'au plus grand, rien ne peut être savamment examiné ou poétiquement dépeint sans cette hauteur d'esprit qui fait voir l'ensemble en décrivant les détails.

Montesquieu dit que *l'esprit consiste à connaître la ressemblance des choses diverses et la différence des choses semblables.* S'il pouvait exister une théorie qui apprît à devenir un homme d'esprit, ce serait celle de l'entendement telle que les Allemands la conçoivent; il n'en est pas de plus favorable aux rapprochements ingénieux entre les objets extérieurs et les facultés de l'esprit, ce sont les divers rayons d'un même centre. La plupart des axiomes physiques correspondent à des vérités morales, et la philosophie universelle présente de mille manières la nature toujours une et toujours variée, qui se réfléchit tout entière dans chacun de ses ouvrages et fait porter au brin d'herbe comme au cèdre l'empreinte de l'univers.

Cette philosophie donne un attrait singulier pour tous les genres d'étude. Les découvertes qu'on fait en soi-même sont toujours intéressantes; mais s'il est vrai qu'elles doivent nous éclairer sur les mystères mêmes du monde créé à notre image, quelle curiosité n'inspirent-elles pas! L'entretien d'un philosophe allemand, tel que ceux que j'ai nommés, rappelle les dialogues de Platon; et quand vous interrogez un de ces hommes sur un sujet quelconque, il y répand tant de lumières qu'en l'écoutant vous croyez penser pour la première fois, si penser est, comme le dit Spinoza, *s'identifier avec la nature par l'intelligence, et devenir un avec elle.*

Il circule en Allemagne, depuis quelques années, une telle quantité d'idées neuves sur les sujets littéraires et philosophiques, qu'un étranger pourrait très bien prendre pour un génie supérieur celui qui ne ferait que répéter ces idées. Il m'est quelquefois arrivé de croire un esprit prodigieux à des hommes d'ailleurs assez communs, seulement parce qu'ils s'étaient familiarisés avec les systèmes idéalistes, aurore d'une vie nouvelle.

Les défauts qu'on reproche d'ordinaire aux Allemands dans la conversation, la lenteur et la pédanterie, se remarquent infiniment moins dans les disciples de l'école moderne; les personnes du premier rang en Allemagne se sont formées pour la plupart d'après les bonnes manières françaises; mais il s'établit maintenant parmi les philosophes hommes de lettres une éducation qui est aussi de bon goût quoique dans un autre genre. On y considère la véritable élégance comme inséparable de l'imagination poétique et de l'attrait pour les beaux-arts, et la politesse comme fondée sur la connaissance et l'appréciation des talents et du mérite.

On ne saurait nier cependant que les nouveaux systèmes philosophiques et littéraires n'aient inspiré à leurs partisans un grand mépris pour ceux qui ne les comprennent pas. La plaisanterie française veut toujours humilier par le ridicule, sa tactique est d'éviter l'idée pour attaquer la personne, et le fond pour se moquer de la forme. Les Allemands de la nouvelle école considèrent l'ignorance et la frivolité comme les maladies d'une enfance prolongée; ils ne s'en sont pas tenus à combattre les étrangers, ils s'attaquent aussi eux-mêmes les uns les autres avec amertume, et l'on dirait, à les entendre, qu'un degré de plus en fait d'abstraction ou de profondeur donne le droit de traiter en esprit vulgaire et borné quiconque ne voudrait pas ou ne pourrait pas y atteindre.

Quand les obstacles ont irrité les esprits, l'exagération s'est mêlée à cette révolution philosophique d'ailleurs si salutaire. Les Allemands de la nouvelle école pénètrent avec le flambeau du génie dans l'intérieur de l'âme. Mais quand il s'agit de faire entrer leurs idées dans la tête des autres, ils en connaissent mal les moyens; ils se mettent à dédaigner, parce qu'ils ignorent, non la vérité, mais la manière de la dire. Le dédain, excepté pour le vice, indique presque toujours une borne dans l'esprit, car, avec plus d'esprit encore, on se serait fait comprendre même des esprits vulgaires, ou du moins on l'aurait essayé de bonne foi.

Le talent de s'exprimer avec méthode et clarté est assez rare en Allemagne : les études spéculatives ne le donnent pas. Il faut se placer pour ainsi dire en dehors de ses propres pensées pour juger de la forme qu'on doit leur donner. La philosophie fait connaître l'homme plutôt que les hommes. C'est l'habitude de la société qui seule nous apprend quels sont les rapports de notre esprit avec celui des autres. La candeur d'abord, et l'orgueil ensuite, portent les philosophes sincères et sérieux à s'indigner contre ceux qui ne pensent pas ou ne sentent pas comme eux. Les Allemands recherchent le vrai consciencieusement; mais ils ont un esprit de secte très ardent en faveur de la doctrine qu'ils adoptent; car tout se change en passion dans le cœur de l'homme.

Cependant, malgré les diversités d'opinions qui forment en Allemagne différentes écoles opposées l'une à l'autre, elles tendent également pour la plupart à développer l'activité de l'âme : aussi n'est-il point de pays où chaque homme tire plus de parti de lui-même au moins sous le rapport des travaux intellectuels.

CHAPITRE IX

INFLUENCE DE LA NOUVELLE PHILOSOPHIE ALLEMANDE SUR LA LITTÉRATURE ET LES ARTS

Ce que je viens de dire sur le développement de l'esprit s'applique aussi à la littérature; cependant il est peut-être intéressant d'ajouter quelques observations particulières à ces réflexions générales.

Dans les pays où l'on croit que toutes les idées nous viennent par les objets extérieurs, il est naturel d'attacher un plus grand prix aux convenances dont l'empire est au-dehors; mais lorsque au contraire on est convaincu des lois immuables de l'existence morale, la société a moins de pouvoir sur chaque homme : l'on traite de tout avec soi-même; et l'essentiel, dans les productions de la pensée comme dans les actions de la vie, c'est de s'assurer qu'elles partent de notre conviction intime et de nos émotions spontanées.

Il y a dans le style des qualités qui tiennent à la vérité même du sentiment, il y en a qui dépendent de la correction grammaticale. On aurait de la peine à faire comprendre à des Allemands que la première chose à examiner dans un ouvrage, c'est la manière dont il est écrit, et que l'exécution doit l'emporter sur la conception. La philosophie expérimentale estime un ouvrage surtout par la forme ingénieuse et lucide sous laquelle il est présenté; la philosophie idéaliste, au contraire, toujours attirée vers le foyer de l'âme, n'admire que les écrivains qui s'en rapprochent.

Il faut l'avouer aussi, l'habitude de creuser dans les

mystères les plus cachés de notre être donne du penchant pour ce qu'il y a de plus profond et quelquefois de plus obscur dans la pensée : aussi les Allemands mêlent-ils trop souvent la métaphysique à la poésie.

La nouvelle philosophie inspire le besoin de s'élever jusqu'aux pensées et aux sentiments sans bornes. Cette impulsion peut être favorable au génie, mais elle ne l'est qu'à lui, et souvent elle donne à ceux qui n'en ont pas des prétentions assez ridicules. En France, la médiocrité trouve tout trop fort et trop exalté; en Allemagne, rien ne lui paraît à la hauteur de la nouvelle doctrine. En France, la médiocrité se moque de l'enthousiasme; en Allemagne, elle dédaigne un certain genre de raison. Un écrivain n'en saurait jamais faire assez pour convaincre les lecteurs allemands qu'il n'est pas superficiel, qu'il s'occupe en toutes choses de l'immortel et de l'infini. Mais comme les facultés de l'esprit ne répondent pas toujours à de si vastes désirs, il arrive souvent que des efforts gigantesques ne conduisent qu'à des résultats communs. Néanmoins cette disposition générale seconde l'essor de la pensée; et il est plus facile, en littérature, de poser des limites que de donner de l'émulation.

Le goût que les Allemands manifestent pour le genre naïf, et dont j'ai déjà eu l'occasion de parler, semble en contradiction avec leur penchant pour la métaphysique, penchant qui naît du besoin de se connaître et de s'analyser soi-même : cependant c'est aussi à l'influence d'un système qu'il faut rapporter ce goût pour le naïf; car il y a de la philosophie dans tout en Allemagne, même dans l'imagination. L'un des premiers caractères du naïf, c'est d'exprimer ce qu'on sent ou ce qu'on pense, sans réfléchir à aucun résultat ni tendre vers aucun but; et c'est en cela qu'il s'accorde avec la théorie des Allemands sur la littérature.

Kant, en séparant le beau de l'utile, prouve clairement qu'il n'est point du tout dans la nature des beaux-arts de donner des leçons. Sans doute tout ce qui est beau doit faire naître des sentiments généreux, et ces sentiments excitent à la vertu; mais dès qu'on a pour objet de mettre en évidence un précepte de morale, la libre impression que produisent les chefs-d'œuvre de l'art est nécessairement détruite; car le but, quel qu'il soit, quand il est connu, borne et gêne l'imagination. On prétend que Louis XIV disait à un prédicateur qui avait dirigé son sermon contre lui : « Je veux bien me faire ma part; mais je ne veux pas qu'on me la fasse. » L'on pourrait appliquer ces paroles aux beaux-arts en général : ils doivent élever l'âme, et non pas l'endoctriner.

La nature déploie ses magnificences souvent sans but, souvent avec un luxe que les partisans de l'utilité appelleraient prodigue. Elle semble se plaire à donner plus d'éclat aux fleurs, aux arbres des forêts, qu'aux végétaux qui servent d'aliment à l'homme. Si l'utile avait le premier rang dans la nature, ne revêtirait-elle pas de plus de charme les plantes nutritives que les roses, qui ne sont que belles ? Et d'où vient cependant que, pour parer l'autel de la Divinité, l'on chercherait plutôt les inutiles fleurs que les productions nécessaires ? D'où vient que ce qui sert au maintien de notre vie a moins de dignité que les beautés sans but ? C'est que le beau nous rappelle une existence immortelle et divine dont le souvenir et le regret vivent à la fois dans notre cœur.

Ce n'est certainement pas pour méconnaître la valeur morale de ce qui est utile que Kant en a séparé le beau; c'est pour fonder l'admiration en tout genre sur un désintéressement absolu; c'est pour donner aux sentiments qui rendent le vice impossible la préférence sur les leçons qui servent à le corriger.

Rarement les fables mythologiques des Anciens ont été dirigées dans le sens des exhortations de morale ou des exemples édifiants; et ce n'est pas du tout parce que les modernes valent mieux qu'eux qu'ils cherchent souvent à donner à leurs fictions un résultat utile, c'est plutôt parce qu'ils ont moins d'imagination, et qu'ils transportent dans la littérature l'habitude que donnent les affaires de tendre toujours vers un but. Les événements, tels qu'ils existent dans la réalité, ne sont point calculés comme une fiction dont le dénouement est moral. La vie elle-même est conçue d'une manière tout à fait poétique : car ce n'est point d'ordinaire parce que le coupable est puni et l'homme vertueux récompensé qu'elle produit sur nous une impression morale, c'est parce qu'elle développe dans notre âme l'indignation contre le coupable et l'enthousiasme pour l'homme vertueux.

Les Allemands ne considèrent point, ainsi qu'on le fait d'ordinaire, l'imitation de la nature comme le principal objet de l'art; c'est la beauté idéale qui leur paraît le principe de tous les chefs-d'œuvre, et leur théorie poétique est à cet égard tout à fait d'accord avec leur philosophie. L'impression qu'on reçoit par les beaux-arts n'a pas le moindre rapport avec le plaisir que fait éprouver une imitation quelconque; l'homme a dans son âme des sentiments innés que les objets réels ne satisferont jamais, et c'est à ces sentiments que l'imagination des peintres et des poètes sait donner une forme et une vie. Le premier des arts, la musique, qu'imite-t-il ? De tous les dons de la Divinité cependant c'est le plus magnifique, car il semble pour ainsi dire superflu. Le soleil nous éclaire, nous respirons l'air d'un ciel serein, toutes les beautés de la nature servent en quelque façon à l'homme; la musique seule est d'une noble inutilité, et c'est pour cela qu'elle nous émeut si profondément; plus elle est loin de tout but, plus elle se rapproche de cette source intime de nos pensées que l'application à un objet quelconque resserre dans son cours.

La théorie littéraire des Allemands diffère de toutes les autres, en ce qu'elle n'assujettit point les écrivains à des usages ni à des restrictions tyranniques. C'est une théorie toute créatrice, c'est une philosophie des beaux-arts qui, loin de les contraindre, cherche, comme Prométhée, à dérober le feu du ciel pour en faire don aux poètes. Homère, le Dante, Shakespeare, me dira-t-on, savaient-ils rien de tout cela ? Ont-ils eu besoin de cette métaphysique pour être de grands écrivains ? Sans doute la nature n'a point attendu la philosophie, ce qui se réduit à dire que le fait a précédé l'observation du fait; mais puisque nous sommes arrivés à l'époque des théories, ne faut-il pas au moins se garder de celles qui peuvent étouffer le talent ?

Il faut avouer cependant qu'il résulte assez souvent quelques inconvénients essentiels de ces systèmes de philosophie appliqués à la littérature; les lecteurs allemands, accoutumés à lire Kant, Fichte, etc., considèrent un moindre degré d'obscurité comme la clarté même, et les écrivains ne donnent pas toujours aux ouvrages de l'art cette lucidité frappante qui leur est si nécessaire. On peut, on doit même exiger une attention soutenue, quand il s'agit d'idées abstraites; mais les émotions sont involontaires. Il ne peut être question, dans les jouissances des arts, ni de complaisance, ni d'effort, ni de réflexion : il s'agit là de plaisir et non de raisonnement; l'esprit philosophique peut réclamer l'examen, mais le talent poétique doit commander l'entraînement.

Les idées ingénieuses qui dérivent des théories font illusion sur la véritable nature du talent. On prouve spirituellement que telle ou telle pièce n'a pas dû plaire, et cependant elle plaît, et l'on se met alors à mépriser ceux qui l'aiment. On prouve aussi que telle pièce, composée d'après tels principes, doit intéresser, et cependant quand on veut qu'elle soit jouée, quand on lui dit *lève-toi et marche*, la pièce ne va pas, et il faut donc encore mépriser ceux qui ne s'amusent point d'un ouvrage composé selon les lois de l'idéal et du réel. On a tort presque toujours quand on blâme le jugement du public dans les arts, car l'impression populaire est plus philosophique encore que la philosophie même, et quand les combinaisons de l'homme instruit ne s'accordent pas avec cette impression, ce n'est point parce que ces combinaisons sont trop profondes, mais plutôt parce qu'elles ne le sont pas assez.

Néanmoins il vaut infiniment mieux, ce me semble, pour la littérature d'un pays, que sa poétique soit fondée sur des idées philosophiques, même un peu abstraites, que sur de simples règles extérieures; car ces règles ne sont que des barrières pour empêcher les enfants de tomber.

L'imitation des Anciens a pris chez les Allemands une direction tout autre que dans le reste de l'Europe. Le caractère consciencieux dont ils ne se départent jamais les a conduits à ne point mêler ensemble le génie moderne avec le génie antique; ils traitent à quelques égards les fictions comme de la vérité, car ils trouvent le moyen d'y porter du scrupule; ils appliquent aussi cette même disposition à la connaissance exacte et profonde des monuments qui nous restent des temps passés. En Allemagne, l'étude de l'antiquité, comme celle des sciences et de la philosophie, réunit les branches divisées de l'esprit humain.

Heyne embrasse tout ce qui se rapporte à la littérature, à l'histoire et aux beaux-arts avec une étonnante perspicacité. Wolf tire des observations les plus fines les indications les plus hardies, et ne se soumettant en rien à l'autorité, il juge par lui-même l'authenticité des écrits des Grecs et leur valeur. On peut voir dans un dernier écrit de M. Ch. de Villers, que j'ai déjà nommé avec la haute estime qu'il mérite, quels travaux immenses l'on publie chaque année en Allemagne sur les auteurs classiques. Les Allemands se croient appelés en toutes choses au rôle de contemplateurs, et l'on dirait qu'ils ne sont pas de leur siècle, tant leurs réflexions et leur intérêt se tournent vers une autre époque du monde.

Il se peut que le meilleur temps pour la poésie fût celui de l'ignorance, et que la jeunesse du genre humain soit passée pour toujours : cependant on croit sentir dans les écrits des Allemands une jeunesse nouvelle, celle qui naît du noble choix qu'on peut faire après avoir tout connu. L'âge des lumières a son innocence aussi bien que l'âge d'or, et si dans l'enfance du genre humain on n'en croit que son âme, lorsqu'on a tout appris, on revient à ne plus se confier qu'en elle.

CHAPITRE X

INFLUENCE DE LA NOUVELLE PHILOSOPHIE SUR LES SCIENCES

Il n'est pas douteux que la philosophie idéaliste ne porte au recueillement, et que, disposant l'esprit à se replier sur lui-même, elle n'augmente sa pénétration et sa persistance dans les travaux intellectuels. Mais cette philosophie est-elle également favorable aux sciences qui consistent dans l'observation de la nature ? C'est à l'examen de cette question que les réflexions suivantes sont destinées.

On a généralement attribué les progrès des sciences, dans le dernier siècle, à la philosophie expérimentale, et comme l'observation sert en effet beaucoup dans cette carrière, on s'est cru d'autant plus certain d'atteindre aux vérités scientifiques, qu'on accordait plus d'importance aux objets extérieurs; cependant la patrie de Keppler et de Leibniz n'est pas à dédaigner pour la science. Les principales découvertes modernes, la poudre, l'imprimerie, ont été faites par les Allemands, et néanmoins la tendance des esprits, en Allemagne, a toujours été vers l'idéalisme.

Bacon a comparé la philosophie spéculative à l'alouette qui s'élève jusqu'aux cieux et redescend sans rien apporter de sa course, et la philosophie expérimentale, au faucon qui s'élève aussi haut, mais revient avec sa proie.

Peut-être de nos jours Bacon eût senti les inconvénients de la philosophie purement expérimentale; elle a travesti la pensée en sensation, la morale en intérêt personnel, et la nature en mécanisme, car elle tendait à rabaisser toutes choses. Les Allemands ont combattu son influence dans les sciences physiques comme dans un ordre plus relevé, et, tout en soumettant la nature à l'observation, ils considèrent ses phénomènes en général d'une manière vaste et animée; c'est toujours une présomption en faveur d'une opinion que son empire sur l'imagination, car tout annonce que le beau est aussi le vrai dans la sublime conception de l'univers.

La philosophie nouvelle a déjà exercé sous plusieurs rapports son influence sur les sciences physiques en Allemagne; d'abord le même esprit d'universalité que j'ai remarqué dans les littérateurs et les philosophes se retrouve aussi dans les savants. Humboldt raconte en observateur exact les voyages dont il a bravé les dangers en chevalier valeureux, et ses écrits intéressent également les physiciens et les poètes. Schelling, Baader, Schubert, etc., ont publié des ouvrages dans lesquels les sciences sont présentées sous un point de vue qui captive la réflexion et l'imagination : et longtemps avant que les métaphysiciens modernes eussent existé, Kepler et Haller avaient su tout à la fois observer et deviner la nature.

L'attrait de la société est si grand en France, qu'elle ne permet à personne de donner beaucoup de temps au travail. Il est donc naturel qu'on n'ait point de confiance dans ceux qui veulent réunir plusieurs genres d'études. Mais dans un pays où la vie entière d'un homme peut être livrée à la méditation, on a raison d'encourager la multiplicité des connaissances; on se donne ensuite exclusivement à celle de toutes que l'on préfère; mais il est peut-être impossible de comprendre à fond une science sans s'être occupé de toutes. Sir Humphry Davy, maintenant le premier chimiste de l'Angleterre, cultive les lettres avec autant de goût que de succès. La littérature répand des lumières sur les sciences, comme les sciences sur la littérature; et la connexion qui existe entre tous les objets de la nature doit avoir lieu de même dans les idées de l'homme.

L'universalité des connaissances conduit nécessairement au désir de trouver les lois générales de l'ordre physique. Les Allemands descendent de la théorie à l'expérience, tandis que les Français remontent de l'expérience à la théorie. Les Français, en littérature, reprochent aux Allemands de n'avoir que des beautés de détail, et de ne pas s'entendre à la composition d'un ouvrage. Les

Allemands reprochent aux Français de ne considérer que les faits particuliers dans les sciences et de ne pas les rallier à un système; c'est en cela principalement que consiste la différence entre les savants allemands et les savants français.

En effet, s'il était possible de découvrir les principes qui régissent cet univers, il vaudrait certainement mieux partir de cette source pour étudier tout ce qui en dérive; mais on ne sait guère rien de l'ensemble en toutes choses qu'à l'aide des détails, et la nature n'est pour l'homme que les feuilles éparses de la sibylle, dont nul, jusqu'à ce jour, n'a pu faire un livre. Néanmoins les savants allemands, qui sont en même temps philosophes, répandent un intérêt prodigieux sur la contemplation des phénomènes de ce monde : ils n'interrogent point la nature au hasard, d'après le cours accidentel des expériences; mais ils prédisent par la pensée ce que l'observation doit confirmer.

Deux grandes vues générales leur servent de guide dans l'étude des sciences; l'une, que l'univers est fait sur le modèle de l'âme humaine, et l'autre, que l'analogie de chaque partie de l'univers avec l'ensemble est telle que la même idée se réfléchit constamment du tout dans chaque partie, et de chaque partie dans le tout.

C'est une belle conception que celle qui tend à trouver la ressemblance des lois de l'entendement humain avec celles de la nature, et considère le monde physique comme le relief du monde moral. Si le même génie était capable de composer *l'Iliade* et de sculpter comme Phidias, le Jupiter du sculpteur ressemblerait au Jupiter du poète; pourquoi donc l'intelligence suprême, qui a formé la nature et l'âme, n'aurait-elle pas fait de l'une l'emblème de l'autre ? Ce n'est point un vain jeu de l'imagination que ces métaphores continuelles, qui servent à comparer nos sentiments avec les phénomènes extérieurs, la tristesse, avec le ciel couvert de nuages, le calme, avec les rayons argentés de la lune, la colère, avec les flots agités par les vents; c'est la même pensée du créateur qui se traduit dans les deux langages différents, et l'un peut servir d'interprète à l'autre. Presque tous les axiomes de physique correspondent à des maximes de morale. Cette espèce de marche parallèle qu'on aperçoit entre le monde et l'intelligence est l'indice d'un grand mystère, et tous les esprits en seraient frappés, si l'on parvenait à en tirer des découvertes positives; mais toutefois cette lueur encore incertaine porte bien loin les regards.

Les analogies des divers éléments de la nature physique entre eux servent à constater la suprême loi de la création, la variété dans l'unité, et l'unité dans la variété. Qu'y a-t-il de plus étonnant, par exemple, que le rapport des sons et des formes, des sons et des couleurs ? Un Allemand, Chladni, a fait nouvellement l'expérience que les vibrations des sons mettent en mouvement des grains de sable réunis sur un plateau de verre, de telle manière que, quand les tons sont purs, les grains de sable se réunissent en formes régulières, et quand les tons sont discordants, les grains de sable tracent sur le verre des figures sans aucune symétrie. L'aveugle-né Sanderson disait qu'il se représentait la couleur écarlate comme le son de la trompette, et un savant a voulu faire un clavecin pour les yeux qui pût imiter par l'harmonie des couleurs le plaisir que cause la musique. Sans cesse nous comparons la peinture à la musique, et la musique à la peinture, parce que les émotions que nous éprouvons nous révèlent des analogies où l'observation froide ne verrait que des différences. Chaque plante, chaque fleur contient le système entier de l'univers; un instant de vie recèle en son sein l'éternité, le plus faible atome est un monde, et le monde peut-être n'est qu'un atome. Chaque portion de l'univers semble un miroir où la création tout entière est représentée, et l'on ne sait ce qui inspire le plus d'admiration, ou de la pensée, toujours la même, ou de la forme, toujours diverse.

On peut diviser les savants de l'Allemagne en deux classes, ceux qui se vouent en entier à l'observation, et ceux qui prétendent à l'honneur de pressentir les secrets de la nature. Parmi les premiers on doit citer d'abord Werner, qui a puisé dans la minéralogie la connaissance de la formation du globe et des époques de son histoire; Herschel et Schroeter, qui font sans cesse des découvertes nouvelles dans le pays des cieux; des astronomes calculateurs tels que Zach et Bode; de grands chimistes tels que Klaproth et Bucholz; dans la classe des physiciens philosophes il faut compter Schelling, Ritter, Bader, Steffens, etc. Les esprits les plus distingués de ces deux classes se rapprochent et s'entendent, car les physiciens philosophes ne sauraient dédaigner l'expérience, et les observateurs profonds ne se refusent point aux résultats possibles des hautes contemplations.

Déjà l'attraction et l'impulsion ont été l'objet d'un examen nouveau, et l'on en a fait une application heureuse aux affinités chimiques. La lumière, considérée comme un intermédiaire entre la matière et l'esprit, a donné lieu à plusieurs aperçus très philosophiques. L'on parle avec estime d'un travail de Gœthe sur les couleurs. Enfin, de toutes parts en Allemagne l'émulation est excitée par le désir et l'espoir de réunir la philosophie expérimentale et la philosophie spéculative, et d'agrandir ainsi la science de l'homme et celle de la nature.

L'idéalisme intellectuel fait de la volonté, qui est l'âme, le centre de tout : le principe de l'idéalisme physique c'est la vie. L'homme parvient par la chimie comme par le raisonnement au plus haut degré de l'analyse; mais la vie lui échappe par la chimie, comme le sentiment par le raisonnement. Un écrivain français avait prétendu que la pensée n'était autre chose *qu'un produit matériel du cerveau*. Un autre savant a dit que, lorsqu'on serait plus avancé dans la chimie, on parviendrait à savoir *comment on fait de la vie;* l'un outrageait la nature comme l'autre outrageait l'âme.

Il faut, disait Fichte, *comprendre ce qui est incompréhensible comme tel*. Cette expression singulière renferme un sens profond : il faut sentir et reconnaître ce qui doit rester inaccessible à l'analyse, et dont l'essor de la pensée peut seul approcher.

On a cru trouver dans la nature trois modes d'existence distincts; la végétation, l'irritabilité et la sensibilité. Les plantes, les animaux et les hommes se trouvent renfermés dans ces trois manières de vivre, et si l'on veut appliquer aux individus même de notre espèce cette division ingénieuse, on verra que, parmi les différents caractères, on peut également la retrouver. Les uns végètent comme des plantes, les autres jouissent ou s'irritent à la manière des animaux, et les plus nobles enfin possèdent et développent en eux les qualités qui distinguent la nature humaine. Quoi qu'il en soit, la volonté qui est la vie, la vie qui est la volonté, renferment tout le secret de l'univers et de nous-mêmes, et ce secret-là, comme on ne peut ni le nier, ni l'expliquer, il faut y arriver nécessairement par une espèce de divination.

Quel emploi de force ne faudrait-il pas pour ébranler avec un levier fait sur le modèle du bras les poids que le bras soulève! Ne voyons-nous pas tous les jours la colère, ou quelque autre affection de l'âme, augmenter comme par miracle la puissance du corps humain ? Quelle est donc cette puissance mystérieuse de la nature qui se manifeste par la volonté de l'homme ? et comment, sans étudier sa cause et ses effets, pourrait-on faire aucune découverte importante dans la théorie des puissances physiques ?

La doctrine de l'Ecossais Brown, analysée plus profondément en Allemagne que partout ailleurs, est fondée sur ce même système d'action et d'unité centrale qui est si fécond dans ses conséquences. Brown a cru que l'état de souffrance ou l'état de santé ne tenait point à des maux partiels, mais à l'intensité du principe vital qui s'affaiblissait ou s'exaltait selon les différentes vicissitudes de l'existence.

Parmi les savants anglais, il n'y a guère que Hartley et son disciple Priestley, qui aient pris la métaphysique comme la physique, sous un point de vue tout à fait matérialiste. On dira que la physique ne peut être que matérialiste; j'ose ne pas être de cet avis. Ceux qui font de l'âme même un être passif bannissent à plus forte raison des sciences positives l'inexplicable ascendant de la volonté de l'homme, et cependant il est plusieurs circonstances dans lesquelles cette volonté agit sur l'intensité de la vie, et la vie sur la matière. Le principe de l'existence est comme un intermédiaire entre le corps et l'âme dont la puissance ne saurait être calculée, mais ne peut être niée sans méconnaître ce qui constitue la nature animée et sans réduire ses lois purement au mécanisme.

Le docteur Gall, de quelque manière que son système soit jugé, est respecté de tous les savants pour les études et les découvertes qu'il a faites dans la science de l'anatomie; et si l'on considère les organes de la pensée comme différents d'elle-même, c'est-à-dire comme les moyens qu'elle emploie, on peut ce me semble admettre que la mémoire et le calcul, l'aptitude à telle ou telle science, le talent pour tel ou tel art, enfin tout ce qui sert d'instrument à l'intelligence, dépend en quelque sorte de la structure du cerveau. S'il existe une échelle graduée depuis la pierre jusqu'à la vie humaine, il doit y avoir de certaines facultés en nous qui tiennent de l'âme et du corps tout à la fois, et de ce nombre sont la mémoire et le calcul, les plus physiques de nos facultés intellectuelles, et les plus intellectuelles de nos facultés physiques. Mais l'erreur commencerait au moment où l'on voudrait attribuer à la structure du cerveau une influence sur les qualités morales, car la volonté est tout à fait indépendante des facultés physiques : c'est dans l'action purement intellectuelle de cette volonté que consiste la conscience, et la conscience est et doit être affranchie de l'organisation corporelle. Tout ce qui tendrait à nous ôter la responsabilité de nos actions serait faux et mauvais.

Un jeune médecin d'un grand talent, Koreff, attire déjà l'attention de ceux qui l'ont entendu, par des considérations toutes nouvelles sur le principe de la vie, sur l'action de la mort, sur les causes de la folie : tout ce mouvement dans les esprits annonce une révolution quelconque, même dans la manière de considérer les sciences. Il est impossible d'en prévoir encore les résultats; mais ce qu'on peut affirmer avec vérité, c'est que si les Allemands se laissent guider par l'imagination, ils ne s'épargnent aucun travail, aucune recherche, aucune étude, et réunissent au plus haut degré deux qualités qui semblent s'exclure, la patience et l'enthousiasme.

Quelques savants allemands, poussant encore plus loin l'idéalisme physique, combattent l'axiome *qu'il n'y a point d'action à distance*, et veulent au contraire rétablir partout le mouvement spontané dans la nature. Ils rejettent l'hypothèse des fluides, dont les effets tiendraient à quelques égards des forces mécaniques qui se pressent et se refoulent sans qu'aucune organisation indépendante les dirige.

Ceux qui considèrent la nature comme une intelligence ne donnent pas à ce mot le même sens qu'on a coutume d'y attacher; car la pensée de l'homme consiste dans la faculté de se replier sur soi-même, et l'intelligence de la nature marche en avant, comme l'instinct des animaux. La pensée se possède elle-même puisqu'elle se juge; l'intelligence sans réflexion est une puissance toujours attirée au-dehors. Quand la nature cristallise selon les formes les plus régulières, il ne s'ensuit pas qu'elle sache les mathématiques, ou du moins elle ne sait pas qu'elle les sait, et la conscience d'elle-même lui manque. Les savants allemands attribuent aux forces physiques une certaine originalité individuelle, et d'autre part ils paraissent admettre, dans leur manière de présenter quelques phénomènes du magnétisme animal, que la volonté de l'homme, sans acte extérieur, exerce une très grande influence sur la matière, et spécialement sur les métaux.

Pascal dit que *les astrologues et les alchimistes ont*

quelques principes, mais qu'ils en abusent. Il y a eu peut-être dans l'antiquité des rapports plus intimes entre l'homme et la nature qu'il n'en existe de nos jours. Les mystères d'Eleusis, le culte des Egyptiens, le système des émanations chez les Indiens, l'adoration des éléments et du soleil chez les Persans, l'harmonie des nombres qui fonda la doctrine de Pythagore, sont des traces d'un attrait singulier qui réunissait l'homme avec l'univers.

Le spiritualisme, en fortifiant la puissance de la réflexion, a séparé davantage l'homme des influences physiques, et la réformation, en portant plus loin encore le penchant vers l'analyse, a mis la raison en garde contre les impressions primitives de l'imagination : les Allemands tendent vers le véritable perfectionnement de l'esprit humain, lorsqu'ils cherchent à réveiller les inspirations de la nature par les lumières de la pensée.

L'expérience conduit chaque jour les savants à reconnaître des phénomènes auxquels on ne croyait plus, parce qu'ils étaient mélangés avec des superstitions, et que l'on en faisait jadis des présages. Les Anciens ont raconté que des pierres tombaient du ciel, et de nos jours on a constaté l'exactitude de ce fait dont on avait nié l'existence. Les Anciens ont parlé de pluies rouges comme du sang et des foudres de la terre, on s'est assuré nouvellement de la vérité de leurs assertions à cet égard.

L'astronomie et la musique sont la science et l'art que les hommes ont connus de toute antiquité : pourquoi les sons et les astres ne seraient-ils pas réunis par des rapports que les Anciens auraient sentis, et que nous pourrions retrouver ? Pythagore avait soutenu que les planètes étaient entre elles à la même distance que les sept cordes de la lyre, et l'on affirme qu'il a pressenti les nouvelles planètes qui ont été découvertes entre Mars et Jupiter [1]. Il paraît qu'il n'ignorait pas le vrai système des cieux, l'immobilité du soleil, puisque Copernic s'appuie à cet égard de son opinion citée par Cicéron. D'où venaient donc ces étonnantes découvertes, sans le secours des expériences et des machines nouvelles dont les modernes sont en possession ? C'est que les

1. M. Prevost, professeur de philosophie à Genève, a publié sur ce sujet une brochure d'un très grand intérêt. Cet écrivain philosophe est aussi connu en Europe qu'estimé dans sa patrie. (Note de Mme de Staël.)

Anciens marchaient hardiment éclairés par le génie. Ils se servaient de la raison, sur laquelle repose l'intelligence humaine; mais ils consultaient aussi l'imagination, qui est la prêtresse de la nature.

Ce que nous appelons des erreurs et des superstitions tenait peut-être à des lois de l'univers qui nous sont encore inconnues. Les rapports des planètes avec les métaux, l'influence de ces rapports, les oracles même, et les présages, ne pourraient-ils pas avoir pour cause des puissances occultes dont nous n'avons plus aucune idée ? Et qui sait s'il n'y a pas un germe de vérité caché dans tous les apologues, dans toutes les croyances, qu'on a flétris du nom de folie ? Il ne s'ensuit pas assurément qu'il fallût renoncer à la méthode expérimentale, si nécessaire dans les sciences. Mais pourquoi ne donnerait-on pas pour guide suprême à cette méthode une philosophie plus étendue, qui embrasserait l'univers dans son ensemble, et ne mépriserait pas le *côté nocturne de la nature*, en attendant qu'on puisse y répandre de la clarté ?

— C'est de la poésie, répondra-t-on, que toute cette manière de considérer le monde physique; mais on ne parvient à le connaître d'une manière certaine que par l'expérience; et tout ce qui n'est pas susceptible de preuves peut être un amusement de l'esprit, mais ne conduit jamais à des progrès solides. — Sans doute les Français ont raison de recommander aux Allemands le respect pour l'expérience; mais ils ont tort de tourner en ridicule les pressentiments de la réflexion, qui seront peut-être un jour confirmés par la connaissance des faits. La plupart des grandes découvertes ont commencé par paraître absurdes, et l'homme de génie ne fera jamais rien s'il a peur des plaisanteries; elles sont sans force quand on les dédaigne, et prennent toujours plus d'ascendant quand on les redoute. On voit dans les contes de fées des fantômes qui s'opposent aux entreprises des chevaliers et les tourmentent jusqu'à ce que ces chevaliers aient passé outre. Alors tous les sortilèges s'évanouissent, et la campagne féconde s'offre à leurs regards. L'envie et la médiocrité ont bien aussi leurs sortilèges; mais il faut marcher vers la vérité, sans s'inquiéter des obstacles apparents qui se présentent.

Lorsque Kepler eut découvert les lois harmoniques du mouvement des corps célestes, c'est ainsi qu'il exprima sa joie : « Enfin, après dix-huit mois, une première lueur m'a éclairé, et dans ce jour remarquable j'ai senti les purs rayons des vérités sublimes. Rien à présent ne me retient : j'ose me livrer à ma sainte ardeur, j'ose insulter aux mortels en leur avouant que je me suis servi de la science mondaine, que j'ai dérobé les vases d'Egypte pour en construire un temple à mon Dieu. Si l'on me pardonne, je m'en réjouirai; si l'on me blâme, je le supporterai. Le sort en est jeté, j'écris ce livre : qu'il soit lu par mes contemporains ou par la postérité, n'importe; il peut bien attendre un lecteur pendant un siècle, puisque Dieu lui-même a manqué, durant six mille années, d'un contemplateur tel que moi. » Cette expression hardie d'un orgueilleux enthousiasme prouve la force intérieure du génie.

Gœthe a dit sur la perfectibilité de l'esprit humain un mot plein de sagacité : *Il avance toujours en ligne spirale*. Cette comparaison est d'autant plus juste, qu'à beaucoup d'époques il semble reculer, et revient ensuite sur ses pas, en ayant gagné quelques degrés de plus. Il y a des moments où le scepticisme est nécessaire au progrès des sciences, il en est d'autres où, selon Hemsterhuis, *l'esprit merveilleux doit l'emporter sur l'esprit géométrique*. Quand l'homme est dévoré, ou plutôt réduit en poussière par l'incrédulité, cet esprit merveilleux est le seul qui rende à l'âme une puissance d'admiration sans laquelle on ne peut comprendre la nature.

La théorie des sciences en Allemagne a donné aux esprits un élan semblable à celui que la métaphysique avait imprimé dans l'étude de l'âme. La vie tient dans les phénomènes physiques le même rang que la volonté dans l'ordre moral. Si les rapports de ces deux systèmes les font bannir tous deux par de certaines gens, il y en a qui verraient dans ces rapports la double garantie de la même vérité. Ce qui est certain au moins, c'est que l'intérêt des sciences est singulièrement augmenté par cette manière de les rattacher toutes à quelques idées principales. Les poètes pourraient trouver dans les sciences une foule de pensées à leur usage, si elles communiquaient entre elles par la philosophie de l'univers, et si cette philosophie de l'univers, au lieu d'être abstraite, était animée par l'inépuisable source du sentiment. L'univers ressemble plus à un poème qu'à une machine; et s'il fallait choisir, pour le concevoir, de l'imagination ou de l'esprit mathématique, l'imagination approcherait davantage de la vérité. Mais encore une fois il ne faut pas choisir, puisque c'est la totalité de notre être moral qui doit être employée dans une si importante méditation.

Le nouveau système de physique générale, qui sert de guide en Allemagne à la physique expérimentale, ne peut être jugé que par ses résultats. Il faut voir s'il conduira l'esprit humain à des découvertes nouvelles et constatées. Mais ce qu'on ne peut nier, ce sont les rapports qu'il établit entre les différentes branches d'études. On se fuit les uns les autres d'ordinaire, quand on a des occupations différentes, parce qu'on s'ennuie réciproquement. L'érudit n'a rien à dire au poète, le poète au physicien, et même, entre les savants, ceux qui s'occupent de sciences diverses ne s'intéressent guère à leurs travaux mutuels : cela ne peut être ainsi depuis que la philosophie centrale établit une relation d'une nature sublime entre toutes les pensées. Les savants pénètrent la nature à l'aide de l'imagination. Les poètes trouvent dans les sciences les véritables beautés de l'univers. Les érudits enrichissent les poètes par les souvenirs, et les savants par les analogies.

Les sciences présentées isolément et comme un domaine étranger à l'âme n'attirent pas les esprits exaltés. La plupart des hommes qui s'y sont voués, à quelques honorables exceptions près, ont donné à notre siècle cette tendance vers le calcul qui sert si bien à connaître dans tous les cas quel est le plus fort. La philosophie allemande fait entrer les sciences physiques dans cette sphère universelle des idées où les moindres observations comme les plus grands résultats tiennent à l'intérêt de l'ensemble.

CHAPITRE XI

DE L'INFLUENCE DE LA NOUVELLE PHILOSOPHIE SUR LE CARACTÈRE DES ALLEMANDS

Il semblerait qu'un système de philosophie qui attribue à ce qui dépend de nous, à notre volonté, une action toute-puissante, devrait fortifier le caractère et le rendre indépendant des circonstances extérieures ; mais il y a lieu de croire que les institutions politiques et religieuses peuvent seules former l'esprit public, et que nulle théorie abstraite n'est assez efficace pour donner à une nation de l'énergie : car, il faut l'avouer, les Allemands de nos jours n'ont pas ce qu'on peut appeler du caractère. Ils sont vertueux, intègres, comme hommes privés, comme pères de famille, comme administrateurs ; mais leur empressement gracieux et complaisant pour le pouvoir fait de la peine, surtout quand on les aime et qu'on les croit les défenseurs spéculatifs les plus éclairés de la dignité humaine.

La sagacité de l'esprit philosophique leur a seulement appris à connaître en toutes circonstances la cause et les conséquences de ce qui arrive, et il leur semble que, dès qu'ils ont trouvé une théorie pour un fait, il est justifié. L'esprit militaire et l'amour de la patrie ont porté diverses nations au plus haut degré possible d'énergie ; maintenant ces deux sources de dévouement existent à peine chez les Allemands pris en masse. Ils ne comprennent guère de l'esprit militaire qu'une tactique pédantesque qui les autorise à être battus selon les règles, et de la liberté que cette subdivision en petits pays qui, accoutumant les citoyens à se sentir faibles comme nation, les conduit bientôt à se montrer faibles aussi comme individus [1]. Le respect pour les formes est très favorable au maintien des lois; mais ce respect, tel qu'il existe en Allemagne, donne l'habitude d'une marche si ponctuelle et si précise, qu'on ne sait pas même, quand le but est devant soi, s'ouvrir une route nouvelle pour y arriver.

Les spéculations philosophiques ne conviennent qu'à un petit nombre de penseurs, et loin qu'elles servent à lier ensemble une nation, elles mettent trop de distance entre les ignorants et les hommes éclairés. Il y a en Allemagne trop d'idées neuves et pas assez d'idées communes en circulation, pour connaître les hommes et les choses. Les idées communes sont nécessaires à la conduite de la vie; les affaires exigent l'esprit d'exécution plutôt que celui d'invention : ce qu'il y a de bizarre dans les différentes manières de voir des Allemands tend à les isoler les uns des autres, car les pensées et les intérêts qui réunissent les hommes entre eux doivent être d'une nature simple et d'une vérité frappante.

Le mépris du danger, de la souffrance et de la mort n'est pas assez universel dans toutes les classes de la nation allemande. Sans doute la vie a plus de prix pour des hommes capables de sentiments et d'idées, que pour ceux qui ne laissent après eux ni traces ni souvenirs; mais de même que l'enthousiasme poétique peut se renouveler par le plus haut degré des lumières, la fermeté raisonnée devrait remplacer l'instinct de l'ignorance. C'est à la philosophie fondée sur la religion qu'il appartiendrait d'inspirer dans toutes les occasions un courage inaltérable.

Si toutefois la philosophie ne s'est pas montrée toute-puissante à cet égard en Allemagne, il ne faut pas pour cela la dédaigner; elle soutient, elle éclaire chaque homme en particulier; mais le gouvernement seul peut exciter cette électricité morale qui fait éprouver le même sentiment à tous. On est plus irrité contre les Allemands,

1. Je prie d'observer que ce chapitre, comme tout le reste de l'ouvrage, a été écrit à l'époque de l'asservissement complet de l'Allemagne. — Depuis, les nations germaniques, réveillées par l'oppression, ont prêté à leurs gouvernements la force qui leur manquait pour résister à la puissance des armées françaises, et l'on a vu, par la conduite héroïque des souverains et des peuples, ce que peut l'opinion sur le sort du monde. (Note de Mme de Staël.)

quand on les voit manquer d'énergie, que contre les Italiens, dont la situation politique a depuis plusieurs siècles affaibli le caractère. Les Italiens conservent toute leur vie, par leur grâce et leur imagination, des droits prolongés à l'enfance, mais les physionomies et les manières rudes des Germains semblent annoncer une âme ferme, et l'on est désagréablement surpris quand on ne la trouve pas. Enfin la faiblesse du caractère se pardonne quand elle est avouée, et dans ce genre les Italiens ont une franchise singulière qui inspire une sorte d'intérêt, tandis que les Allemands, n'osant confesser cette faiblesse qui leur va si mal, sont flatteurs avec énergie et vigoureusement soumis. Ils accentuent durement les paroles pour cacher la souplesse des sentiments, et se servent de raisonnements philosophiques pour expliquer ce qu'il y a de moins philosophique au monde : le respect pour la force, et l'attendrissement de la peur qui change ce respect en admiration.

C'est à de tels contrastes qu'il faut attribuer la disgrâce allemande que l'on se plaît à contrefaire dans les comédies de tous les pays. Il est permis d'être lourd et roide, lorsqu'on reste sévère et ferme; mais si l'on revêt cette roideur naturelle du faux sourire de la servilité, c'est alors que l'on s'expose au ridicule mérité, le seul qui reste. Enfin il y a une certaine maladresse dans le caractère des Allemands, nuisible à ceux même qui auraient la meilleure envie de tout sacrifier à leur intérêt, et l'on s'impatiente d'autant plus contre eux, qu'ils perdent les honneurs de la vertu, sans arriver aux profits de l'habileté.

Tout en reconnaissant que la philosophie allemande est insuffisante pour former une nation, il faut convenir que les disciples de la nouvelle école sont beaucoup plus près que tous les autres d'avoir de la force dans le caractère; ils la rêvent, ils la désirent, ils la conçoivent; mais elle leur manque souvent. Il y a très peu d'hommes en Allemagne qui sachent seulement écrire sur la politique. La plupart de ceux qui s'en mêlent sont systématiques et très souvent inintelligibles. Quand il s'agit de la métaphysique transcendante, quand on essaie à se plonger dans les ténèbres de la nature, tous les aperçus, quelque vagues qu'ils soient, ne sont pas à dédaigner, tous les pressentiments peuvent guider, tous les à-peu-près sont encore beaucoup. Il n'en est pas ainsi des affaires de ce monde : il est possible de les savoir, il faut donc les présenter avec clarté. L'obscurité dans le style, lorsqu'on traite des pensées sans bornes, est quelquefois l'indice de l'étendue même de l'esprit; mais l'obscurité dans l'analyse des choses de la vie prouve seulement qu'on ne les comprend pas.

Lorsqu'on fait intervenir la métaphysique dans les affaires, elle sert à tout confondre pour tout excuser, et l'on prépare ainsi des brouillards pour asile à sa conscience. L'emploi de cette métaphysique serait de l'adresse, si de nos jours tout n'était pas réduit à deux idées très simples et très claires, l'intérêt ou le devoir. Les hommes énergiques, quelle que soit celle de ces deux directions qu'ils suivent, vont tout droit au but sans s'embarrasser des théories, qui ne trompent ni ne persuadent plus personne.

— Vous voilà donc revenue, dira-t-on, à vanter, comme nous, l'expérience et l'observation. — Je n'ai jamais nié qu'il ne fallût l'une et l'autre pour se mêler des intérêts de ce monde; mais c'est dans la conscience de l'homme que doit être le principe idéal d'une conduite extérieurement dirigée par de sages calculs. Les sentiments divins sont ici-bas en proie aux choses terrestres, c'est la condition de l'existence. Le beau est dans notre âme et la lutte au-dehors. Il faut combattre pour la cause de l'éternité, mais avec les armes du temps; nul individu n'arrive, ni par la philosophie spéculative ni par la connaissance des affaires seulement à toute la dignité du caractère de l'homme; et les institutions libres ont seules l'avantage de fonder dans les nations une morale publique, qui donne aux sentiments exaltés l'occasion de se développer dans la pratique de la vie.

CHAPITRE XII

DE LA MORALE FONDÉE SUR L'INTÉRÊT PERSONNEL

Les écrivains français ont eu tout à fait raison de considérer la morale fondée sur l'intérêt comme une conséquence de la métaphysique qui attribuait toutes les idées aux sensations. S'il n'y a rien dans l'âme que ce que les sensations y ont mis, l'agréable ou le désagréable doit être l'unique mobile de notre volonté. Helvétius, Diderot, Saint-Lambert n'ont pas dévié de cette ligne, et ils ont expliqué toutes les actions, y compris le dévouement des martyrs, par l'amour de soi-même. Les Anglais, qui, pour la plupart, professent en métaphysique la philosophie expérimentale, n'ont jamais pu supporter cependant la morale fondée sur l'intérêt. Shaftsbury, Hutcheson, Smith, etc., ont proclamé le sens moral, et la sympathie, comme la source de toutes les vertus. Hume lui-même, le plus sceptique des philosophes anglais, n'a pu lire sans dégoût cette théorie de l'amour de soi, qui flétrit la beauté de l'âme. Rien n'est plus opposé que ce système à l'ensemble des opinions des Allemands : aussi leurs écrivains philosophes et moralistes à la tête desquels il faut placer Kant, Fichte et Jacobi, l'ont-ils combattu victorieusement.

Comme la tendance des hommes vers le bonheur est la plus universelle et la plus active de toutes, on a cru fonder la moralité de la manière la plus solide en disant qu'elle consistait dans l'intérêt personnel bien entendu. Cette idée a séduit les hommes de bonne foi, et d'autres se sont proposé d'en abuser, et n'y ont que trop bien réussi.

Sans doute les lois générales de la nature et de la société mettent en harmonie le bonheur et la vertu; mais ces lois sont sujettes à des exceptions très nombreuses, et paraissent en avoir encore plus qu'elles n'en ont.

L'on échappe aux arguments tirés de la prospérité du vice et des revers de la vertu, en faisant consister le bonheur dans la satisfaction de la conscience; mais cette satisfaction, d'un ordre tout à fait religieux, n'a point de rapport avec ce qu'on désigne ici-bas par le mot de bonheur. Appeler le dévouement ou l'égoïsme, le crime ou la vertu, un intérêt personnel bien ou mal entendu, c'est vouloir combler l'abîme qui sépare l'homme coupable de l'homme honnête, c'est détruire le respect, c'est affaiblir l'indignation; car si la morale n'est qu'un bon calcul, celui qui peut y manquer ne doit être accusé que d'avoir l'esprit faux. L'on ne saurait éprouver le noble sentiment de l'estime pour quelqu'un parce qu'il calcule bien, ni la vigueur du mépris contre un autre parce qu'il calcule mal. On est donc parvenu par ce système au but principal de tous les hommes corrompus, qui veulent mettre de niveau le juste avec l'injuste, ou du moins considérer l'un et l'autre comme une partie bien ou mal jouée : aussi les philosophes de cette école se servent-ils plus souvent du mot de faute que de celui de crime; car, d'après leur manière de voir, il n'y a dans la conduite de la vie que des combinaisons habiles ou maladroites.

On ne concevrait pas non plus comment le remords pourrait entrer dans un pareil système; le criminel, lorsqu'il est puni, doit éprouver le genre de regret que cause une spéculation manquée; car si notre propre bonheur est notre principal objet, si nous sommes l'unique but de nous-mêmes, la paix doit être bientôt rétablie entre ces deux proches alliés, celui qui a eu tort et celui qui en souffre. C'est presque un proverbe généralement admis que, dans ce qui ne concerne que soi, chacun est libre; or, puisque dans la morale fondée sur l'intérêt il ne s'agit jamais que de soi, je ne sais pas ce qu'on aurait à répondre à celui qui dirait : « Vous me donnez pour mobile de mes actions mon propre avantage; bien obligé; mais la manière de concevoir cet avantage dépend nécessairement du caractère de chacun. J'ai du courage, ainsi je puis braver mieux qu'un autre les périls attachés à la désobéissance aux lois reçues; j'ai de l'esprit, ainsi je me crois plus de moyens pour éviter d'être puni; enfin, si cela me tourne mal, j'ai assez de fermeté pour prendre mon parti de m'être trompé; et j'aime mieux les plaisirs et les hasards d'un gros jeu que la monotonie d'une existence régulière. »

Combien d'ouvrages français, dans le dernier siècle, n'ont-ils pas commenté ces arguments qu'on ne saurait réfuter complètement; car, en fait de chances, une sur mille peut suffire pour exciter l'imagination à tout faire pour l'obtenir; et certes, il y a plus d'un contre mille à parier en faveur des succès du vice. — Mais, diront beaucoup d'honnêtes partisans de la morale fondée sur l'intérêt, cette morale n'exclut pas l'influence de la religion sur les âmes. — Quelle faible et triste part lui laisse-t-on! Lorsque tous les systèmes admis en philosophie comme en morale sont contraires à la religion, que la métaphysique anéantit la croyance à l'invisible, et la morale le sacrifice de soi, la religion reste dans les idées, comme le roi restait dans la Constitution que l'Assemblée constituante avait décrétée. C'était une république, plus, un roi; je dis même que tous ces systèmes de métaphysique matérialiste et de moralité égoïste sont de l'athéisme, plus, un Dieu. Il est donc aisé de prévoir ce qui sera sacrifié dans l'édifice des pensées, quand l'on n'y donne qu'une place superflue à l'idée centrale du monde et de nous-mêmes.

La conduite d'un homme n'est vraiment morale que quand il ne compte jamais pour rien les suites heureuses ou malheureuses de ses actions, lorsque ces actions sont dictées par le devoir. Il faut avoir toujours présent à l'esprit, dans la direction des affaires de ce monde, l'enchaînement des causes et des effets, des moyens et du but; mais cette prudence est à la vertu comme le bon sens au génie : tout ce qui est vraiment beau est inspiré, tout ce qui est désintéressé est religieux. Le calcul est l'ouvrier du génie, le serviteur de l'âme; mais, s'il devient le maître, il n'y a plus rien de grand ni de noble dans l'homme. Le calcul, dans la conduite de la vie, doit être toujours admis comme guide, mais jamais comme motif de nos actions. C'est un bon moyen d'exécution, mais il faut que la source de la volonté soit d'une nature plus élevée, et qu'on ait en soi-même un sentiment intérieur qui nous force aux sacrifices de nos intérêts personnels.

Lorsqu'on voulait empêcher saint Vincent de Paul de s'exposer aux plus grands périls pour secourir les malheureux, il répondait : « Me croyez-vous assez lâche pour préférer ma vie à moi! » Si les partisans de la morale fondée sur l'intérêt veulent retrancher de cet intérêt tout ce qui concerne l'existence terrestre, alors ils seront d'accord avec les hommes les plus religieux; mais encore pourra-t-on leur reprocher les mauvaises expressions dont ils se servent.

— En effet, dira-t-on, il ne s'agit que d'une dispute de mots : nous appelons utile ce que vous appelez vertueux; mais nous plaçons de même l'intérêt bien entendu des hommes dans le sacrifice de leurs passions à leurs devoirs. — Les disputes de mots sont toujours des disputes de choses; car tous les gens de bonne foi conviennent qu'ils ne tiennent à tel ou tel mot que par préférence pour telle ou telle idée : comment les expressions habituellement employées dans les rapports les plus vulgaires pourraient-elles inspirer des sentiments généreux ? En prononçant les mots d'intérêt et d'utilité, réveillera-t-on les mêmes pensées dans notre cœur qu'en nous adjurant au nom du dévouement et de la vertu ?

Lorsque Thomas Morus aima mieux périr sur l'échafaud que de remonter au faîte des grandeurs en faisant le sacrifice d'un scrupule de conscience; lorsque après une année de prison, affaibli par la souffrance, il refusa d'aller trouver sa femme et ses enfants qu'il chérissait, et de se livrer de nouveau à ces occupations de l'esprit qui donnent tout à la fois tant de calme et d'activité à l'existence; lorsque l'honneur seul, cette religion mondaine, fit retourner dans les prisons d'Angleterre un vieux roi de France, parce que son fils n'avait pas tenu les promesses au nom desquelles il avait obtenu sa liberté; lorsque les chrétiens vivaient dans les catacombes, qu'ils renonçaient à la lumière du jour, et ne sentaient le ciel que dans leur âme, si quelqu'un avait dit qu'ils entendaient bien leur intérêt, quel froid glacé se serait répandu dans les veines en l'écoutant, et combien un regard attendri nous eût mieux révélé tout ce qu'il y a de sublime dans de tels hommes!

Non certes, la vie n'est pas si aride que l'égoïsme nous l'a faite : tout n'y est pas prudence, tout n'y est pas calcul; et quand une action sublime ébranle toutes les puissances de notre être, nous ne pensons pas que l'homme généreux qui se sacrifie a bien connu, bien combiné son intérêt personnel : nous pensons qu'il immole tous les plaisirs, tous les avantages de ce monde, mais qu'un rayon divin descend dans son cœur pour lui causer un genre de félicité qui ne ressemble pas plus à tout ce que nous revêtons de ce nom, que l'immortalité à la vie.

Ce n'est pas sans motif cependant qu'on met tant d'importance à fonder la morale sur l'intérêt personnel : on a l'air de ne soutenir qu'une théorie, et c'est en résultat une combinaison très ingénieuse pour établir le joug de tous les genres d'autorité. Nul homme, quelque dépravé qu'il soit, ne dira qu'il ne faut pas de morale; car celui même qui serait le plus décidé à en manquer voudrait encore avoir affaire à des dupes qui la conservassent. Mais quelle adresse d'avoir donné pour base à la morale la prudence! Quel accès ouvert à l'ascendant du pouvoir, aux transactions de la conscience, à tous les mobiles conseils des événements!

Si le calcul doit présider à tout, les actions des hommes seront jugées d'après le succès : l'homme dont les bons sentiments ont causé le malheur sera justement blâmé; l'homme pervers, mais habile, sera justement applaudi. Enfin les individus ne se considérant entre eux que comme des obstacles ou des instruments, ils se haïront comme obstacles, et ne s'estimeront pas plus que comme moyens. Le crime a plus de grandeur, quand il tient au désordre des passions enflammées, que lorsqu'il a pour objet l'intérêt personnel : comment donc pourrait-on donner pour principe à la vertu ce qui déshonorerait même le crime [1]!

1. Dans l'ouvrage de Bentham sur la législation, publié, ou plutôt illustré par M. Dumont, il y a divers raisonnements sur le principe de l'utilité, d'accord, à plusieurs égards, avec le système qui fonde la morale sur l'intérêt personnel. L'anecdote connue d'Aristide, qui fit rejeter un projet de Thémistocle, en disant seulement aux Athéniens *que ce projet était avantageux, mais injuste*, est cité par M. Dumont; mais il rapporte les conséquences qu'on peut tirer de ce trait, ainsi que de plusieurs autres, à l'utilité générale, admise par Bentham comme la base de tous les devoirs. L'utilité de chacun, dit-il, doit être sacrifiée à l'utilité de tous, et celle du moment présent à l'avenir, en faisant un pas de plus. On pourrait convenir que la vertu consiste dans le sacrifice du temps à l'éternité, et ce genre de calcul ne serait sûrement pas blâmé par les partisans de l'enthousiasme; mais quelque effort que puisse tenter un homme aussi supérieur que M. Dumont pour étendre le sens de l'utilité, il ne pourra jamais faire que ce mot soit synonyme de celui de dévouement. Il dit que le premier mobile des actions des hommes, c'est le plaisir et la douleur, et il suppose alors que le plaisir des âmes nobles consiste à s'exposer volontiers aux souffrances matérielles pour acquérir des satisfactions d'un ordre plus relevé. Sans doute il est aisé de faire de chaque parole un miroir qui réfléchisse toutes les idées; mais si l'on veut s'en tenir à la signification naturelle de chaque terme, on verra que l'homme à qui l'on dit que son propre bonheur doit être le but de toutes ses actions *ne peut être détourné de faire le mal qui lui convient* que par

la crainte ou le danger d'être puni — crainte que la passion fait braver — danger auquel un esprit habile peut se flatter d'échapper. — Sur quoi fondez-vous l'idée du juste ou de l'injuste, dira-t-on, si ce n'est sur ce qui est utile ou nuisible au plus grand nombre ? La justice *pour les individus consiste dans le sacrifice d'eux-mêmes* à leur famille; pour la famille, dans le sacrifice d'elle-même à l'Etat, et pour l'Etat, dans le respect de certains principes inaltérables qui font le bonheur et le salut de l'espèce humaine. Sans doute la majorité des générations dans la durée des siècles se trouvera bien d'avoir suivi la route de la justice; mais pour être vraiment et religieusement honnête il faut avoir toujours en vue le culte du beau moral, indépendamment de toutes les circonstances qui peuvent en résulter; l'utilité est nécessairement modifiée par les circonstances, la vertu ne doit jamais l'être. (Note de Mme de Staël.)

CHAPITRE XIII

DE LA MORALE FONDÉE SUR L'INTÉRÊT NATIONAL

Non seulement la morale fondée sur l'intérêt personnel met, dans les rapports des individus entre eux, des calculs de prudence et d'égoïsme qui en bannissent la sympathie, la confiance et la générosité; mais la morale des hommes publics, de ceux qui traitent au nom des nations, doit être nécessairement pervertie par ce système. S'il est vrai que la morale des individus puisse être fondée sur leur intérêt, c'est parce que la société tout entière tend à l'ordre et punit celui qui veut s'en écarter; mais une nation, et surtout un Etat puissant, est comme un être isolé que les lois de la réciprocité n'atteignent pas. On peut dire, avec vérité, qu'au bout d'un certain nombre d'années les nations injustes succombent à la haine qu'inspirent leurs injustices; mais plusieurs générations peuvent s'écouler avant que de si vastes fautes soient punies, et je ne sais comment on pourrait prouver à un homme d'Etat, dans toutes les circonstances, que telle résolution, condamnable en elle-même, n'est pas utile, et que la morale et la politique sont toujours d'accord; aussi ne le prouve-t-on pas, et c'est presque un axiome reçu, qu'on ne peut les réunir.

Cependant que deviendrait le genre humain, si la morale n'était plus qu'un conte de vieille femme fait pour consoler les faibles, en attendant qu'ils soient les plus forts ? Comment pourrait-elle rester en honneur dans les relations privées, s'il était convenu que, l'objet des regards de tous, le gouvernement peut s'en passer ? Et comment cela ne serait-il pas convenu, si l'intérêt est la base de la morale ? Il y a, nul ne peut le nier, des circonstances où ces grandes masses qu'on appelle des empires, ces grandes masses en état de nature l'une envers l'autre, trouvent un avantage momentané à commettre une injustice, mais la génération qui suit en a presque toujours souffert.

Kant, dans ses écrits sur la morale politique, montre avec la plus grande force que nulle exception ne peut être admise dans le code du devoir. En effet, quand on s'appuie des circonstances pour justifier une action immorale, sur quel principe pourrait-on se fonder pour s'arrêter à telle ou telle borne ? Les passions naturelles les plus impétueuses ne seraient-elles pas encore plus aisément justifiées que les calculs de la raison, si l'on admettait l'intérêt public ou particulier comme une excuse de l'injustice ?

Quand, à l'époque la plus sanglante de la Révolution, on a voulu autoriser tous les crimes, on a nommé le gouvernement *comité de salut public ;* c'était mettre en lumière cette maxime reçue, que le salut du peuple est la suprême loi. La suprême loi, c'est la justice. Quand il serait prouvé qu'on servirait les intérêts terrestres d'un peuple par une bassesse ou par une injustice, on serait également vil ou criminel en la commettant; car l'intégrité des principes de la morale importe plus que les intérêts des peuples. L'individu et la société sont responsables, avant tout, de l'héritage céleste qui doit être transmis aux générations successives de la race humaine. Il faut que la fierté, la générosité, l'équité, tous les sentiments magnanimes enfin soient sauvés à nos dépens d'abord, et même aux dépens des autres, puisque les autres doivent, comme nous, s'immoler à ces sentiments.

L'injustice sacrifie toujours une portion quelconque de la société à l'autre. Jusqu'à quel calcul arithmétique ce sacrifice est-il commandé ? La majorité peut-elle disposer de la minorité, si l'une l'emporte à peine de quelques voix sur l'autre ? Les membres d'une même famille, une compagnie de négociants, les nobles, les ecclésiastiques, quelque nombreux qu'ils soient, n'ont pas le droit de dire que tout doit céder à leur intérêt : mais quand une réunion quelconque, fût-elle aussi peu considérable que celle des Romains dans leur origine, quand cette réunion, dis-je, s'appelle une nation, tout lui serait permis pour se faire du bien! Le mot de nation serait alors synonyme de celui de *légion* que s'attribue le démon dans l'Evangile; néanmoins il n'y a pas plus de motif pour sacrifier le devoir à une nation qu'à toute autre collection d'hommes.

Ce n'est pas le nombre des individus qui constitue leur importance en morale. Lorsqu'un innocent meurt sur un échafaud, des générations entières s'occupent de son malheur, tandis que des milliers d'hommes périssent dans une bataille sans qu'on s'informe de leur sort. D'où vient cette prodigieuse différence que mettent tous les hommes entre l'injustice commise envers un seul et la mort de plusieurs ? C'est à cause de l'importance que tous attachent à la loi morale; elle est mille fois plus que la vie physique dans l'univers et dans l'âme de chacun de nous qui est aussi un univers.

Si l'on ne fait de la morale qu'un calcul de prudence et de sagesse, une économie de ménage, il y a presque de l'énergie à n'en pas vouloir. Une sorte de ridicule s'attache aux hommes d'Etat qui conservent encore ce qu'on appelle des maximes romanesques, la fidélité dans les engagements, le respect pour les droits individuels, etc. On pardonne ces scrupules aux particuliers qui sont bien les maîtres d'être dupes à leurs propres dépens; mais quand il s'agit de ceux qui disposent du destin des peuples, il y aurait des circonstances où l'on pourrait les blâmer d'être justes et leur faire un tort de la loyauté; car si la morale privée est fondée sur l'intérêt personnel, à plus forte raison la morale publique doit-elle l'être sur l'intérêt national, et cette morale, suivant l'occasion, pourrait faire un devoir des plus grands forfaits, tant il est facile de conduire à l'absurde celui qui s'écarte des simples bases de la vérité. Rousseau a dit *qu'il n'était pas permis à une nation d'acheter la Révolution la plus désirable par le sang d'un innocent ;* ces simples paroles renferment ce qu'il y a de vrai, de sacré, de divin dans la destinée de l'homme.

Ce n'est sûrement pas pour les avantages de cette vie, pour assurer quelques jouissances de plus à quelques jours d'existence, et retarder un peu la mort de quelques mourants, que la conscience et la religion nous ont été données. C'est pour que des créatures en possession du libre arbitre choisissent ce qui est juste en sacrifiant ce qui est utile, préfèrent l'avenir au présent, l'invisible au visible, et la dignité de l'espèce humaine à la conservation même des individus.

Les individus sont vertueux quand ils sacrifient leur intérêt particulier à l'intérêt général; mais les gouvernements sont à leur tour des individus qui doivent immoler leurs avantages personnels à la loi du devoir; si la morale des hommes d'Etat n'était fondée que sur le bien public, elle pourrait les conduire au crime, si ce n'est toujours, au moins quelquefois, et c'est assez d'une seule exception justifiée pour qu'il n'y ait plus de morale dans le monde; car tous les principes vrais sont absolus : si deux et deux ne font pas quatre, les plus profonds calculs de l'algèbre sont absurdes; s'il y a dans la théorie un seul cas où l'homme doive manquer à son devoir, toutes les maximes philosophiques et religieuses sont renversées, et ce qui reste n'est plus que de la prudence ou de l'hypocrisie.

Qu'il me soit permis de citer l'exemple de mon père, puisqu'il s'applique directement à la question dont il s'agit. On a beaucoup répété que M. Necker ne connaissait pas les hommes, parce qu'il s'était refusé dans plusieurs circonstances aux moyens de corruption ou de violence dont on croyait les avantages certains. J'ose dire que personne ne peut lire les ouvrages de M. Necker, *l'Histoire de la Révolution de France*, *le Pouvoir exécutif dans les grands Etats*, etc., sans y trouver des vues lumineuses sur le cœur humain; et je ne serai pas démentie par tous ceux qui ont vécu dans l'intimité de M. Necker, quand je dirai qu'il avait à se défendre, malgré son admirable bonté, d'un penchant assez vif pour la moquerie, et d'une façon un peu sévère de juger la médiocrité de l'esprit ou de l'âme : ce qu'il a écrit sur le *Bonheur des sots* suffit ce me semble pour le prouver. Enfin, comme il joignait à toutes ses autres qualités celle d'être éminemment un homme d'esprit, personne ne le surpassait dans la connaissance fine et profonde de ceux avec lesquels il avait quelques relations; mais il s'était décidé par un acte de sa conscience à ne jamais reculer devant les conséquences, quelles qu'elles fussent, d'une révolution commandée par le devoir. On peut juger diversement les événements de la Révolution française; mais je crois impossible à un observateur impartial de nier qu'un tel principe généralement adopté aurait sauvé la France des maux dont elle a gémi, et, ce qui est pis encore, de l'exemple qu'elle a donné.

Pendant les époques les plus funestes de la Terreur, beaucoup d'honnêtes gens ont accepté des emplois dans l'administration, et même dans les tribunaux criminels, soit pour y faire du bien, soit pour diminuer le mal qui s'y commettait; et tous s'appuyaient sur un raisonnement assez généralement reçu, c'est qu'ils empêchaient un scélérat d'occuper la place qu'ils remplissaient, et rendaient ainsi service aux opprimés. Se permettre de mauvais moyens pour un but que l'on croit bon, c'est une maxime de conduite singulièrement vicieuse dans son principe. Les hommes ne savent rien de l'avenir, rien d'eux-mêmes pour demain; dans chaque circonstance et dans tous les instants le devoir est impératif, les combinaisons de l'esprit sur les suites qu'on peut prévoir n'y doivent entrer pour rien.

De quel droit des hommes qui étaient les instruments d'une autorité factieuse conservaient-ils le titre d'honnêtes gens parce qu'ils faisaient avec douceur une chose injuste ? Il eût bien mieux valu qu'elle eût été faite rudement, car il eût été plus difficile de la supporter, et de tous les assemblages le plus corrupteur, c'est celui d'un décret sanguinaire et d'un exécuteur bénin.

La bienfaisance que l'on peut exercer en détail ne compense pas le mal dont on est l'auteur en prêtant l'appui de son nom au parti que l'on sert. Il faut professer le culte de la vertu sur la terre, afin que, non seulement les hommes de notre temps, mais ceux des siècles futurs en ressentent l'influence. L'ascendant d'un courageux exemple subsiste encore mille ans après que les objets d'une charité passagère n'existent plus. La leçon qu'il importe le plus de donner aux hommes dans ce monde, et surtout dans la carrière publique, c'est de ne transiger avec aucune considération quand il s'agit du devoir.

« [1] Dès qu'on se met à négocier avec les circonstances, tout est perdu, car il n'est personne qui n'ait des circonstances. Les uns ont une femme, des enfants, ou des neveux, pour lesquels il faut de la fortune; d'autres un besoin d'activité, d'occupation, que sais-je, une quantité de vertus qui toutes conduisent à la nécessité d'avoir une place à laquelle soient attachés de l'argent et du pouvoir. N'est-on pas las de ces subterfuges, dont la

1. Ce passage excita la plus grande rumeur à la censure. On eût dit que ces observations pouvaient empêcher d'obtenir, et surtout de demander, des places. (Note de Mme de Staël.)

Révolution n'a cessé d'offrir l'exemple ? L'on ne rencontrait que des gens qui se plaignaient d'avoir été forcés de quitter le repos qu'ils préféraient à tout, la vie domestique, dans laquelle ils étaient impatients de rentrer, et l'on apprenait que ces gens-là avaient employé les jours et les nuits à supplier qu'on les contraignît de se dévouer à la chose publique qui se passait parfaitement d'eux. »

Les législateurs anciens faisaient un devoir aux citoyens de se mêler des intérêts politiques. La religion chrétienne doit inspirer une disposition d'une tout autre nature, celle d'obéir à l'autorité, mais de se tenir éloigné des affaires de l'Etat, quand elles peuvent compromettre la conscience. La différence qui existe entre les gouvernements anciens et les gouvernements modernes explique cette opposition dans la manière de considérer les relations des hommes envers leur patrie.

La science politique des Anciens était intimement unie avec la religion et la morale; l'Etat social était un corps plein de vie. Chaque individu se considérait comme l'un de ses membres. La petitesse des Etats, le nombre des esclaves qui resserrait encore de beaucoup celui des citoyens, tout faisait un devoir d'agir pour une patrie qui avait besoin de chacun de ses fils. Les magistrats, les guerriers, les artistes, les philosophes et presque les Dieux se mêlaient sur la place publique, et les mêmes hommes tour à tour gagnaient une bataille, exposaient un chef-d'œuvre, donnaient des lois à leurs pays, ou cherchaient à découvrir celles de l'univers.

Si l'on excepte le très petit nombre des gouvernements libres, la grandeur des Etats chez les modernes et la concentration du pouvoir des monarques ont rendu pour ainsi dire la politique toute négative. Il s'agit de ne pas se nuire les uns aux autres, et le gouvernement est chargé de cette haute police qui doit permettre à chacun de jouir des avantages de la paix et de l'ordre social, en achetant cette sécurité par de justes sacrifices. Le divin législateur des hommes commandait donc la morale la plus adaptée à la situation du monde sous l'empire romain, quand il faisait une loi du paiement des tributs et de la soumission au gouvernement dans tout ce que le devoir ne défend pas; mais il conseillait aussi avec la plus grande force la vie privée.

Les hommes qui veulent toujours mettre en théorie leurs penchants individuels confondent habilement la morale antique et la morale chrétienne; il faut, disent-ils, comme les Anciens, servir sa patrie, n'être pas un citoyen inutile dans l'Etat; il faut, disent-ils, comme les chrétiens, se soumettre au pouvoir établi par la volonté de Dieu. C'est ainsi que le mélange du système de l'inertie et de celui de l'action produit une double immoralité, tandis que pris séparément, l'un et l'autre avaient droit au respect. L'activité des citoyens grecs et romains, telle qu'elle pouvait s'exercer dans une république, était une noble vertu. La force d'inertie chrétienne est aussi une vertu, et d'une grande force ; car le christianisme qu'on accuse de faiblesse est invincible selon son esprit, c'est-à-dire dans l'énergie du refus; mais l'égoïsme patelin des hommes ambitieux leur enseigne l'art de combiner les raisonnements opposés, afin de se mêler de tout comme un païen, et de se soumettre à tout comme un chrétien

L'univers, mon ami, ne pense point à toi,

est ce qu'on peut dire maintenant à tout l'univers, les phénomènes exceptés. Ce serait une vanité bien ridicule que de motiver dans tous les cas l'activité politique par le prétexte de l'utilité dont on peut être à son pays. Cette utilité n'est presque jamais qu'un nom pompeux dont on revêt son intérêt personnel.

L'art des sophistes a toujours été d'opposer les devoirs les uns aux autres. L'on ne cesse d'imaginer des circonstances dans lesquelles cette affreuse perplexité pourrait exister. La plupart des fictions dramatiques sont fondées là-dessus. Toutefois la vie réelle est plus simple, l'on y voit souvent les vertus en combat avec les intérêts; mais peut-être est-il vrai que jamais l'honnête homme, dans aucune occasion, n'a pu douter de ce que le devoir lui commandait. La voix de la conscience est si délicate qu'il est facile de l'étouffer; mais elle est si pure qu'il est impossible de la méconnaître.

Une maxime connue contient sous une forme simple toute la théorie de la morale : *Fais ce que tu dois*, *arrive ce qui pourra*. Quand on établit, au contraire, que la probité d'un homme public consiste à tout sacrifier aux avantages temporels de sa nation, alors il peut se trouver beaucoup d'occasions où par moralité on serait immoral. Ce sophisme est aussi contradictoire dans le fond que dans la forme : ce serait traiter la vertu comme une science conjecturale et tout à fait soumise aux circonstances dans son application. Que Dieu garde le cœur humain d'une telle responsabilité! Les lumières de notre esprit sont trop incertaines pour que nous soyons en état de juger du moment où les éternelles lois du devoir pourraient être suspendues, ou plutôt ce moment n'existe pas.

S'il était une fois généralement reconnu que l'intérêt national lui-même doit être subordonné aux pensées plus hautes dont la vertu se compose, combien l'homme consciencieux serait à l'aise! comme tout lui paraîtrait clair en politique, tandis qu'auparavant une hésitation continuelle le faisait trembler à chaque pas! C'est cette hésitation même qui a fait regarder les honnêtes gens comme incapables des affaires d'Etat; on les accusait de pusillanimité, de timidité, de crainte, et l'on appelait ceux qui sacrifiaient légèrement le faible au puissant, et leurs scrupules à leurs intérêts, des hommes *d'une énergique nature*. C'est pourtant une énergie facile que celle qui tend à notre propre avantage, ou même à celui d'une faction dominante : car tout ce qui se fait dans le sens de la multitude est toujours de la faiblesse, quelque violent que cela paraisse.

L'espèce humaine demande à grands cris qu'on sacrifie tout à son intérêt, et finit par compromettre cet intérêt à force de vouloir y tout immoler; mais il serait temps de lui dire que son bonheur même, dont on s'est tant servi comme prétexte, n'est sacré que dans ses rapports avec la morale; car sans elle qu'importeraient tous à chacun ? Quand une fois l'on s'est dit qu'il faut sacrifier la morale à l'intérêt national, on est bien près de resserrer de jour en jour le sens du mot nation, et d'en faire d'abord ses partisans, puis ses amis, puis sa famille, qui n'est qu'un terme décent pour se désigner soi-même.

CHAPITRE XIV

DU PRINCIPE DE LA MORALE DANS LA NOUVELLE PHILOSOPHIE ALLEMANDE

La philosophie idéaliste tend par sa nature à réfuter la morale fondée sur l'intérêt particulier ou national; elle n'admet point que le bonheur temporel soit le but de notre existence, et ramenant tout à la vie de l'âme, c'est à l'exercice de la volonté et de la vertu qu'elle rapporte nos actions et nos pensées. Les ouvrages que Kant a écrits sur la morale ont une réputation au moins égale à ceux qu'il a composés sur la métaphysique.

Deux penchants distincts, dit-il, se manifestent dans l'homme : l'intérêt personnel qui lui vient de l'attrait des sensations, et la justice universelle qui tient à ses rapports avec le genre humain et la divinité; entre ces deux mouvements la conscience décide; elle est comme Minerve, qui faisait pencher la balance lorsque les voix étaient partagées dans l'aréopage. Les opinions les plus opposées n'ont-elles pas des faits pour appui ? Le pour et le contre ne seraient-ils pas également vrais si la conscience ne portait pas en elle la suprême certitude ?

L'homme placé entre des arguments visibles et presque égaux que lui adressent en faveur du bien et du mal les circonstances de la vie, l'homme a reçu du ciel pour se décider le sentiment du devoir. Kant cherche à démontrer que ce sentiment est la condition nécessaire de notre être moral, la vérité qui a précédé toutes celles dont on acquiert la connaissance par la vie. Peut-on nier que la conscience n'ait bien plus de dignité quand on la croit une puissance innée, que quand on voit en elle une faculté acquise comme toutes les autres par l'expérience et l'habitude ? et c'est en cela surtout que la métaphysique idéaliste exerce une grande influence sur la conduite morale de l'homme : elle attribue la même force primitive à la notion du devoir qu'à celle de l'espace et du temps, et les considérant toutes deux comme inhérentes à notre nature, elle n'admet pas plus de doute sur l'une que sur l'autre.

Toute estime pour soi-même et pour les autres doit être fondée sur les rapports qui existent entre les actions et la loi du devoir; cette loi ne tient en rien au besoin du bonheur; au contraire, elle est souvent appelée à le combattre. Kant va plus loin encore, il affirme que le premier effet du pouvoir de la vertu est de causer une noble peine par les sacrifices qu'elle exige.

La destination de l'homme sur cette terre n'est pas le bonheur, mais le perfectionnement. C'est en vain que par un jeu puéril on dirait que le perfectionnement est le bonheur; nous sentons clairement la différence qui existe entre les jouissances et les sacrifices; et si le langage voulait adopter les mêmes termes pour des idées si peu semblables, le jugement naturel ne s'y laisserait pas tromper.

On a beaucoup dit que la nature humaine tendait au bonheur : c'est là son instinct involontaire; mais son instinct réfléchi, c'est la vertu. En donnant à l'homme très peu d'influence sur son propre bonheur, et des moyens sans nombre de se perfectionner, l'intention du créateur n'a pas été sans doute que l'objet de notre vie fût un but presque impossible. — Consacrez toutes vos forces à vous rendre heureux, modérez votre caractère si vous le pouvez, de manière que vous n'éprouviez pas ces vagues désirs auxquels rien ne peut suffire, et, malgré toute cette sage combinaison de l'égoïsme, vous serez malade, vous serez ruiné, vous serez emprisonné, et tout l'édifice de vos soins pour vous-même sera renversé.

L'on répond à cela. — Je serai si circonspect que je n'aurai point d'ennemis. — Soit, vous n'aurez point à vous reprocher de généreuses imprudences; mais on a vu quelquefois les moins courageux persécutés. — Je ménagerai si bien ma fortune, que je la conserverai. — Je le crois; mais il y a des désastres universels qui n'épargnent pas même ceux qui ont eu pour principe de ne jamais s'exposer pour les autres, et la maladie et les accidents de toute espèce disposent de notre sort, malgré nous. Comment donc le but de notre liberté morale serait-il le bonheur de cette courte vie, que le hasard, la souffrance, la vieillesse et la mort mettent hors de notre puissance ? Il n'en est pas de même du perfectionnement; chaque jour, chaque heure, chaque minute peut y contribuer; tous les événements heureux et malheureux y servent également, et cette œuvre dépend en entier de nous, quelle que soit notre situation sur la terre.

La morale de Kant et de Fichte est très analogue à celle des stoïciens; cependant les stoïciens accordaient davantage à l'empire des qualités naturelles; l'orgueil romain se retrouve dans leur manière de juger l'homme. Les *kantiens* croient à l'action nécessaire et continuelle de la volonté contre les mauvais penchants. Ils ne tolèrent point les exceptions dans l'obéissance au devoir et rejettent toutes les excuses qui pourraient les motiver.

L'opinion de Kant sur la véracité en est un exemple, il la considère avec raison comme la base de toute morale. Quand le fils de Dieu s'est appelé le Verbe ou la Parole, peut-être voulait-il honorer ainsi dans le langage l'admirable faculté de révéler ce qu'on pense. Kant a porté le respect pour la vérité jusqu'au point de ne pas permettre qu'on la trahît, lors même qu'un scélérat viendrait vous demander si votre ami qu'il poursuit est caché dans votre maison. Il prétend qu'il ne faut jamais se permettre dans aucune circonstance particulière ce qui ne saurait être admis comme loi générale; mais dans cette occasion il oublie qu'on pourrait faire une loi générale de ne sacrifier la vérité qu'à une autre vertu, car dès que l'intérêt personnel est écarté d'une question les sophismes ne sont plus à craindre, et la conscience prononce sur toutes choses avec l'équité.

La théorie de Kant en morale est sévère et quelquefois sèche, parce qu'elle exclut la sensibilité. Il la regarde comme un reflet des sensations, et comme devant conduire aux passions dans lesquelles il entre toujours de l'égoïsme; c'est à cause de cela qu'il n'admet pas cette sensibilité pour guide, et qu'il place la morale sous la sauvegarde de principes immuables. Il n'est rien de plus sévère que cette doctrine; mais il y a une sévérité qui attendrit alors même que les mouvements du cœur lui sont suspects et qu'elle essaie de les bannir tous : quelque rigoureux que soit un moraliste, quand c'est à la conscience qu'il s'adresse, il est sûr de nous émouvoir.

Celui qui dit à l'homme : — Trouvez tout en vous-même, fait naître toujours dans l'âme quelque chose de grand qui tient encore à la sensibilité même dont il exige le sacrifice. Il faut distinguer, en étudiant la philosophie de Kant, le sentiment de la sensibilité; il admet l'un comme juge des vérités philosophiques; il considère l'autre comme devant être soumise à la conscience. Le sentiment et la conscience sont employés dans ses écrits comme des termes presque synonymes; mais la sensibilité se rapproche davantage de la sphère des émotions et par conséquent des passions qu'elles font naître.

On ne saurait se lasser d'admirer les écrits de Kant dans lesquels la suprême loi du devoir est consacrée; quelle chaleur vraie, quelle éloquence animée dans un sujet où d'ordinaire il ne s'agit que de réprimer! On se sent pénétré d'un profond respect pour l'austérité d'un vieillard philosophe constamment soumis à cet invisible pouvoir de la vertu, sans autre empire que la conscience, sans autres termes que les remords, sans autres trésors à distribuer que les jouissances intérieures de l'âme, jouissances dont on ne peut même donner l'espoir pour motif, puisqu'on ne les comprend qu'après les avoir éprouvées.

Parmi les philosophes allemands, des hommes non moins vertueux que Kant, et qui se rapprochent davantage de la religion par leurs penchants, ont attribué au sentiment religieux l'origine de la loi morale. Ce sentiment ne saurait être de la nature de ceux qui peuvent devenir une passion. Sénèque en a dépeint le calme et la profondeur quand il a dit : *Dans le sein de l'homme vertueux, je ne sais quel Dieu, mais il habite un Dieu.*

Kant a prétendu que c'était altérer la pureté désintéressée de la morale que de donner à nos actions pour but la perspective d'une vie future; plusieurs écrivains allemands l'ont parfaitement réfuté à cet égard; en effet, l'immortalité céleste n'a nul rapport avec les peines et les récompenses que l'on conçoit sur cette terre; le sentiment qui nous fait aspirer à l'immortalité est aussi désintéressé que celui qui nous ferait trouver notre bonheur dans le dévouement à celui des autres; car les prémices de la félicité religieuse, c'est le sacrifice de nous-mêmes; ainsi donc elle écarte nécessairement toute espèce d'égoïsme.

Quelque effort qu'on fasse, il faut en revenir à reconnaître que la religion est le véritable fondement de la morale; c'est l'objet sensible et réel au-dedans de nous qui peut seul détourner nos regards des objets extérieurs. Si la pitié ne causait pas des émotions sublimes, qui sacrifierait même des plaisirs, quelque vulgaires qu'ils fussent, à la froide dignité de la raison ? Il faut commencer l'histoire de l'homme par la religion ou par la sensation, car il n'y a de vivant que l'une ou l'autre. La morale fondée sur l'intérêt personnel serait aussi évidente qu'une vérité mathématique, qu'elle n'en exercerait pas plus d'empire sur les passions qui foulent aux pieds tous les calculs; il n'y a qu'un sentiment qui puisse triompher d'un sentiment, la nature violente ne saurait être dominée que par la nature exaltée. Le raisonnement, dans de pareils cas, ressemble au maître d'école de La Fontaine, personne ne l'écoute, et tout le monde crie au secours.

Jacobi, comme je le montrerai dans l'analyse de ses ouvrages, a combattu les arguments dont Kant se sert pour ne pas admettre le sentiment religieux comme base de la morale. Il croit au contraire que la divinité se révèle à chaque homme en particulier, comme elle s'est révélée au genre humain, lorsque les prières et les œuvres ont préparé le cœur à la comprendre. Un autre philosophe affirme que l'immortalité commence déjà sur cette terre pour celui qui désire et qui sent en lui-même le goût des choses éternelles; un autre, que la nature fait entendre la volonté de Dieu à l'homme et qu'il y a dans l'univers une voix gémissante et captive qui l'invite à délivrer le monde et lui-même en combattant le principe du mal sous toutes ses apparences funestes. Ces divers systèmes tiennent à l'imagination de chaque écrivain et sont adoptés par ceux qui sympathisent avec lui; mais la direction générale de ces opinions est toujours la même. Affranchir l'âme de l'influence des objets extérieurs, placer l'empire de nous en nous-mêmes, et donner à cet empire le devoir pour loi, et pour espérance une autre vie.

Sans doute les vrais chrétiens ont enseigné de tout temps la même doctrine : mais ce qui distingue la nouvelle école allemande, c'est de réunir à tous ces sentiments, dont on voulait faire le partage des simples et des ignorants, la plus haute philosophie et les connaissances les plus positives. Le siècle orgueilleux était venu nous dire que le raisonnement et les sciences détruisaient toutes les perspectives de l'imagination, toutes les terreurs de la conscience, toutes les croyances du cœur, et l'on rougissait de la moitié de son être déclarée faible et presque insensée; mais ils sont arrivés ces hommes qui, à force de penser, ont trouvé la théorie de toutes les impressions naturelles, et, loin de vouloir les étouffer, ils nous ont fait découvrir la noble source dont elles sortent. Les moralistes allemands ont relevé le sentiment et l'enthousiasme des dédains d'une raison tyrannique, qui comptait comme richesses tout ce qu'elle avait anéanti, et mettait sur le lit de Procuste l'homme et la nature, à fin d'en retrancher ce que la philosophie matérialiste ne pouvait comprendre!

CHAPITRE XV

DE LA MORALE SCIENTIFIQUE

On a voulu tout démontrer depuis que le goût des sciences exactes s'est emparé des esprits, et le calcul des probabilités permettant de soumettre l'incertain même à des règles, l'on s'est flatté de résoudre mathématiquement toutes les difficultés que présentaient les questions les plus délicates, et de faire ainsi régner l'algèbre sur l'univers. Des philosophes en Allemagne ont aussi prétendu donner à la morale les avantages d'une science, rigoureusement prouvée dans ses principes comme dans ses conséquences, et qui n'admet ni objection ni exception dès qu'on adopte la première base. Kant et Fichte ont essayé ce travail métaphysique, et Schleiermacher, le traducteur de Platon, et l'auteur de plusieurs discours sur la religion, dont nous parlerons dans la section suivante, a publié un livre très profond sur l'examen des diverses morales considérées comme science. Il voudrait en trouver une dont tous les raisonnements fussent parfaitement enchaînés, dont le principe contînt toutes les conséquences, et dont chaque conséquence fît reparaître le principe; mais jusqu'à présent il ne semble pas que ce but puisse être atteint.

Les Anciens ont aussi voulu faire une science de la morale, mais ils comprenaient dans cette science les lois et le gouvernement : en effet, il est impossible de fixer d'avance tous les devoirs de la vie, quand on ignore ce que la législation et les mœurs du pays où l'on est peuvent exiger; c'est d'après ce point de vue que Platon a imaginé sa république. L'homme entier y est considéré sous le rapport de la religion, de la politique et de la morale; mais comme cette république ne saurait exister, on ne peut concevoir comment, au milieu des abus de la société humaine, un code de morale, quel qu'il fût, pourrait se passer de l'interprétation habituelle de la conscience.

Les philosophes recherchent la forme scientifique en toutes choses; on dirait qu'ils se flattent d'enchaîner ainsi l'avenir, et de se soustraire entièrement au joug des circonstances; mais ce qui nous en affranchit, c'est notre âme, c'est la sincérité de notre amour intime pour la vertu. La science de la morale n'enseigne pas plus à être un honnête homme, dans toute la magnificence de ce mot, que la géométrie à dessiner, ni la poétique à trouver des fictions heureuses.

Kant, qui avait reconnu la nécessité du sentiment dans les vérités métaphysiques, a voulu s'en passer dans la morale, et il n'a jamais pu établir, d'une manière incontestable, qu'un grand fait du cœur humain, c'est que la morale a le devoir et non l'intérêt pour base; mais, pour connaître le devoir, il faut en appeler à sa conscience et à la religion. Kant, en écartant la religion des motifs de la morale, ne pouvait voir dans la conscience qu'un juge et non une voix divine, aussi n'a-t-il cessé de présenter à ce juge des questions épineuses; les solutions qu'il en a données, et qu'il croyait évidentes, n'en ont pas moins été attaquées de mille manières; car ce n'est jamais que par le sentiment qu'on arrive à l'unanimité d'opinion parmi les hommes.

Quelques philosophes allemands ayant reconnu l'impossibilité de rédiger en lois toutes les affections qui composent notre être, et de faire une science pour ainsi dire de tous les mouvements du cœur, se sont contentés d'affirmer que la morale consistait dans l'harmonie avec soi-même. Sans doute, quand on n'a pas de remords, il est probable qu'on n'est pas criminel, et quand même on commettrait des fautes d'après l'opinion des autres, si d'après la sienne on a fait son devoir, on n'est pas coupable; mais il ne faut pas se fier cependant à ce contentement de soi-même qui semble devoir être la meilleure preuve de la vertu. Il y a des hommes qui sont parvenus à prendre leur orgueil pour de la conscience; le fanatisme est, pour d'autres, un mobile désintéressé qui justifie tout à leurs propres yeux : enfin l'habitude du crime donne, à de certains caractères, un genre de force qui les affranchit du repentir, au moins tant qu'ils ne sont pas atteints par l'infortune.

Il ne s'ensuit pas de cette impossibilité de trouver une science de la morale, ou des signes universels auxquels on puisse reconnaître si ses préceptes sont observés, qu'il n'y ait pas des devoirs positifs qui doivent nous servir de guides; mais comme il y a dans la destinée de l'homme nécessité et liberté, il faut que dans sa conduite il y ait aussi l'inspiration et la règle; rien de ce qui tient à la vertu ne peut être ni tout à fait arbitraire, ni tout à fait fixé : aussi l'une des merveilles de la religion est-elle de réunir au même degré l'élan de l'amour et la soumission à la loi; le cœur de l'homme est ainsi tout à la fois satisfait et dirigé.

Je ne rendrai point compte ici de tous les systèmes de morale scientifique qui ont été publiés en Allemagne; il en est de tellement subtils, que, bien qu'ils traitent de notre propre nature, on ne sait sur quoi s'appuyer pour les concevoir. Les philosophes français ont rendu la morale singulièrement aride en rapportant tout à l'intérêt personnel. Quelques métaphysiciens allemands sont arrivés au même résultat, en fondant néanmoins toute leur doctrine sur les sacrifices. Ni les systèmes matérialistes ni les systèmes abstraits ne peuvent donner une idée complète de la vertu.

CHAPITRE XVI

JACOBI

Il est difficile de rencontrer, dans aucun pays, un homme de lettres d'une nature plus distinguée que celle de Jacobi; avec tous les avantages de la figure et de la fortune, il s'est voué depuis sa jeunesse, depuis quarante années, à la méditation. La philosophie est d'ordinaire une consolation ou un asile, mais celui qui la choisit, quand toutes les circonstances lui promettent de grands succès dans le monde, n'en est que plus digne de respect. Entraîné par son caractère à reconnaître la puissance du sentiment, Jacobi s'est occupé des idées abstraites, surtout pour montrer leur insuffisance. Ses écrits sur la métaphysique sont très estimés en Allemagne; cependant c'est surtout comme grand moraliste que sa réputation est universelle.

Il a combattu le premier la morale fondée sur l'intérêt, et donnant pour principe à la sienne le sentiment religieux considéré philosophiquement, il s'est fait une doctrine distincte de celle de Kant, qui rapporte tout à l'inflexible loi du devoir, et de celle des nouveaux métaphysiciens, qui cherchent, comme je viens de le dire, le moyen d'appliquer la rigueur scientifique à la théorie de la vertu.

Schiller, dans une épigramme contre le système de Kant en morale, dit : « Je trouve du plaisir à servir mes amis; il m'est agréable d'accomplir mes devoirs; cela m'inquiète, car alors je ne suis pas vertueux. » Cette plaisanterie porte avec elle un sens profond, car, quoique le bonheur ne doive jamais être le but de l'accomplissement du devoir, néanmoins la satisfaction intérieure qu'il nous cause est précisément ce qu'on peut appeler la béatitude de la vertu : ce mot de béatitude a perdu quelque chose de sa dignité; mais il faut pourtant revenir à s'en servir, car on a besoin d'exprimer le genre d'impressions qui fait sacrifier le bonheur, ou du moins le plaisir, à un état de l'âme plus doux et plus pur.

En effet, si le sentiment ne seconde pas la morale, comment se ferait-elle obéir ? Comment unir ensemble, si ce n'est par le sentiment, la raison et la volonté, lorsque cette volonté doit faire plier nos passions ? Un penseur allemand a dit *qu'il n'y avait d'autre philosophie que la religion chrétienne*, et ce n'est certainement pas pour exclure la philosophie qu'il s'est exprimé ainsi, c'est parce qu'il était convaincu que les idées les plus hautes et les plus profondes conduisaient à découvrir l'accord singulier de cette religion avec la nature de l'homme. Entre ces deux classes de moralistes, celle qui, comme Kant et d'autres plus abstraits encore, veut rapporter toutes les actions de la morale à des préceptes immuables, et celle qui, comme Jacobi, proclame qu'il faut tout abandonner à la décision du sentiment, le christianisme semble indiquer le point merveilleux où la loi positive n'exclut pas l'inspiration du cœur, ni cette inspiration la loi positive.

Jacobi, qui a tant de raisons de se confier dans la pureté de sa conscience, a eu tort de poser en principe qu'on doit s'en remettre entièrement à ce que le mouvement de l'âme peut nous conseiller; la sécheresse de quelques écrivains intolérants, qui n'admettent ni modification ni indulgence dans l'application de quelques préceptes, a jeté Jacobi dans l'excès contraire.

Quand les moralistes français sont sévères, ils le sont à un degré qui tue le caractère individuel dans l'homme; il est dans l'esprit de la nation d'aimer en tout l'autorité. Les philosophes allemands, et Jacobi principalement, respectent ce qui constitue l'existence particulière de chaque être, et jugent les actions à leur source, c'est-à-dire d'après l'impulsion bonne ou mauvaise qui les a causées. Il y a mille moyens d'être un très mauvais homme sans blesser aucune loi reçue, comme on peut faire une détestable tragédie en observant toutes les règles et toutes les convenances théâtrales. Quand l'âme n'a pas d'élan naturel, elle voudrait savoir ce qu'on doit dire et ce qu'on doit faire dans chaque circonstance, afin d'être quitte envers elle-même et envers les autres, en se soumettant à ce qui est ordonné. La loi cependant ne peut apprendre en morale, comme en poésie, que ce qu'il ne faut pas faire; mais en toutes choses, ce qui est bon et sublime ne nous est révélé que par la divinité de notre cœur.

L'utilité publique, telle que je l'ai développée dans les chapitres précédents, pourrait conduire à être immoral par moralité. Dans les rapports privés au contraire, il peut arriver quelquefois qu'une conduite parfaite selon le monde vienne d'un mauvais principe, c'est-à-dire qu'elle tienne à quelque chose d'aride, de haineux et d'impitoyable. Les passions naturelles et les talents supérieurs déplaisent à ces personnes qu'on honore trop facilement du nom de sévères : elles se saisissent de leur moralité, qu'elles disent venir de Dieu, comme un ennemi prendrait l'épée du père pour en frapper les enfants.

Cependant l'aversion de Jacobi contre l'inflexible rigueur de la loi le fait aller trop loin pour s'en affranchir. « Oui, dit-il, je mentirais comme Desdémone mourante [1]; je tromperais comme Oreste quand il voulait mourir à la place de Pylade; j'assassinerais comme Timoléon; je serais parjure comme Epaminondas et comme Jean de Witt; je me déterminerais au suicide comme Caton; je serais sacrilège comme David; car j'ai la certitude en moi-même qu'en pardonnant à ces fautes selon la lettre, l'homme exerce le droit souverain que la majesté de son être lui confère; il appose le sceau de sa dignité, le sceau de sa divine nature sur la grâce qu'il accorde.

« Si vous voulez établir un système universel et rigoureusement scientifique, il faut que vous soumettiez la conscience à ce système qui a pétrifié la vie : cette conscience doit devenir sourde, muette et insensible; il faut arracher jusqu'aux moindres restes de sa racine, c'est-à-dire du cœur de l'homme. Oui, aussi vrai que vos formules métaphysiques vous tiennent lieu d'Apollon et des Muses, ce n'est qu'en faisant taire votre cœur que vous pourrez vous conformer implicitement aux lois sans exception, et que vous adopterez l'obéissance roide et servile qu'elles demandent : alors la conscience ne servira qu'à vous enseigner, comme un professeur dans la chaire, ce qui

1. Desdemona, afin de sauver à son époux la honte et le danger du forfait qu'il vient de commettre, déclare en mourant que c'est elle qui s'est tuée. (Note de Mme de Staël.)

est vrai au-dehors de vous; et ce fanal intérieur ne sera bientôt plus qu'une main de bois qui, sur les grands chemins, indique la route aux voyageurs. »

Jacobi est si bien guidé par ses propres sentiments qu'il n'a peut-être pas assez réfléchi aux conséquences de cette morale pour le commun des hommes. Car, que répondre à ceux qui prétendraient, en s'écartant du devoir, qu'ils obéissent aux mouvements de leur conscience ? Sans doute on pourra découvrir qu'ils sont hypocrites en parlant ainsi : mais on leur a fourni l'argument qui peut servir à les justifier, quoi qu'ils fassent; et c'est beaucoup pour les hommes d'avoir des phrases à dire en faveur de leur conduite : ils s'en servent d'abord pour tromper les autres, et finissent par se tromper eux-mêmes.

Dira-t-on que cette doctrine indépendante ne peut convenir qu'aux caractères vraiment vertueux ? Il ne doit point y avoir de privilèges même pour la vertu; car du moment qu'elle en désire, il est probable qu'elle n'en mérite plus. Une égalité sublime règne dans l'empire du devoir, et il se passe quelque chose au fond du cœur humain qui donne à chaque homme, quand il le veut sincèrement, les moyens d'accomplir tout ce que l'enthousiasme inspire, sans sortir des bornes de la loi chrétienne qui est aussi l'œuvre d'un saint enthousiasme.

La doctrine de Kant peut être en effet considérée comme trop sèche, parce qu'il n'y donne pas assez d'influence à la religion; mais il ne faut pas s'étonner qu'il ait été porté à ne pas faire du sentiment la base de sa morale, dans un temps où il s'était répandu, en Allemagne surtout, une affectation de sensibilité qui affaiblissait nécessairement le ressort des esprits et des caractères. Un génie tel que celui de Kant devait avoir pour but de retremper les âmes.

Les moralistes allemands de la nouvelle école, si purs dans leurs sentiments, à quelques systèmes abstraits qu'ils s'abandonnent, peuvent être divisés en trois classes : ceux qui, comme Kant et Fichte, ont voulu donner à la loi du devoir une théorie scientifique et une application inflexible; ceux à la tête desquels Jacobi doit être placé, qui prennent le sentiment religieux et la conscience naturelle pour guides, et ceux qui, faisant de la révélation la base de leur croyance, veulent réunir le sentiment et le devoir, et cherchent à les lier ensemble par une interprétation philosophique. Ces trois classes de moralistes attaquent tous également la morale fondée sur l'intérêt personnel. Elle n'a presque plus de partisans en Allemagne : on peut y faire le mal, mais du moins on y laisse intacte la théorie du bien.

CHAPITRE XVII

DE WOLDEMAR

Le roman de *Woldemar* est l'ouvrage du même philosophe Jacobi dont j'ai parlé dans le chapitre précédent. Cet ouvrage renferme des discussions philosophiques dans lesquelles les systèmes de morale que professaient les écrivains français sont vivement attaqués, et la doctrine de Jacobi y est développée avec une admirable éloquence. Sous ce rapport, *Woldemar* est un très beau livre; mais, comme roman, je n'en aime ni la marche ni le but.

L'auteur, qui, comme philosophe, rapporte toute la destinée humaine au sentiment, peint, ce me semble, dans son ouvrage la sensibilité autrement qu'elle n'est en effet. Une délicatesse exagérée, ou plutôt une façon bizarre de concevoir le cœur humain, peut intéresser en théorie, mais non quand on la met en action, et qu'on en veut faire ainsi quelque chose de réel.

Woldemar ressent une amitié vive pour une personne qui ne veut pas l'épouser quoiqu'elle partage son sentiment. Il se marie avec une femme qu'il n'aime pas, parce qu'il croit trouver en elle un caractère soumis et doux, qui convient au mariage. A peine l'a-t-il épousée, qu'il est au moment de se livrer à l'amour qu'il éprouve pour l'autre. Celle qui n'a pas voulu s'unir à lui l'aime toujours, mais elle est révoltée de l'idée qu'il puisse avoir de l'amour pour elle; et cependant elle veut vivre auprès de lui, soigner ses enfants, traiter sa femme en sœur, et ne connaître les affections de la nature que par la sympathie de l'amitié. C'est ainsi qu'une pièce de Gœthe, assez vantée, *Stella*, finit par la résolution que prennent deux femmes qui ont des liens sacrés avec le même homme, de vivre chez lui toutes deux en bonne intelligence. De telles inventions ne réussissent en Allemagne que parce qu'il y a souvent dans ce pays plus d'imagination que de sensibilité. Les âmes du Midi n'entendraient rien à cet héroïsme de sentiment : la passion est dévouée, mais jalouse; et la prétendue délicatesse qui sacrifie l'amour à l'amitié, sans que le devoir le commande, n'est que de la froideur maniérée.

C'est un système tout factice que ces générosités aux dépens de l'amour. Il ne faut admettre ni tolérance ni partage dans un sentiment qui n'est sublime que parce qu'il est, comme la maternité, comme la tendresse filiale, exclusif et tout-puissant. On ne doit pas se mettre par son choix dans une situation où la morale et la sensibilité ne sont pas d'accord; car ce qui est involontaire est si beau qu'il est affreux d'être condamné à se commander toutes ses actions, et à vivre avec soi-même comme avec sa victime.

Ce n'est assurément ni par hypocrisie ni par sécheresse d'âme, qu'un génie bon et vrai a imaginé dans le roman de *Woldemar* des situations où chaque personnage immole le sentiment par le sentiment, et cherche avec soin une raison de ne pas aimer ce qu'il aime. Mais Jacobi, ayant éprouvé dès sa jeunesse un vif penchant pour tous les genres d'enthousiasme, a cherché dans les liens du cœur une mysticité romanesque très ingénieusement exprimée, mais peu naturelle.

Il me semble que Jacobi entend moins bien l'amour que la religion, parce qu'il veut trop les confondre; il n'est pas vrai que l'amour puisse, comme la religion, trouver tout son bonheur dans l'abnégation du bonheur même. L'on altère l'idée qu'on doit avoir de la vertu, quand on la fait consister dans une exaltation sans but, et dans des sacrifices sans nécessité. Tous les personnages du roman de Jacobi luttent sans cesse de générosité aux dépens de l'amour; non seulement cela n'arrive guère dans la vie, mais cela n'est pas même beau quand la vertu ne l'exige pas; car les sentiments forts et passionnés honorent la nature humaine, et la religion n'est si imposante que parce qu'elle peut triompher de tels sentiments. Aurait-il fallu que Dieu même daignât parler à notre cœur, s'il n'y avait trouvé que des affections débonnaires auxquelles il fût si facile de renoncer ?

CHAPITRE XVIII

DE LA DISPOSITION ROMANESQUE DANS LES AFFECTIONS DU CŒUR

Les philosophes anglais ont fondé, comme nous l'avons dit, la vertu sur le sentiment, ou plutôt sur le sens moral; mais ce système n'a nul rapport avec la moralité *sentimentale* dont il est ici question; cette moralité, dont le nom et l'idée n'existent guère qu'en Allemagne, n'a rien de philosophique, elle fait seulement un devoir de la sensibilité, et porte à mésestimer ceux qui n'en ont pas.

Sans doute la puissance d'aimer tient de très près à la morale et à la religion; il se peut donc que notre répugnance pour les âmes froides et dures soit un instinct sublime, un instinct qui nous avertit que de tels êtres, alors même que leur conduite est estimable, agissent mécaniquement ou par calcul, mais sans qu'il puisse jamais exister entre eux et nous aucune sympathie. En Allemagne, où l'on veut réduire en préceptes toutes les impressions, on a considéré comme immoral ce qui n'était pas sensible et même romanesque. *Werther* avait tellement mis en vogue les sentiments exaltés que presque personne n'eût osé se montrer sec et froid, quand même on aurait eu ce caractère naturellement. De là cet *enthousiasme obligé* pour la lune, les forêts, la campagne et la solitude; de là ces maux de nerfs, ces sons de voix maniérés, ces regards qui veulent être vus, tout cet appareil enfin de la sensibilité, que dédaignent les âmes fortes et sincères.

L'auteur de *Werther* s'est moqué le premier de ces affectations; néanmoins, comme il faut qu'il y ait en tout pays des ridicules, peut-être vaut-il mieux qu'ils consistent dans l'exagération un peu niaise de ce qui est bon, que dans l'élégante prétention à ce qui est mal. Le désir du succès étant invincible dans les hommes, et encore plus dans les femmes, les prétentions de la médiocrité sont un signe certain du goût dominant à telle époque et dans telle société; les mêmes personnes qui se faisaient *sentimentales* en Allemagne se seraient montrées ailleurs légères et dédaigneuses.

L'extrême susceptibilité du caractère des Allemands est une des grandes causes de l'importance qu'ils attachent aux moindres nuances du sentiment, et cette susceptibilité tient souvent à la vérité des affections. Il est aisé d'être ferme quand on n'est pas sensible : la seule qualité nécessaire alors, c'est le courage; car il faut que *la sévérité bien ordonnée commence par soi-même :* mais quand les preuves d'intérêt que les autres nous refusent ou nous donnent influent puissamment sur le bonheur, il est impossible que l'on n'ait pas mille fois plus d'irritabilité dans le cœur que ceux qui exploitent leurs amis comme un domaine en cherchant seulement à les rendre profitables.

Toutefois il faut se garder de ces codes de sentiments si subtils et si nuancés que beaucoup d'écrivains allemands ont multipliés de tant de manières, et dont leurs romans sont remplis. Les Allemands, il faut en convenir, ne sont pas toujours parfaitement naturels. Certains de leur loyauté, de leur sincérité dans tous les rapports réels de la vie, ils sont tentés de regarder l'affectation du beau comme un culte envers le bon, et de se permettre quelquefois en ce genre des exagérations qui gâtent tout.

Cette émulation de sensibilité entre quelques femmes et quelques écrivains d'Allemagne serait dans le fond assez innocente, si le ridicule qu'on donne à l'affectation ne jetait pas toujours une sorte de défaveur sur la sincérité même. Les hommes froids et égoïstes trouvent un plaisir particulier à se moquer des attachements passionnés, et voudraient faire passer pour factice tout ce qu'ils n'éprouvent pas. Il y a même des personnes vraiment sensibles que l'exagération doucereuse affadit sur leurs propres impressions, et qu'on blase sur le sentiment comme on pourrait les blaser sur la religion, par les sermons ennuyeux et les pratiques superstitieuses.

On a tort d'appliquer les idées positives que nous avons sur le bien et le mal aux délicatesses de la sensibilité. Accuser tel ou tel caractère de ce qui lui manque à cet égard, c'est comme faire un crime de n'être pas poète. La susceptibilité naturelle à ceux qui pensent plus qu'ils n'agissent peut les rendre injustes envers les personnes d'une autre nature. Il faut de l'imagination pour deviner tout ce que le cœur peut faire souffrir, et les meilleures gens du monde sont souvent lourds et stupides à cet égard : ils vont à travers les sentiments comme s'ils marchaient sur des fleurs, en s'étonnant de les flétrir. N'y a-t-il pas des hommes qui n'admirent pas Raphaël, qui entendent la musique sans émotion, à qui l'océan et les cieux ne paraissent que monotones ? Comment donc comprendraient-ils les orages de l'âme ?

Les caractères même les plus sensibles ne sont-ils pas quelquefois découragés dans leurs espérances ? Ne peuvent-ils pas être saisis par une sorte de sécheresse intérieure, comme si la divinité se retirait d'eux ? Ils n'en restent pas moins fidèles à leurs affections; mais il n'y a plus de parfums dans le temple, plus de musique dans le sanctuaire, plus d'émotions dans le cœur. Souvent aussi le malheur commande de faire taire en soi-même cette voix du sentiment, harmonieuse ou déchirante, selon qu'elle s'accorde ou non avec la destinée. Il est donc impossible de faire un devoir de la sensibilité, car ceux qui l'éprouvent en souffrent assez pour avoir souvent le droit et le désir de la réprimer.

Les nations ardentes ne parlent de la sensibilité qu'avec terreur; les nations paisibles et rêveuses croient pouvoir l'encourager sans crainte. Au reste l'on n'a peut-être jamais écrit sur ce sujet avec une vérité parfaite, car chacun veut se faire honneur de ce qu'il éprouve ou de ce qu'il inspire. Les femmes cherchent à s'arranger comme un roman, et les hommes comme une histoire; mais le cœur humain est encore bien loin d'être pénétré dans ses relations les plus intimes. Une fois peut-être quelqu'un dira sincèrement tout ce qu'il a senti, et l'on sera tout étonné d'apprendre que la plupart des maximes et des observations sont erronées, et qu'il y a une âme inconnue dans le fond de celle qu'on raconte.

CHAPITRE XIX

DE L'AMOUR DANS LE MARIAGE

C'est dans le mariage que la sensibilité est un devoir : dans toute autre relation la vertu peut suffire; mais dans celle où les destinées sont entrelacées, où la même impulsion sert pour ainsi dire aux battements de deux cœurs, il semble qu'une affection profonde est presque un lien nécessaire. La légèreté des mœurs a introduit tant de chagrins entre les époux, que les moralistes du dernier siècle s'étaient accoutumés à rapporter toutes les jouissances du cœur à l'amour paternel et maternel, et finissaient presque par ne considérer le mariage que comme la condition requise pour jouir d'avoir des enfants. Cela est faux en morale, et plus faux encore en bonheur.

Il est si aisé d'être bon pour ses enfants qu'on ne doit pas en faire un grand mérite. Dans leurs premières années, ils ne peuvent avoir de volonté que celle de leurs parents : et dès qu'ils arrivent à la jeunesse, ils existent par eux-mêmes. Justice et bonté composent les principaux devoirs d'une relation que la nature rend si facile Il n'en est point ainsi des rapports avec cette moitié de nous, qui peut trouver du bonheur ou du malheur dans les moindres de nos actions, de nos regards et de nos pensées. C'est là seulement que la moralité peut s'exercer tout entière : c'est aussi là qu'est la véritable source de la félicité.

Un ami du même âge, auprès duquel vous devez vivre et mourir; un ami dont tous les intérêts sont les vôtres, dont toutes les perspectives sont en commun avec vous, y compris celle de la tombe : voilà le sentiment qui contient tout le sort. Quelquefois, il est vrai, vos enfants, et plus souvent encore vos parents, deviennent vos compagnons dans la vie; mais cette rare et sublime jouissance est combattue par les lois de la nature, tandis que l'association du mariage est d'accord avec toute l'existence humaine.

D'où vient donc que cette association si sainte est si souvent profanée ? J'oserai le dire, c'est à l'inégalité singulière que l'opinion de la société met entre les devoirs des deux époux qu'il faut s'en prendre. Le christianisme a tiré les femmes d'un état qui ressemblait à l'esclavage. L'égalité devant Dieu étant la base de cette admirable religion, elle tend à maintenir l'égalité des droits sur la terre; la justice divine, la seule parfaite, n'admet aucun genre de privilèges, et celui de la force moins qu'aucun autre. Cependant il est resté de l'esclavage des femmes des préjugés qui, se combinant avec la grande liberté que la société leur laisse, ont amené beaucoup de maux.

On a raison d'exclure les femmes des affaires politiques et civiles; rien n'est plus opposé à leur vocation naturelle que tout ce qui leur donnerait des rapports de rivalité avec les hommes, et la gloire elle-même ne saurait être pour une femme qu'un deuil éclatant du bonheur. Mais si la destinée des femmes doit consister dans un acte continuel de dévouement à l'amour conjugal, la récompense de ce dévouement, c'est la scrupuleuse fidélité de celui qui en est l'objet.

La religion ne fait aucune différence entre les devoirs des deux époux, mais le monde en établit une grande; et de cette différence naît la ruse dans les femmes, et le ressentiment dans les hommes. Quel est le cœur qui peut se donner tout entier sans vouloir un autre cœur aussi tout entier ? Qui donc accepte de bonne foi l'amitié pour prix de l'amour ? Qui promet sincèrement la constance à qui ne veut pas être fidèle ? Sans doute la religion peut l'exiger, car elle seule a le secret de cette contrée mystérieuse où les sacrifices sont des jouissances; mais qu'il est injuste l'échange que l'homme se propose de faire subir à sa compagne!

« Je vous aimerai, dit-il, avec passion deux ou trois ans, et puis au bout de ce temps je vous parlerai raison. » Et ce qu'ils appellent raison, c'est le désenchantement de la vie. « Je montrerai dans ma maison de la froideur et de l'ennui; je tâcherai de plaire ailleurs : mais vous qui avez d'ordinaire plus d'imagination et de sensibilité que moi, vous qui n'avez ni carrière ni distraction, tandis que le monde m'en offre de toute espèce, vous qui n'existez que pour moi, tandis que j'ai mille autres pensées, vous serez satisfaite de l'affection subordonnée, glacée, partagée, qu'il me convient de vous accorder, et vous dédaignerez tous les hommages qui exprimeraient des sentiments plus exaltés et plus tendres. »

Quel injuste traité! Tous les sentiments humains s'y refusent. Il existe un contraste singulier entre les formes de respect envers les femmes, que l'esprit chevaleresque a introduites en Europe, et la tyrannique liberté que les hommes se sont adjugée. Ce contraste produit tous les malheurs du sentiment, les attachements illégitimes, la perfidie, l'abandon et le désespoir. Les nations germaniques ont été moins atteintes que les autres par ces funestes effets; mais elles doivent craindre à cet égard l'influence qu'exerce à la longue la civilisation moderne. Il vaut mieux renfermer les femmes comme des esclaves, ne point exciter leur esprit et leur imagination, que de les lancer au milieu du monde, et de développer toutes leurs facultés, pour leur refuser ensuite le bonheur que ces facultés leur rendent nécessaire.

Il y a dans un mariage malheureux une force de douleur qui dépasse toutes les autres peines de ce monde. L'âme entière d'une femme repose sur l'attachement conjugal : lutter seule contre le sort, s'avancer vers le cercueil sans qu'un ami vous soutienne, sans qu'un ami vous regrette, c'est un isolement dont les déserts de l'Arabie ne donnent qu'une faible idée; et quand tout le trésor de vos jeunes années a été donné en vain, quand vous n'espérez plus pour la fin de la vie le reflet de ces premiers rayons, quand le crépuscule n'a plus rien qui rappelle l'aurore, et qu'il est pâle et décoloré comme un spectre livide, avant-coureur de la nuit, votre cœur se révolte, il vous semble qu'on vous a privé des dons de Dieu sur la terre; et si vous aimez encore celui qui vous traite en esclave, puisqu'il ne vous appartient pas et qu'il dispose de vous, le désespoir s'empare de toutes les facultés, et la conscience elle-même se trouble à force de malheurs.

Les femmes pourraient adresser à l'époux qui traite légèrement leur destinée ces deux vers d'une fable :

> Oui, c'est un jeu pour vous,
> Mais c'est la mort pour nous.

Et tant qu'il ne se fera pas dans les idées une révolution quelconque qui change l'opinion des hommes sur la constance que leur impose le lien du mariage, il y aura toujours guerre entre les deux sexes, guerre secrète, éternelle, rusée, perfide, et dont la moralité de tous les deux souffrira.

En Allemagne, il n'y a guère dans le mariage d'inégalité entre les deux sexes; mais c'est parce que les femmes brisent aussi souvent que les hommes les nœuds les plus saints. La facilité du divorce introduit dans les rapports de famille une sorte d'anarchie qui ne laisse rien subsister dans sa vérité ni dans sa force. Il vaut encore mieux, pour maintenir quelque chose de sacré sur la terre, qu'il y ait dans le mariage une esclave que deux esprits forts.

La pureté de l'âme et de la conduite est la première gloire de la femme. Quel être dégradé ne serait-elle pas sans l'une et sans l'autre! Mais le bonheur général et la dignité de l'espèce humaine ne gagneraient pas moins peut-être à la fidélité de l'homme dans le mariage. En effet, qu'y a-t-il de plus beau dans l'ordre moral qu'un jeune homme qui respecte cet auguste lien ? L'opinion ne l'exige pas de lui, la société le laisse libre; une sorte de plaisanterie barbare s'attacherait à déjouer jusqu'aux plaintes du cœur qu'il aurait brisé, car le blâme se tourne facilement contre les victimes. Il est donc le maître, mais il s'impose des devoirs; nul inconvénient ne peut résulter pour lui de ses fautes; mais il craint le mal qu'il peut faire à celle qui s'est confiée à son cœur, et la générosité l'enchaîne d'autant plus que la société le dégage.

La fidélité est commandée aux femmes par mille considérations diverses; elles peuvent redouter les périls et les humiliations, suites inévitables d'une erreur; la voix de la conscience est la seule qui se fasse entendre à l'homme; il sait qu'il fait souffrir, il sait qu'il flétrit par l'inconstance un sentiment qui doit se prolonger jusqu'à la mort et se renouveler dans le ciel : seul avec lui-même, seul au milieu des séductions de tous les genres, il reste pur comme un ange; car, si les anges n'ont pas été représentés sous des traits de femme, c'est parce que l'union de la force avec la pureté est plus belle et plus céleste encore que la modestie même la plus parfaite dans un être faible.

L'imagination, quand elle n'a pas le souvenir pour frein, détache de ce qu'on possède, embellit ce qu'on craint de ne pas obtenir, et fait du sentiment une difficulté vaincue. Mais de même que dans les arts les difficultés vaincues n'exigent point de vrai génie, dans le sentiment il faut de la sécurité pour éprouver ces affections, gages de l'éternité, puisqu'elles nous donnent seules l'idée de ce qui ne saurait finir.

Le jeune homme fidèle semble chaque jour préférer de nouveau celle qu'il aime; la nature lui a donné une indépendance sans bornes, et de longtemps du moins il ne saurait prévoir les jours mauvais de la vie : son cheval peut le porter au bout du monde; la guerre, dont il est épris, l'affranchit au moins momentanément des relations domestiques, et semble réduire tout l'intérêt de l'existence à la victoire ou à la mort. La terre lui appartient, tous les plaisirs lui sont offerts, nulle fatigue ne l'effraie, nulle association intime ne lui est nécessaire; il serre la main d'un compagnon d'armes, et le lien qu'il lui faut est formé. Un temps viendra sans doute où la destinée lui révélera ses terribles secrets; mais il ne peut encore s'en douter. Chaque fois qu'une nouvelle génération entre en possession de son domaine, ne croit-elle pas que tous les malheurs de ses devanciers sont venus de leur faiblesse ? Ne se persuade-t-elle pas qu'ils sont nés tremblants et débiles, comme on les voit maintenant ? Eh bien! du sein même de tant d'illusions, qu'il est vertueux et sensible celui qui veut se vouer au long amour, lien de cette vie avec l'autre! ah! qu'un regard fier et mâle est beau, lorsqu'en même temps il est modeste et pur! on y voit passer un rayon de cette pudeur, qui peut se détacher de la couronne des vierges saintes pour parer même un front guerrier.

Si le jeune homme veut partager avec un seul objet les jours brillants de sa jeunesse, il trouvera sans doute parmi ses contemporains des railleurs qui prononceront sur lui ce grand mot de *duperie*, la terreur des enfants du siècle. Mais est-il dupe le seul qui sera vraiment aimé ? car les angoisses ou les jouissances de l'amour-propre forment tout le tissu des affections frivoles et mensongères. Est-il dupe celui qui ne s'amuse pas à tromper pour être à son tour plus trompé, plus déchiré peut-être que sa victime ? Est-il dupe enfin celui qui n'a pas cherché le bonheur dans les misérables combinaisons de la vanité, mais dans les éternelles beautés de la nature, qui parlent toutes de constance, de durée, et de profondeur ?

Non, Dieu a créé l'homme le premier comme la plus noble des créatures, et la plus noble est celle qui a le plus de devoirs. C'est un abus singulier de la prérogative d'une supériorité naturelle que de la faire servir à s'affranchir des liens les plus sacrés, tandis que la vraie supériorité consiste dans la force de l'âme; et la force de l'âme, c'est la vertu.

CHAPITRE XX

DES ÉCRIVAINS MORALISTES DE L'ANCIENNE ÉCOLE EN ALLEMAGNE

Avant que l'école nouvelle eût fait naître en Allemagne deux penchants qui semblent s'exclure, la métaphysique et la poésie, la méthode scientifique et l'enthousiasme, il y avait des écrivains qui méritaient une place honorable à côté des moralistes anglais. Mendelssohn, Garve, Sulzer, Engel, etc., ont écrit sur les sentiments et les devoirs avec sensibilité, religion et candeur. On ne trouve point dans leurs ouvrages cette ingénieuse connaissance du monde qui caractérise les auteurs français, La Rochefoucauld, La Bruyère, etc. Les moralistes allemands peignent la société avec une certaine ignorance, intéressante d'abord, mais à la fin monotone.

Garve est celui de tous qui a mis le plus d'importance à bien parler de la bonne compagnie, de la mode, de la politesse, etc. Il y a dans toute sa manière de s'exprimer à cet égard une très grande envie de se montrer un homme du monde, de savoir la raison de tout, d'être avisé comme un Français, et de juger avec bienveillance la cour et la ville; mais les idées communes qu'il proclame dans ses écrits sur ces divers sujets attestent qu'il n'en sait rien que par ouï-dire, et n'a jamais bien observé tout ce que les rapports de la société peuvent offrir d'aperçus fins et délicats.

Lorsque Garve parle de la vertu, il montre des lumières pures et un esprit serein : il est surtout attachant et original dans son traité *de la Patience*. Accablé par une maladie cruelle, il sut la supporter avec un admirable courage; et tout ce qu'on a senti soi-même inspire des pensées neuves.

Mendelssohn, juif de naissance, s'était voué, du sein du commerce, à l'étude des belles-lettres et de la philosophie, sans renoncer en rien à la croyance ni aux rites de sa religion; admirateur sincère du *Phédon*, dont il fut le traducteur, il en était resté aux idées et aux sentiments précurseurs de Jésus-Christ; nourri des Psaumes et de la Bible, ses écrits conservent le caractère de la simplicité hébraïque. Il se plaisait à rendre la morale sensible par des apologues à la manière orientale; et cette forme est sûrement celle qui plaît davantage, en éloignant des préceptes le ton de la réprimande.

Parmi ces apologues, j'en vais traduire un qui me paraît remarquable. « Sous le gouvernement tyrannique des Grecs il fut une fois défendu aux Israélites, sous peine de mort, de lire entre eux les lois divines. Rabbi Akiba, malgré cette défense, tenait des assemblées où il faisait lecture de cette loi. Pappus le sut et lui dit : Akiba, ne crains-tu pas les menaces de ces cruels ? — Je veux te raconter une fable, répondit le Rabbi. Un renard se promenait sur les bords d'un fleuve, et vit les poissons qui se rassemblaient avec effroi dans le fond de la rivière. — D'où vient la terreur qui vous agite? dit le renard. — Les enfants des hommes, répondirent les poissons, jettent leurs filets dans les flots, afin de nous prendre, et nous tâchons de leur échapper. — Savez-vous ce qu'il faut faire ? dit le renard. Venez là, sur le rocher où les hommes ne sauraient vous atteindre. — Se peut-il, s'écrièrent les poissons, que tu sois le renard estimé le plus prudent entre les animaux ? Tu serais le plus ignorant de tous si tu nous donnais sérieusement un tel conseil. L'onde est pour nous l'élément de la vie; et nous est-il possible d'y renoncer parce que des dangers nous menacent! — Pappus, l'application de cette fable est facile : la doctrine religieuse est pour nous la source de tout bien; c'est par elle, c'est pour elle seule que nous existons; dût-on nous poursuivre dans son sein, nous ne voulons point nous soustraire au péril, en nous réfugiant dans la mort. »

La plupart des gens du monde ne conseillent pas mieux que le renard : quand ils voient les âmes sensibles agitées par les peines du cœur, ils leur proposent toujours de sortir de l'air où est l'orage pour entrer dans le vide qui tue.

Engel, comme Mendelssohn, enseigne la morale d'une manière dramatique. Ses fictions sont peu de chose; mais leur rapport avec l'âme est intime. Dans l'une il peint un vieillard devenu fou par l'ingratitude de son fils, et le sourire du vieillard pendant qu'on raconte son malheur est décrit avec une vérité déchirante. L'homme qui n'a plus la conscience de lui-même fait peur comme un corps qui marcherait sans vie. « C'est un arbre, dit Engel, dont les branches sont desséchées; ses racines tiennent encore à la terre, mais déjà son sommet est atteint par la mort. » Un jeune homme, à l'aspect de ce malheureux, demande à son père s'il est ici-bas une plus affreuse destinée que celle de ce pauvre fou ? toutes les souffrances qui tuent, toutes celles dont notre propre raison est le témoin, ne lui semblent rien à côté de cette déplorable ignorance de soi-même. Le père laisse son fils développer tout ce que cette situation a d'horrible; puis, tout à coup il lui demande si celle du criminel qui l'a causée n'est pas encore mille fois plus redoutable. La gradation des pensées est très bien soutenue dans ce récit, et le tableau des angoisses de l'âme est assez éloquemment représenté pour redoubler l'effroi que doit causer la plus terrible de toutes, le remords.

J'ai cité ailleurs le passage de *la Messiade*, où le poète suppose que dans une planète éloignée, dont les habitants étaient immortels, un ange venait apporter la nouvelle qu'il existait une terre où les créatures humaines étaient sujettes à la mort. Klopstock fait une peinture admirable de l'étonnement de ces êtres qui ignoraient la douleur de perdre les objets de leur amour : Engel développe avec talent une idée non moins frappante.

Un homme a vu périr ce qu'il avait de plus cher, sa femme et sa fille. Un sentiment d'amertume et de révolte contre la Providence s'est emparé de lui : un vieux ami cherche à rouvrir son cœur à cette douleur profonde, mais résignée, qui s'épanche dans le sein de Dieu; il veut lui montrer que la mort est la source de toutes les jouissances morales de l'homme.

Y aurait-il des affections de père et de fils si l'existence des hommes n'était pas tout à la fois durable et passagère, fixée par le sentiment, entraînée par le temps ? S'il n'y avait plus de décadence dans le monde, il n'y aurait pas de progrès : comment donc éprouverait-on la crainte et l'espérance ? Enfin, dans chaque action, dans chaque sentiment, dans chaque pensée, il y a la part de la mort. Et non seulement dans le fait, mais aussi dans l'imagination même, les jouissances et les chagrins qui tiennent à l'instabilité de la vie, sont inséparables. L'existence consiste tout entière dans ces sentiments de confiance et d'anxiété qui remplissent l'âme errante entre le ciel et la terre, *et le vivre n'a d'autre mobile que le mourir*.

Une femme effrayée par les orages du Midi souhaitait d'aller dans la zone glacée, où l'on n'entend jamais la foudre, où l'on ne voit jamais les éclairs : — Nos plaintes sur le sort sont un peu du même genre, dit Engel. — En effet, il faut désenchanter la nature pour en écarter les périls. Le charme du monde semble tenir autant à la douleur qu'au plaisir, à l'effroi qu'à l'espérance; et l'on dirait que la destinée humaine est ordonnée comme un drame, où la terreur et la pitié sont nécessaires.

Ce n'est point, sans doute, assez de ces pensées pour cicatriser les blessures du cœur; tout ce qu'il éprouve lui semble un renversement de la nature, et nul n'a souffert sans croire qu'un grand désordre existait dans l'univers. Mais quand un long espace de temps a permis de réfléchir, on trouve quelque repos dans les considérations générales, et l'on s'unit aux lois de l'univers, en se détachant de soi-même.

Les moralistes allemands de l'ancienne école sont, pour la plupart, religieux et sensibles; leur théorie de la vertu est désintéressée; ils n'admettent point cette doctrine de l'utilité, qui conduirait, comme en Chine, à jeter les enfants dans le fleuve si la population devenait trop nombreuse. Leurs ouvrages sont remplis d'idées philosophiques et d'affections mélancoliques et tendres; mais ce n'était point assez pour lutter contre la morale égoïste, armée de l'ironie dédaigneuse. Ce n'était point assez pour réfuter les sophismes dont on s'était servi contre les principes les plus vrais et les meilleurs. La sensibilité douce, et quelquefois même timide des anciens moralistes allemands, ne suffisait pas pour combattre avec succès la dialectique habile et le persiflage élégant, qui, comme tous les mauvais sentiments, ne respectent que la force. Des armes plus acérées sont nécessaires pour combattre celles que le vice a forgées : c'est donc avec raison que les philosophes de la nouvelle école ont pensé qu'il fallait une doctrine plus sévère, plus énergique, plus serrée dans ses arguments, pour triompher de la dépravation du siècle.

Certainement tout ce qui est simple suffit à tout ce qui est bon; mais quand on vit dans un temps où l'on a tâché de mettre l'esprit du côté de l'immoralité, il faut tâcher d'avoir le génie pour défenseur de la vertu. Sans doute il est très indifférent d'être accusé de niaiserie quand on exprime ce qu'on éprouve; mais ce mot de *niaiserie* fait tant de peur aux gens médiocres qu'on doit, s'il est possible, les préserver de son atteinte.

Les Allemands, craignant qu'on ne tourne leur loyauté en ridicule, veulent quelquefois, quoique bien à contre-cœur, s'essayer à l'immoralité, pour se donner un air brillant et dégagé. Les nouveaux philosophes, en élevant leur style et leurs conceptions à une grande hauteur, ont habilement flatté l'amour-propre de leurs adeptes, et l'on doit les louer de cet art innocent; car les Allemands ont besoin de dédaigner pour devenir les plus forts. Il y a trop de bonhomie dans leur caractère, comme dans leur esprit; ce sont les seuls hommes peut-être auxquels on pourrait conseiller l'orgueil comme un moyen de devenir meilleurs. On ne saurait nier que les disciples de la nouvelle école n'aient un peu trop suivi ce conseil; mais ils n'en sont pas moins, à quelques exceptions près, les écrivains les plus éclairés et les plus courageux de leur pays.

— Quelle découverte ont-ils faite ? dira-t-on. — Nul doute que ce qui était vrai en morale, il y a deux mille ans, ne le soit encore; mais, depuis deux mille ans, les raisonnements de la bassesse et de la corruption se sont tellement multipliés, que le philosophe homme de bien doit proportionner ses efforts à cette progression funeste. Les idées communes ne sauraient lutter contre l'immoralité systématique; il faut creuser plus avant, quand les veines extérieures des métaux précieux sont épuisées. On a si souvent vu, de nos jours, la faiblesse unie à beaucoup de vertu, qu'on s'est accoutumé à croire qu'il y avait de l'énergie dans l'immoralité. Les philosophes allemands, et gloire leur en soit rendue, ont été les premiers, dans le dix-huitième siècle, qui aient mis l'esprit fort du côté de la foi, le génie du côté de la morale, et le caractère du côté du devoir.

CHAPITRE XXI

DE L'IGNORANCE ET DE LA FRIVOLITÉ D'ESPRIT DANS LEURS RAPPORTS AVEC LA MORALE

L'ignorance, telle qu'elle existait il y a quelques siècles, respectait les lumières et désirait d'en acquérir; l'ignorance de notre temps est dédaigneuse, et cherche à tourner en ridicule les travaux et les méditations des hommes éclairés. L'esprit philosophique a répandu dans presque toutes les classes une certaine facilité de raisonnement qui sert à décrier tout ce qu'il y a de grand et de sérieux dans la nature humaine, et nous en sommes à cette époque de la civilisation où toutes les belles choses de l'âme tombent en poussière.

Quand les barbares du Nord s'emparèrent des plus fertiles contrées d'Europe, ils y apportèrent des vertus farouches et mâles; et cherchant à se perfectionner eux-mêmes, ils demandaient au Midi le soleil, les arts et les sciences. Mais les barbares policés n'estiment que l'habileté dans les affaires de ce monde et ne s'instruisent que juste ce qu'il faut pour déjouer par quelques phrases le recueillement de toute une vie.

Ceux qui nient la perfectibilité de l'esprit humain prétendent qu'en toutes choses les progrès et la décadence se suivent tour à tour, et que la roue de la pensée tourne comme celle de la fortune. Quel triste spectacle que ces générations s'occupant sur la terre, comme Sisyphe dans les enfers, à des travaux constamment inutiles! et que serait donc la destinée de la race humaine, si elle ressemblait au supplice le plus cruel que l'imagination des poètes ait conçu ? Mais il n'en est pas ainsi et l'on peut apercevoir un dessein toujours le même, toujours suivi, toujours progressif dans l'histoire de l'homme.

La lutte entre les intérêts de ce monde et les sentiments élevés a existé de tout temps dans les nations comme dans les individus. La superstition met quelquefois les hommes éclairés du parti de l'incrédulité, et quelquefois, au contraire, ce sont les lumières mêmes qui éveillent toutes les croyances du cœur. Maintenant les philosophes se réfugient dans la religion pour trouver en elles la source des conceptions hautes et des sentiments désintéressés; à cette époque, préparée par les siècles, l'alliance de la philosophie et de la religion peut être intime et sincère. Les ignorants ne sont plus, comme jadis, des hommes ennemis du doute et décidés à repousser toutes les fausses lueurs qui troubleraient leurs espérances religieuses et leur dévouement chevaleresque; les ignorants de nos jours sont incrédules, légers, superficiels; ils savent tout ce que l'égoïsme a besoin de savoir, et leur ignorance ne porte que sur ces études sublimes qui font naître dans l'âme un sentiment d'admiration pour la nature et pour la divinité.

Les occupations guerrières remplissaient jadis la vie des nobles, et formaient leur esprit par l'action; mais lorsque, de nos jours, les hommes de la première classe n'ont aucune fonction dans l'Etat et n'étudient profondément aucune science, toute l'activité de leur esprit, qui devrait être employée dans le cercle des affaires ou des travaux intellectuels, se dirige sur l'observation des manières et la connaissance des anecdotes.

Les jeunes gens, à peine sortis de l'école, se hâtent de prendre possession de l'oisiveté comme de la robe virile, les hommes et les femmes s'épient les uns les autres dans les moindres détails, non pas précisément par méchanceté, mais pour avoir quelque chose à dire quand ils n'ont rien à penser. Ce genre de causticité journalière détruit la bienveillance et la loyauté. On n'est pas content de soi-même quand on abuse de l'hospitalité donnée ou reçue pour critiquer ceux avec qui l'on passe sa vie, et l'on empêche ainsi toute affection profonde de naître ou de subsister; car en écoutant des moqueries sur ceux qui nous sont chers, on flétrit ce que l'affection a de pur et d'exalté : les sentiments dans lesquels on n'est pas d'une vérité parfaite font plus de mal que l'indifférence.

Chacun a en soi un côté ridicule; il n'y a que de loin qu'un caractère semble complet; mais ce qui fait l'existence individuelle étant toujours une singularité quelconque, cette singularité prête à la plaisanterie : aussi l'homme qui la craint avant tout cherche-t-il, autant qu'il est possible, à faire disparaître en lui ce qui pourrait le signaler de quelque manière, soit en bien, soit en mal. Cette nature effacée, de quelque bon goût qu'elle paraisse, a bien aussi ses ridicules; mais peu de gens ont l'esprit assez fin pour les saisir.

La moquerie a cela de particulier, qu'elle nuit essentiellement à ce qui est bon, mais point à ce qui est fort. La puissance a quelque chose d'âpre et de triomphant qui tue le ridicule; d'ailleurs les esprits frivoles respectent *la prudence de la chair*, selon l'expression d'un moraliste du seizième siècle; et l'on est étonné de trouver toute la profondeur de l'intérêt personnel dans ces hommes qui semblaient incapables de suivre une idée ou un sentiment, quand il n'en pouvait rien résulter d'avantageux pour leurs calculs de fortune ou de vanité.

La frivolité d'esprit ne porte point à négliger les affaires de ce monde. On trouve au contraire une bien plus noble insouciance à cet égard dans les caractères sérieux que dans les hommes d'une nature légère; car la légèreté de ceux-ci ne consiste le plus souvent qu'à dédaigner les idées générales pour mieux s'occuper de ce qui ne concerne qu'eux-mêmes.

Il y a quelquefois de la méchanceté dans les gens d'esprit; mais le génie est presque toujours plein de bonté. La méchanceté vient non pas de ce qu'on a trop d'esprit, mais de ce qu'on n'en a pas assez. Si l'on pouvait parler sur les idées, on laisserait en paix les personnes; si l'on se croyait assuré de l'emporter sur les autres par ses talents naturels, on ne chercherait pas à niveler le parterre sur lequel on veut dominer. Il y a des médiocrités d'âme déguisées en esprit piquant et malicieux, mais la vraie supériorité est rayonnante de bons sentiments comme de hautes pensées.

L'habitude des occupations intellectuelles inspire une bienveillance éclairée pour les hommes et pour les choses; on ne tient plus à soi comme à un être privilégié : quand on en sait beaucoup sur la destinée humaine, on ne s'irrite plus de chaque circonstance comme d'une chose sans exemple; et la justice n'étant que l'habitude de considérer les rapports des êtres entre eux sous un point de vue général, l'étendue de l'esprit sert à nous détacher des calculs personnels. On a plané sur sa propre existence comme sur celle des autres quand on s'est livré à la contemplation de l'univers.

Un des grands inconvénients aussi de l'ignorance dans les temps actuels, c'est qu'elle rend tout à fait incapable d'avoir une opinion à soi sur la plupart des objets qui exigent de la réflexion; en conséquence, lorsque telle ou telle manière de voir est mise en honneur par l'ascendant des circonstances, la plupart des hommes croient que ces mots, *tout le monde pense ou fait ainsi*, doivent tenir à chacun lieu de raison et de conscience.

Dans la classe oisive de la société il est presque impossible d'avoir de l'âme sans que l'esprit soit cultivé. Jadis il suffisait de la nature pour instruire l'homme et développer son imagination; mais depuis que la pensée, cette ombre effacée du sentiment, a changé tout en abstractions, il faut beaucoup savoir pour bien sentir. Ce n'est plus entre les élans de l'âme livrée à elle-même, ou les études philosophiques qu'il faut choisir, mais c'est entre le murmure importun d'une société commune et frivole, et le langage que les beaux génies ont tenu de siècle en siècle jusqu'à nos jours.

Comment pourrait-on, sans la connaissance des langues, sans l'habitude de la lecture, communiquer avec ces hommes qui ne sont plus, et que nous sentons si bien nos amis, nos concitoyens, nos alliés ? Il faut être médiocre de cœur pour se refuser à de si nobles plaisirs. Ceux-là seulement qui remplissent leur vie de bonnes œuvres peuvent se passer de toute étude : l'ignorance dans les hommes oisifs prouve autant la sécheresse de l'âme que la légèreté de l'esprit.

Enfin il reste encore une chose vraiment belle et morale, dont l'ignorance et la frivolité ne peuvent jouir; c'est l'association de tous les hommes qui pensent d'un bout de l'Europe à l'autre. Souvent ils n'ont entre eux aucune relation; ils sont dispersés souvent à de grandes distances l'un de l'autre; mais quand ils se rencontrent, un mot suffit pour qu'ils se reconnaissent. Ce n'est pas telle religion, telle opinion, tel genre d'étude, c'est le culte de la vérité qui les réunit. Tantôt, comme les mineurs, ils creusent jusqu'au fond de la terre pour pénétrer au sein de l'éternelle nuit les mystères du monde ténébreux; tantôt ils s'élèvent au sommet du Chimboraço pour découvrir au point le plus élevé du globe quelques phénomènes inconnus; tantôt ils étudient les langues de l'Orient pour y chercher l'histoire primitive de l'homme; tantôt ils vont à Jérusalem pour faire sortir des ruines saintes une étincelle qui ranime la religion et la poésie, enfin ils sont vraiment le peuple de Dieu ces hommes qui ne désespèrent pas encore de la race de l'espèce humaine et veulent lui conserver l'empire de la pensée.

Les Allemands méritent à cet égard une reconnaissance particulière; c'est une honte parmi eux que l'ignorance et l'insouciance sur tout ce qui tient à la littérature et aux beaux-arts, et leur exemple prouve que, de nos jours, la culture de l'esprit conserve dans les classes indépendantes des sentiments et des principes.

La direction de la littérature et de la philosophie n'a pas été bonne en France dans la dernière partie du dix-huitième siècle; mais si l'on peut s'exprimer ainsi, la direction de l'ignorance est encore plus redoutable; car aucun livre ne fait du mal à celui qui les lit tous. Si les oisifs du monde, au contraire, s'occupent quelques instants, l'ouvrage qu'ils rencontrent fait événement dans leur tête, comme l'arrivée d'un étranger dans un désert, et lorsque cet ouvrage contient des sophismes dangereux, ils n'ont point d'arguments à y opposer. La découverte de l'imprimerie est vraiment funeste pour ceux qui ne lisent qu'à demi ou par hasard; car le savoir, comme la lance d'Argail, doit guérir les blessures qu'il a faites.

L'ignorance au milieu des raffinements de la société est le plus odieux de tous les mélanges : elle rend, à quelques égards, semblable aux gens du peuple, qui n'estiment que l'adresse et la ruse; elle porte à ne chercher que le bien-être et les jouissances physiques, à se servir d'un peu d'esprit pour tuer beaucoup d'âmes; à s'applaudir de ce qu'on ne sait pas, à se vanter de ce qu'on n'éprouve pas; enfin à combiner les bornes de l'intelligence avec la dureté du cœur, de façon à n'avoir plus rien à faire de ce regard tourné vers le ciel, qu'Ovide a célébré comme le plus noble attribut de la nature humaine.

Os homini sublime dedit : coelumque tueri
Jussit, et erectos ad sidera tollere vultus.

QUATRIÈME PARTIE

LA RELIGION ET L'ENTHOUSIASME

CHAPITRE PREMIER

CONSIDÉRATIONS GÉNÉRALES SUR LA RELIGION EN ALLEMAGNE

Les nations de race germanique sont toutes naturellement religieuses et le zèle de ce sentiment a fait naître plusieurs guerres dans leur sein. Cependant, en Allemagne surtout, l'on est plus porté à l'enthousiasme qu'au fanatisme. L'esprit de secte doit se manifester sous diverses formes dans un pays où l'activité de la pensée est la première de toutes : mais d'ordinaire l'on n'y mêle pas les discussions théologiques aux passions humaines; et les diverses opinions, en fait de religion, ne sortent pas de ce monde idéal où règne une paix sublime.

Pendant longtemps on s'est occupé, comme je le montrerai dans le chapitre suivant, de l'examen des dogmes du christianisme; mais depuis vingt ans, depuis que les écrits de Kant ont fortement influé sur les esprits, il s'est établi dans la manière de concevoir la religion une liberté et une grandeur qui n'exigent ni ne rejettent aucune forme de culte en particulier, mais qui font des choses célestes le principe dominant de l'existence.

Plusieurs personnes trouvent que la religion des Allemands est trop vague, et qu'il vaut mieux se rallier sous l'étendard d'un culte plus positif et plus sévère. Lessing dit, dans son *Essai sur l'éducation du genre humain*, que les révélations religieuses ont toujours été proportionnées aux lumières qui existaient à l'époque où ces révélations ont paru. L'Ancien Testament, l'Evangile, et, sous plusieurs rapports, la réformation, étaient, selon leur temps, parfaitement en harmonie avec les progrès des esprits; et peut-être sommes-nous à la veille d'un développement du christianisme qui rassemblera dans un même foyer tous les rayons épars, et qui nous fera trouver dans la religion plus que la morale, plus que le bonheur, plus que la philosophie, plus que le sentiment même, puisque chacun de ces biens sera multiplié par sa réunion avec les autres.

Quoi qu'il en soit, il est peut-être intéressant de connaître sous quel point de vue la religion est considérée en Allemagne, et comment on a trouvé le moyen d'y rattacher tout le système littéraire et philosophique dont j'ai tracé l'esquisse. C'est une chose imposante que cet ensemble de pensées qui développe à nos yeux l'ordre moral tout entier, et donne à cet édifice sublime le dévouement pour base, et la divinité pour faîte.

C'est au sentiment de l'infini que la plupart des écrivains allemands rapportent toutes les idées religieuses. L'on demande s'il est possible de concevoir l'infini; cependant ne le conçoit-on pas, au moins d'une manière négative, lorsque dans les mathématiques on ne peut supposer aucun terme à la durée ni à l'étendue ? Cet infini consiste dans l'absence des bornes; mais le sentiment de l'infini, tel que l'imagination et le cœur l'éprouvent, est positif et créateur.

L'enthousiasme que le beau idéal nous fait éprouver, cette émotion pleine de trouble et de pureté tout ensemble, c'est le sentiment de l'infini qui l'excite. Nous nous sentons comme dégagés, par l'admiration, des entraves de la destinée humaine, et il nous semble qu'on nous révèle des secrets merveilleux, pour affranchir l'âme à jamais de la langueur et du déclin. Quand nous contemplons le ciel étoilé, où des étincelles de lumière sont des univers comme le nôtre, où la poussière brillante de la Voie lactée trace avec des mondes une route dans le firmament, notre pensée se perd dans l'infini, notre cœur bat pour l'inconnu, pour l'immense, et nous sentons que ce n'est qu'au-delà des expériences terrestres que notre véritable vie doit commencer. Enfin les émotions religieuses, plus que toutes les autres encore, réveillent en nous le sentiment de l'infini; mais en le réveillant elles le satisfont; et c'est pour cela sans doute qu'un homme d'un grand esprit disait « Que la créature pensante n'était heureuse que quand l'idée de l'infini était devenue pour elle une jouissance au lieu d'être un poids ».

En effet, quand nous nous livrons en entier aux réflexions, aux images, aux désirs qui dépassent les limites de l'expérience, c'est alors seulement que nous respirons. Quand on veut s'en tenir aux intérêts, aux convenances, aux lois de ce monde, le génie, la sensibilité, l'enthousiasme agitent péniblement notre âme; mais ils l'inondent de délices quand on les consacre à ce souvenir, à cette attente de l'infini qui se présente dans la métaphysique sous la forme des dispositions innées, dans la vertu sous celle du dévouement, dans les arts sous celle de l'idéal, et dans la religion elle-même sous celle de l'amour divin.

Le sentiment de l'infini est le véritable attribut de l'âme : tout ce qui est beau dans tous les genres excite en nous l'espoir et le désir d'un avenir éternel et d'une existence sublime; on ne peut entendre ni le vent dans la forêt ni les accords délicieux des voix humaines; on ne peut éprouver l'enchantement de l'éloquence ou de la poésie; enfin surtout, enfin on ne peut aimer avec innocence, avec profondeur, sans être pénétré de religion et d'immortalité.

Tous les sacrifices de l'intérêt personnel viennent du besoin de se mettre en harmonie avec ce sentiment de l'infini dont on éprouve tout le charme, quoiqu'on ne puisse l'exprimer. Si la puissance du devoir était renfermée dans le court espace de cette vie, comment donc aurait-elle plus d'empire que les passions sur notre âme ? Qui sacrifierait des bornes à des bornes ? *Tout ce qui finit est si court*, dit saint Augustin, les instants de jouissance que peuvent valoir les penchants terrestres, et les jours de paix qu'assure une conduite morale, différeraient de bien peu, si des émotions sans limite et sans terme ne s'élevaient pas au fond du cœur de l'homme qui se dévoue à la vertu.

Beaucoup de gens nieront ce sentiment de l'infini, et certes ils sont sur un excellent terrain pour le nier, car il est impossible de le leur expliquer; ce n'est pas quelques mots de plus qui réussiront à leur faire comprendre ce que l'univers ne leur a pas dit. La nature a revêtu l'infini des divers symboles qui peuvent le faire arriver jusqu'à nous : la lumière et les ténèbres, l'orage et le silence, le plaisir et la douleur, tout inspire à l'homme cette religion universelle dont son cœur est le sanctuaire.

Un homme dont j'ai déjà eu l'occasion de parler, M. Ancillon, vient de faire paraître un ouvrage sur la nouvelle philosophie de l'Allemagne, qui réunit la lucidité de l'esprit français à la profondeur du génie allemand. M. Ancillon s'est déjà acquis un nom célèbre comme historien; il est incontestablement ce qu'on a coutume d'appeler en France une bonne tête; son esprit même est positif et méthodique, et c'est par son âme qu'il a saisi tout ce que la pensée de l'infini peut présenter de plus vaste et de plus élevé. Ce qu'il a écrit sur ce sujet porte un caractère tout à fait original; c'est pour ainsi dire le sublime mis à la portée de la logique : il trace avec précision la ligne où les connaissances expérimentales s'arrêtent, soit dans les arts, soit dans la philosophie, soit dans la religion; il montre que le sentiment va beaucoup plus loin que les connaissances, et que par-delà les preuves démonstratives il y a l'évidence naturelle; par-delà l'analyse, l'inspiration; par-delà les mots, les idées; par-delà les idées, les émotions, et que le sentiment de l'infini est un fait de l'âme, un fait primitif, sans lequel il n'y aurait rien dans l'homme que de l'instinct physique et du calcul.

Il est difficile d'être religieux à la manière introduite par les esprits secs, ou par les hommes de bonne volonté, qui voudraient faire arriver la religion aux honneurs de la démonstration scientifique. Ce qui touche si intimement au mystère de l'existence ne peut être exprimé par les formes régulières de la parole. Le raisonnement dans de tels sujets sert à montrer où finit le raisonnement; et là où il finit commence la véritable certitude; car les vérités du sentiment ont une force d'intensité qui appelle tout notre être à leur appui. L'infini agit sur l'âme pour l'élever et la dégager du temps. L'œuvre de la vie c'est de sacrifier les intérêts de notre existence passagère à cette immortalité qui commence pour nous dès à présent, si nous en sommes déjà dignes; et non seulement la plupart des religions ont ce même but, mais les beaux-arts, la poésie, la gloire et l'amour sont des religions dans lesquelles il entre plus ou moins d'alliage.

Cette expression, *c'est divin*, qui est passée en usage pour vanter les beautés de la nature et de l'art, cette expression est une croyance parmi les Allemands, ce n'est point par indifférence qu'ils sont tolérants, c'est parce qu'ils ont de l'universalité dans leur manière de sentir et de concevoir la religion. En effet, chaque homme peut trouver dans une des merveilles de l'univers celle qui parle le plus puissamment à son âme; l'un admire la divinité dans les traits d'un père, l'autre dans l'innocence d'un enfant, l'autre dans le céleste regard des vierges de Raphaël, dans la musique, dans la poésie, dans la nature, n'importe car tous s'entendent, si tous sont animés par le principe religieux, génie du monde et de chaque homme.

Des esprits supérieurs ont élevé des doutes sur tel ou tel dogme, et c'était un grand malheur que la subtilité de la dialectique ou les prétentions de l'amour-propre pussent troubler et refroidir le sentiment de la foi. Souvent aussi la réflexion se trouvait à l'étroit dans ces religions intolérantes dont on avait pour ainsi dire un code pénal, et qui donnaient à la théologie toutes les formes d'un gouvernement despotique; mais qu'il est sublime ce culte qui nous fait pressentir une jouissance céleste dans l'inspiration du génie comme dans la vertu la plus obscure, dans les affections les plus tendres comme dans les peines les plus amères; dans la tempête comme dans les beaux jours; dans la fleur comme dans le chêne; dans tout, hors le calcul, hors le froid mortel de l'égoïsme qui nous sépare de la nature bienfaisante, et nous donne la vanité seule pour mobile, la vanité dont la racine est toujours venimeuse! Qu'elle est belle la religion qui consacre le monde entier à son auteur, et se sert de toutes nos facultés pour célébrer les rites saints du merveilleux univers.

Loin qu'une telle croyance interdise les lettres, ni les sciences, la théorie de toutes les idées et le secret de tous les talents lui appartiennent; il faudrait que la nature et la divinité fussent en contradiction, si la piété sincère défendait aux hommes de se servir de leurs facultés et de goûter les plaisirs qu'elles donnent. Il y a de la religion dans toutes les œuvres du génie; il y a du génie dans toutes les pensées religieuses. L'esprit est d'une moins illustre origine, il sert à contester, mais le génie est créateur. La source inépuisable des talents et des vertus, c'est ce sentiment de l'infini, qui a sa part dans toutes les actions généreuses et dans toutes les conceptions profondes.

La religion n'est rien si elle n'est pas tout, si l'existence n'en est pas remplie, si l'on n'entretient pas sans cesse dans l'âme cette foi à l'invisible, ce dévouement, cette élévation de désirs qui doivent triompher des penchants vulgaires auxquels notre nature nous expose.

Néanmoins, comment la religion pourrait-elle nous être sans cesse présente si nous ne la rattachions pas à tout ce qui doit occuper une belle vie, les affections dévouées, les méditations philosophiques et les plaisirs de l'imagination ? Un grand nombre de pratiques sont recommandées aux fidèles, afin qu'à tous les moments du jour la religion leur soit rappelée par les obligations qu'elle impose; mais si la vie entière pouvait être naturellement et sans effort un culte de tous les instants, ne serait-ce pas mieux encore ? Puisque l'admiration pour le beau se rapporte toujours à la divinité, et que l'élan même des pensées fortes nous fait remonter vers notre origine, pourquoi donc la puissance d'aimer, la poésie, la philosophie, ne seraient-elles pas les colonnes du temple de la foi ?

CHAPITRE II

DU PROTESTANTISME

C'était chez les Allemands qu'une révolution opérée par les idées devait avoir lieu, car le trait saillant de cette nation méditative est l'énergie de la conviction intérieure. Quand une fois une opinion s'est emparée des têtes allemandes, leur patience et leur persévérance à la soutenir font singulièrement honneur à la force de la volonté dans l'homme.

En lisant les détails de la mort de Jean Hus et de Jérôme de Prague, les précurseurs de la réformation, on voit un exemple frappant de ce qui caractérise les chefs du protestantisme en Allemagne, la réunion d'une foi vive avec l'esprit d'examen. Leur raison n'a point fait tort à leur croyance, ni leur croyance à leur raison; et leurs facultés morales ont agi toujours ensemble.

Partout en Allemagne on trouve des traces des diverses luttes religieuses qui, pendant plusieurs siècles, ont occupé la nation entière. On montre encore dans la cathédrale de Prague des bas-reliefs où les dévastations commises par les Hussites sont représentées; et la partie de l'église que les Suédois ont incendiée dans la guerre de Trente ans n'est point encore rebâtie. Non loin de là, sur le pont, est placée la statue de saint Jean Népomucène, qui aima mieux périr dans les flots que de révéler les faiblesses qu'une reine infortunée lui avait confessées. Les monuments, et même les ruines qui attestent l'influence de la religion sur les hommes, intéressent vivement notre âme; car les guerres d'opinions, quelque cruelles qu'elles soient, font plus d'honneur aux nations que les guerres d'intérêt.

Luther est, de tous les grands hommes que l'Allemagne a produits, celui dont le caractère était le plus allemand, sa fermeté avait quelque chose de rude; sa conviction allait jusqu'à l'entêtement; le courage de l'esprit était en lui le principe du courage de l'action : ce qu'il avait de passionné dans l'âme ne le détournait point des études abstraites; et quoiqu'il attaquât de certains abus et de certains dogmes comme des préjugés, ce n'était point l'incrédulité philosophique, mais un fanatisme à lui qui l'inspirait.

Néanmoins la Réformation a introduit dans le monde l'examen en fait de religion. Il en est résulté pour les uns le scepticisme, mais pour les autres une conviction plus ferme des vérités religieuses : l'esprit humain était arrivé à une époque où il devait nécessairement examiner pour croire. La découverte de l'imprimerie, la multiplicité des connaissances, et l'investigation philosophique de la vérité, ne permettaient pas plus cette foi aveugle dont on s'était jadis si bien trouvé. L'enthousiasme religieux ne pouvait renaître que par l'examen et la méditation. C'est Luther qui a mis la Bible et l'Evangile entre les mains de tout le monde; c'est lui qui a donné l'impulsion à l'étude de l'antiquité; car en apprenant l'hébreu pour lire la Bible, et le grec pour lire le Nouveau Testament, on a cultivé les langues anciennes, et les esprits se sont tournés vers les recherches historiques.

L'examen peut affaiblir cette foi d'habitude que les hommes font bien de conserver tant qu'ils le peuvent; mais quand l'homme sort de l'examen plus religieux qu'il n'y était entré, c'est alors que la religion est invariablement fondée; c'est alors qu'il y a paix entre elle et les lumières, et qu'elles se servent mutuellement.

Quelques écrivains ont beaucoup déclamé contre le système de la perfectibilité, et l'on aurait dit, à les entendre, que c'était une véritable atrocité de croire notre espèce perfectible. Il suffit en France qu'un homme de tel parti ait soutenu telle opinion pour qu'il ne soit plus de bon goût de l'adopter; et tous les moutons du même troupeau viennent donner, les uns après les autres, leurs coups de tête aux idées, qui n'en restent pas moins ce qu'elles sont.

Il est très probable que le genre humain est susceptible d'éducation, aussi bien que chaque homme, et qu'il y a des époques marquées pour les progrès de la pensée dans la route éternelle du temps. La Réformation fut l'ère de l'examen et de la conviction éclairée qui lui succède. Le christianisme a d'abord été fondé, puis altéré, puis examiné, puis compris, et ces diverses périodes étaient nécessaires à son développement; elles ont duré quelquefois cent ans, quelquefois mille ans. L'Etre Suprême qui puise dans l'éternité n'est pas économe du temps à notre manière.

Quand Luther a paru, la religion n'était plus qu'une puissance politique, attaquée ou défendue comme un intérêt de ce monde. Luther l'a rappelée sur le terrain de la pensée. La marche historique de l'esprit humain à cet égard, en Allemagne, est digne de remarque. Lorsque les guerres causées par la Réformation furent apaisées, et que les réfugiés protestants se furent naturalisés dans les divers Etats du Nord de l'Empire germanique, les études philosophiques, qui avaient toujours pour objet l'intérieur de l'âme, se dirigèrent naturellement vers la religion, et il n'existe pas, dans le dix-huitième siècle, de littérature où l'on trouve sur ce sujet une telle quantité de livres que dans la littérature allemande.

Lessing, l'un des esprits les plus vigoureux de l'Allemagne, n'a cessé d'attaquer avec toute la force de sa logique cette maxime si communément répétée, *qu'il y a des vérités dangereuses*. En effet, c'est une singulière présomption dans quelques individus, de se croire le droit de cacher la vérité à leurs semblables, et de s'attribuer la prérogative de se placer, comme Alexandre devant Diogène, pour nous dérober les rayons de ce soleil qui appartient à tous également. Cette prudence prétendue n'est que la théorie du charlatanisme : on veut escamoter les idées pour mieux asservir les hommes. La vérité est l'œuvre de Dieu; les mensonges sont l'œuvre de l'homme. Si l'on étudie les époques de l'histoire où l'on a craint la vérité, l'on verra toujours que c'est quand l'intérêt particulier luttait de quelque manière contre la tendance universelle.

La recherche de la vérité est la plus noble des occupations, et sa publication un devoir. Il n'y a rien à craindre pour la religion, ni pour la société, dans cette recherche, si elle est sincère; et, si elle ne l'est pas, ce n'est plus alors la vérité, c'est le mensonge qui fait du mal. Il n'y a pas un sentiment dans l'homme dont on ne puisse trouver la raison philosophique, pas une opinion, pas même un préjugé généralement répandu qui n'ait sa racine dans la nature. Il faut donc examiner, non dans le but de détruire, mais pour fonder la croyance sur la conviction intime, et non sur la conviction dérobée.

On voit des erreurs durer longtemps; mais elles causent toujours une inquiétude pénible. En contemplant la tour de Pise qui penche sur sa base, on se figure qu'elle va tomber, quoiqu'elle ait subsisté pendant des siècles, et l'imagination n'est en repos qu'en présence des édifices fermes et réguliers. Il en est de même de la croyance à certains principes, ce qui est fondé sur les préjugés inquiète, et l'on aime à voir la raison appuyer de tout son pouvoir les conceptions élevées de l'âme.

L'intelligence contient en elle-même le principe de tout ce qu'elle acquiert par l'expérience. Fontenelle disait avec justesse *qu'on croyait reconnaître une vérité la première fois qu'elle nous était annoncée.* Comment donc pourrait-on imaginer que tôt ou tard les idées justes et la persuasion intime qu'elles font naître ne se rencontreront pas ? Il y a unc harmonie préétablie entre la vérité et la raison humaine qui finit toujours par les rapprocher l'une de l'autre.

Proposer aux hommes de ne pas se dire mutuellement ce qu'ils pensent, c'est ce qu'on appelle vulgairement garder le secret de la comédie. On ne continue d'ignorer que parce qu'on ne sait pas qu'on ignore; mais du moment qu'on a commandé de se taire, c'est que quelqu'un a parlé; et pour étouffer les pensées que ces paroles ont excitées, il faut dégrader la raison. Il y a des hommes pleins d'énergie et de bonne foi qui n'ont jamais soupçonné telles ou telles vérités philosophiques; mais ceux qui les savent et les dissimulent sont des hypocrites, ou tout au moins des êtres bien arrogants et bien irréligieux. — Bien arrogants : car de quel droit s'imaginent-ils qu'ils sont de la classe des initiés et que le reste du monde n'en est pas ? — Bien irréligieux : car s'il y avait une vérité philosophique ou naturelle, une vérité enfin qui combattît la religion, cette religion ne serait pas ce qu'elle est, la lumière des lumières.

Il faut bien mal connaître le christianisme, c'est-à-dire la révélation des lois morales de l'homme et de l'univers, pour recommander à ceux qui veulent y croire l'ignorance, le secret et les ténèbres. Ouvrez les portes du temple; appelez à votre secours le génie, les beaux-arts, les sciences, la philosophie; rassemblez-les dans un même foyer pour honorer et comprendre l'auteur de la création; et si l'amour a dit que le nom de ce qu'on aime semble gravé sur les feuilles de chaque fleur, comment l'empreinte de Dieu ne serait-elle pas dans toutes les idées qui se rallient à la chaîne éternelle!

Le droit d'examiner ce qu'on doit croire est le fondement du protestantisme. Les premiers réformateurs ne l'entendaient pas ainsi : ils croyaient pouvoir placer les colonnes d'Hercule de l'esprit humain aux termes de leurs propres lumières; mais ils avaient tort d'espérer qu'on se soumettrait à leurs décisions comme infaillibles, eux qui rejetaient toute autorité de ce genre dans la religion catholique. Le protestantisme devait donc suivre le développement et les progrès des lumières, tandis que le catholicisme se vantait d'être immuable au milieu des vagues du temps.

Parmi les écrivains allemands de la religion protestante, il a existé diverses manières de voir, qui successivement ont occupé l'attention. Plusieurs savants ont fait des recherches inouïes sur l'Ancien et le Nouveau Testament. Michaëlis a étudié les langues, les antiquités et l'histoire naturelle de l'Asie, pour interpréter la Bible : et tandis qu'en France l'esprit philosophique plaisantait sur le christianisme, on en faisait en Allemagne un objet d'érudition. Bien que ce genre de travail pût à quelques égards blesser les âmes religieuses, quel respect ne suppose-t-il pas pour le livre, objet d'un examen aussi sérieux! Ces savants n'attaquèrent ni le dogme, ni les prophéties, ni les miracles; mais il en vint après eux un grand nombre qui voulurent donner une explication toute naturelle à la Bible et au Nouveau Testament, et qui, considérant l'une et l'autre simplement comme de bons écrits d'une lecture instructive, ne voyaient dans les mystères que des métaphores orientales.

Ces théologiens s'appelaient raisonnables, parce qu'ils croyaient dissiper tous les genres d'obscurités; mais c'était mal diriger l'esprit d'examen que de vouloir l'appliquer aux vérités qu'on ne peut pressentir que par l'élévation et le recueillement de l'âme. L'esprit d'examen doit servir à reconnaître ce qui est supérieur à la raison, comme un astronome marque les hauteurs auxquelles la vue de l'homme n'atteint pas : ainsi donc signaler les régions incompréhensibles, sans prétendre ni les nier ni les soumettre au langage, c'est se servir de l'esprit d'examen selon sa mesure et selon son but.

L'interprétation savante ne satisfait pas plus que l'autorité dogmatique. L'imagination et la sensibilité des Allemands ne pouvaient se contenter de cette sorte de religion prosaïque qui accordait un respect de raison au christianisme. Herder le premier fit renaître la foi par la poésie : profondément instruit dans les langues orientales, il avait pour la Bible un genre d'admiration semblable à celui qu'un Homère sanctifié pourrait inspirer. La tendance naturelle des esprits, en Allemagne, est de considérer la poésie comme une sorte de don prophétique, précurseur des dons divins; ainsi ce n'était point une profanation de réunir à la croyance religieuse l'enthousiasme qu'elle inspire.

Herder n'était pas scrupuleusement orthodoxe; cependant il rejetait, ainsi que ses partisans, les commentaires érudits qui avaient pour but de simplifier la Bible, et qui l'anéantissaient en la simplifiant. Une sorte de théologie poétique, vague, mais animée, libre, mais sensible, tint la place de cette école pédantesque, qui croyait marcher vers la raison en retranchant quelques miracles de cet univers, et cependant le merveilleux est à quelques égards peut-être plus facile encore à concevoir que ce qu'on est convenu d'appeler le naturel.

Schleiermacher, le traducteur de Platon, a écrit sur la religion des discours d'une rare éloquence; il combat l'indifférence qu'on appelait *tolérance*, et le travail destructeur qu'on faisait passer pour un examen impartial. Schleiermacher n'est pas non plus un théologien orthodoxe; mais il montre dans les dogmes religieux qu'il adopte de la force de croyance, et une grande vigueur de conception métaphysique. Il a développé avec beaucoup de chaleur et de clarté le sentiment de l'infini dont j'ai parlé dans le chapitre précédent. On peut appeler les opinions religieuses de Schleiermacher et de ses disciples une théologie philosophique.

Enfin Lavater et plusieurs hommes de talent se sont ralliés aux opinions mystiques, telles que Fénelon en France, et divers écrivains de tous les pays les ont conçues.

Lavater a précédé quelques-uns des hommes que j'ai cités; néanmoins c'est depuis un petit nombre d'années surtout que la doctrine, dont il peut être considéré comme un des principaux chefs, a pris une grande faveur en Allemagne. L'ouvrage de Lavater, sur la physionomie, est plus célèbre que ses écrits religieux; mais ce qui le rendait surtout remarquable c'était son caractère personnel; il y avait en lui un rare mélange de pénétration et d'enthousiasme; il observait les hommes avec une finesse d'esprit singulière, et s'abandonnait avec une confiance absolue à des idées qu'on pourrait nommer superstitieuses; il avait de l'amour-propre, et peut-être cet amour-propre a-t-il été la cause de ses opinions bizarres sur lui-même et sur sa vocation miraculeuse; cependant rien n'égalait la simplicité religieuse et la candeur de son âme; on ne pouvait voir sans étonnement, dans un salon de nos jours, un ministre du saint Evangile inspiré comme les apôtres et spirituel comme un homme du monde. Le garant de la sincérité de Lavater, c'étaient ses bonnes actions et son beau regard, qui portait l'empreinte d'une inimitable vérité.

Les écrivains religieux de l'Allemagne actuelle sont divisés en deux classes très distinctes, les défenseurs de la réformation et les partisans du catholicisme. J'examinerai à part les écrivains de ces diverses opinions; mais ce qu'il importe d'affirmer avant tout, c'est que si le Nord de l'Allemagne est le pays où les questions théologiques ont été le plus agitées, c'est en même temps celui où les sentiments religieux sont le plus universels; le caractère national en est empreint, et le génie des arts et de la littérature y puise toute son inspiration. Enfin, parmi les gens du peuple, la religion a dans le Nord de l'Allemagne un caractère idéal et doux qui surprend singulièrement dans un pays dont on est accoutumé à croire les mœurs très rudes.

Une fois, en voyageant de Dresde à Leipzig, je m'arrêtai le soir à Meissen, petite ville placée sur une hauteur au-dessus de la rivière, et dont l'église renferme des tombeaux consacrés à d'illustres souvenirs. Je me promenais sur l'esplanade, et je me laissais aller à cette rêverie que le coucher du soleil, l'aspect lointain du paysage et le bruit de l'onde qui coule au fond de la vallée, excitent si facilement dans notre âme; j'entendis alors les voix de quelques hommes du peuple, et je craignais d'écouter des paroles vulgaires, telles qu'on en chante ailleurs dans les rues. Quel fut mon étonnement, lorsque je compris le refrain de leur chanson : *Ils se sont aimés et ils sont morts avec l'espoir de se retrouver un jour!* Heureux pays que celui où de tels sentiments sont populaires, et répandent jusque dans l'air qu'on respire je ne sais quelle fraternité religieuse dont l'amour pour le ciel et la pitié pour l'homme sont le touchant lien.

CHAPITRE III

DU CULTE DES FRÈRES MORAVES

Il y a peut-être trop de liberté dans le protestantisme pour contenter une certaine austérité religieuse qui peut s'emparer de l'homme accablé par de grands malheurs; quelquefois même, dans le cours habituel de la vie, la réalité de ce monde disparaît tout à coup, et l'on se sent au milieu de ses intérêts comme dans un bal dont on n'entendrait pas la musique. Le mouvement qu'on y verrait paraîtrait insensé, une espèce d'apathie rêveuse s'empare également du bramin et du sauvage, quand l'un, à force de penser, et l'autre, à force d'ignorer, passent des heures entières dans la contemplation muette de la destinée. La seule activité dont on soit susceptible alors est celle qui a le culte divin pour objet. On aime à faire à chaque instant quelque chose pour le ciel.; et c'est cette disposition qui inspire l'attrait pour les couvents, quoiqu'ils aient d'ailleurs des inconvénients très graves.

Les établissements moraves sont les couvents des protestants, et c'est l'enthousiasme religieux du Nord de l'Allemagne qui leur a donné naissance il y a cent années. Mais quoique cette association soit aussi sévère qu'un couvent catholique, elle est plus libérale dans les principes; on n'y fait point de vœu, tout y est volontaire; les hommes et les femmes ne sont pas séparés, et le mariage n'y est point interdit. Néanmoins la société entière est ecclésiastique, c'est-à-dire que tout s'y fait par la religion et pour elle; c'est l'autorité de l'Eglise qui régit cette communauté de fidèles, mais cette Eglise est sans prêtres, et le sacerdoce y est exercé tour à tour par les personnes les plus religieuses et les plus vénérables.

Les hommes et les femmes, avant d'être mariés, vivent séparément les uns des autres dans des réunions où règne l'égalité la plus parfaite. La journée entière est remplie par des travaux, les mêmes pour tous les rangs; l'idée de la Providence, constamment présente, dirige toutes les actions de la vie des moraves.

Quand un jeune homme veut prendre une compagne, il s'adresse à la doyenne des filles ou des veuves, et lui demande celle qu'il voudrait épouser. L'on tire au sort à l'église pour savoir s'il doit ou non s'unir à la femme qu'il préfère; et si le sort est contre lui, il renonce à sa demande. Les moraves ont tellement l'habitude de se résigner qu'ils ne résistent point à cette décision; et comme ils ne voient les femmes qu'à l'église, il leur en coûte moins pour renoncer à leur choix. Cette manière de prononcer sur le mariage, et sur beaucoup d'autres circonstances de la vie, indique l'esprit général du culte des moraves. Au lieu de s'en tenir à la soumission à la volonté du ciel, ils se figurent qu'ils peuvent la connaître ou par des inspirations, ou, ce qui est plus étrange encore, en interrogeant le hasard. Le devoir et les événements manifestent à l'homme les voies de Dieu sur la terre; comment peut-il se flatter de les pénétrer par d'autres moyens ?

L'on observe d'ailleurs en général, chez les moraves, les mœurs évangéliques telles qu'elles devaient exister du temps des apôtres dans les communautés chrétiennes. Ni les dogmes extraordinaires ni les pratiques scrupuleuses ne font le lien de cette association : l'Evangile y est interprété de la manière la plus naturelle et la plus claire; mais on y est fidèle aux conséquences de cette doctrine, et l'on met, sous tous les rapports, sa conduite en harmonie avec les principes religieux. Les communautés moraves servent surtout à prouver que le protestantisme, dans sa simplicité, peut mener au genre de vie le plus austère et à la religion la plus enthousiaste, la mort et l'immortalité bien comprises suffisent pour occuper et diriger toute l'existence.

J'ai été il y a quelque temps à Dintendorf, petit village près d'Erfurt, où une communauté de moraves s'est établie. Ce village est à trois lieues de toute grande route; il est placé entre deux montagnes sur le bord d'un ruisseau; des saules et des peupliers élevés l'entourent ;

il y a dans l'aspect de la contrée quelque chose de calme et de doux qui prépare l'âme à sortir des agitations de la vie. Les maisons et les rues sont d'une propreté parfaite; les femmes, toutes habillées de même, cachent leurs cheveux et ceignent leur tête avec un ruban dont les couleurs indiquent si elles sont mariées, filles ou veuves; les hommes sont vêtus de brun, à peu près comme les quakers. Une industrie mercantile les occupe presque tous; mais on n'entend pas le moindre bruit dans le village. Chacun travaille avec régularité et tranquillité; et l'action intérieure des sentiments religieux apaise tout autre mouvement.

Les filles et les veuves habitent ensemble dans un grand dortoir, et pendant la nuit une d'elles veille tour à tour pour prier ou pour soigner celles qui pourraient devenir malades. Les hommes non mariés vivent de la même manière. Ainsi il existe une grande famille pour celui qui n'a pas la sienne, et le nom de frère et de sœur est commun à tous les chrétiens.

A la place de cloches, des instruments à vent d'une très belle harmonie invitent au service divin. En marchant pour aller à l'église au son de cette musique imposante, on se sentait enlevé à la terre; on croyait entendre les trompettes du jugement dernier, non telles que le remords nous les fait craindre, mais telles qu'une pieuse confiance nous les fait espérer; il semblait que la miséricorde divine se manifestait dans cet appel et prononçait d'avance un pardon régénérateur.

L'église était décorée de roses blanches et de fleurs d'aubépine; les tableaux n'étaient point bannis du temple, et la musique y était cultivée comme faisant partie du culte; on n'y chantait que des psaumes; il n'y avait ni sermon, ni messe, ni raisonnement, ni discussion théologique; c'était le culte de Dieu en esprit et en vérité. Les femmes, toutes en blanc, étaient rangées les unes à côté des autres sans aucune distinction quelconque; elles semblaient des ombres innocentes qui venaient à comparaître devant le tribunal de la divinité.

Le cimetière des moraves est un jardin dont les allées sont marquées par des pierres funéraires, à côté desquelles on a planté un arbuste à fleurs. Toutes ces pierres sont égales; aucun de ces arbustes ne s'élève au-dessus de l'autre, et la même épitaphe sert pour tous les morts : *Il est né tel jour, et tel autre il est retourné dans sa patrie.* Admirable expression pour désigner le terme de notre vie! Les Anciens disaient, *Il a vécu*, et jetaient ainsi un voile sur la tombe pour en dérober l'idée. Les chrétiens placent au-dessus d'elle l'étoile de l'espérance.

Le jour de Pâques le service divin se célèbre dans le cimetière qui est placé à côté de l'église, et la résurrection est annoncée au milieu des tombeaux. Tous ceux qui sont présents à cet acte du culte savent quelle est la pierre qu'on doit placer sur leur cercueil, et respirent déjà le parfum du jeune arbre dont les feuilles et les fleurs se pencheront sur leurs tombes. C'est ainsi qu'on a vu, dans les temps modernes, une armée tout entière, assistant à ses propres funérailles, dire pour elle-même le service des morts, décidée qu'elle était à conquérir l'immortalité[1].

La communion des moraves ne peut point s'adapter à l'état social tel que les circonstances nous le commandent; mais comme on a beaucoup dit depuis quelque temps que le catholicisme seul parlait à l'imagination, il importe d'observer que ce qui remue vraiment l'âme dans la religion est commun à toutes les églises chrétiennes. Un sépulcre et une prière épuisent toute la puissance de l'attendrissement; et plus la croyance est simple, plus le culte cause d'émotion.

1. C'est à Saragosse qu'a eu lieu l'admirable scène à laquelle je faisais allusion, sans oser la désigner plus clairement. Un aide de camp du général français vint proposer à la garnison de la ville de se rendre, et le chef des troupes espagnoles le conduisit sur la place publique; il vit sur cette place et dans l'église tendue de noir les soldats et les officiers à genoux, entendant le service des morts. En effet, bien peu de ces guerriers vivent encore, et les habitants de la ville ont aussi partagé le sort de leurs défenseurs. (Note de Mme de Staël.)

CHAPITRE IV

DU CATHOLICISME

La religion catholique est plus tolérante en Allemagne que dans tout autre pays. La paix de Westphalie ayant fixé les droits des différentes religions, elles ne craignent plus leurs envahissements mutuels, et d'ailleurs le mélange des cultes, dans un grand nombre de villes, a nécessairement amené l'occasion de se voir et de se juger. Dans les opinions religieuses comme dans les opinions politiques, on se fait de ses adversaires un fantôme qui se dissipe presque toujours par leur présence; la sympathie nous montre un semblable dans celui qu'on croyait son ennemi.

Le protestantisme étant beaucoup plus favorable aux lumières que le catholicisme, les catholiques en Allemagne se sont mis sur une espèce de défensive qui nuit beaucoup au progrès des idées. Dans les pays où la religion catholique régnait seule, tels que la France et l'Italie, on a su la réunir à la littérature et aux beaux-arts; mais en Allemagne, où les protestants se sont emparés, par les universités et leur tendance naturelle, de tout ce qui tient aux études littéraires et philosophiques, les catholiques se sont crus obligés de leur opposer un certain genre de réserve qui éteint presque tout moyen de se distinguer dans la carrière de l'imagination et de la pensée. La musique est le seul des beaux-arts porté dans le Midi de l'Allemagne à un plus haut degré de perfection que dans le Nord, à moins que l'on ne compte comme l'un des beaux-arts un certain genre de vie commode dont les jouissances s'accordent assez bien avec le repos de l'esprit.

Il y a parmi les catholiques, en Allemagne, une piété sincère, tranquille et charitable, mais il n'y a point de prédicateurs célèbres, ni d'écrivains religieux à citer, rien n'y excite le mouvement de l'âme; l'on y prend la religion comme une chose de fait où l'enthousiasme n'a point de part, et l'on dirait que dans un culte si bien consolidé l'autre vie elle-même devient une vérité positive sur laquelle on n'exerce plus la pensée.

La révolution qui s'est faite dans les esprits philosophiques en Allemagne depuis trente ans les a presque tous ramenés aux sentiments religieux. Ils s'en étaient un peu écartés, lorsque l'impulsion nécessaire pour propager la tolérance avait dépassé son but, mais en rappelant l'idéalisme dans la métaphysique, l'inspiration dans la poésie, la contemplation dans les sciences, on a renouvelé l'empire de la religion; et la réforme de la réformation ou plutôt la direction philosophique de la liberté qu'elle a donnée, a banni pour jamais, du moins en théorie, le matérialisme et toutes ses applications funestes. Au milieu de cette révolution intellectuelle, si féconde en nobles résultats, quelques hommes ont été trop loin, comme il arrive toujours dans les oscillations de la pensée.

On dirait que l'esprit humain se précipite toujours d'un extrême à l'autre, comme si les opinions qu'il vient de quitter se changeaient en remords pour le poursuivre. La réformation, disent quelques écrivains de la nouvelle école, a été la cause de plusieurs guerres de religion; elle a séparé le Nord du Midi de l'Allemagne; elle a donné aux Allemands la funeste habitude de se combattre les uns les autres, et ces divisions leur ont ôté le droit de s'appeler une nation. Enfin la réformation, en introduisant l'esprit d'examen, a rendu l'imagination aride, et mis le doute à la place de la foi; il faut donc, répètent ces mêmes hommes, revenir à l'unité de l'Eglise en retournant au catholicisme.

D'abord, si Charles Quint avait adopté le luthéranisme, il y aurait eu de même unité dans l'Allemagne, et le pays entier serait, comme la partie du Nord, l'asile des sciences et des lettres. Peut-être que cet accord aurait donné naissance à des institutions libres, combinées avec une force réelle; et peut-être aurait-on évité cette triste séparation du caractère et des lumières qui a livré le Nord à la rêverie et maintenu le Midi dans son ignorance. Mais sans se perdre en conjectures sur ce qui serait arrivé, calcul toujours très incertain, on ne peut nier que l'époque de la réformation ne soit celle où les lettres et la philosophie se sont introduites en Allemagne. Ce pays ne peut être mis au premier rang ni pour la guerre, ni pour les arts, ni pour la liberté politique : ce sont les lumières dont l'Allemagne a droit de s'enorgueillir, et son influence sur l'Europe pensante date du protestantisme. De telles révolutions ne s'opèrent ni ne se détruisent par des raisonnements, elles appartiennent à la marche historique de l'esprit humain; et les hommes qui paraissent en être les auteurs n'en sont jamais que les conséquences.

Le catholicisme, aujourd'hui désarmé, a la majesté d'un vieux lion qui jadis faisait trembler l'univers; mais quand les abus de son pouvoir amenèrent la Réformation, il mettait des entraves à l'esprit humain; et loin que ce fût par sécheresse de cœur qu'on s'opposait alors à son ascendant, c'était pour faire usage de toutes les facultés de l'esprit et de l'imagination qu'on réclamait avec force la liberté de penser. Si des circonstances toutes divines, et où la main des hommes ne se ferait sentir en rien, amenaient un jour un rapprochement entre les deux Eglises, on prierait Dieu, ce me semble, avec une émotion nouvelle, à côté des prêtres vénérables qui, dans les dernières années du siècle passé, ont tant souffert pour leur conscience. Mais ce n'est sûrement pas le changement de religion de quelques hommes, ni surtout l'injuste défaveur que leurs écrits tendent à jeter sur la religion réformée, qui pourrait conduire à l'unité des opinions religieuses.

Il y a dans l'esprit humain deux forces très distinctes, l'une inspire le besoin de croire, l'autre celui d'examiner. L'une de ces facultés ne doit pas être satisfaite aux dépens de l'autre : le protestantisme et le catholicisme ne viennent point de ce qu'il y a eu des papes et un Luther; c'est une pauvre manière de considérer l'histoire que de l'attribuer à des hasards. Le protestantisme et le catholicisme existent dans le cœur humain; ce sont des puissances morales qui se développent dans les nations, parce qu'elles existent dans chaque homme. Si dans la religion, comme dans les autres affections humaines, on peut réunir ce que l'imagination et la raison souhaitent, il y a paix dans l'homme; mais en lui, comme dans l'univers, la puissance de créer et celle de détruire, la foi et l'examen, se succèdent et se combattent.

On a voulu, pour réunir ces deux penchants, creuser plus avant dans l'âme; et de là sont venues les opinions mystiques dont nous parlerons dans le chapitre suivant; mais le petit nombre de personnes qui ont abjuré le protestantisme n'ont fait que renouveler des haines. Les anciennes dénominations raniment les anciennes querelles; la magie se sert de certaines paroles pour évoquer les fantômes; on dirait que sur tous les sujets il y a des mots qui exercent ce pouvoir : ce sont ceux qui ont servi de ralliement à l'esprit de parti; on ne peut les prononcer sans agiter de nouveau les flambeaux de la discorde. Les catholiques allemands se sont montrés jusqu'à présent très étrangers à ce qui se passait à cet égard dans le Nord. Les opinions littéraires semblent la cause du petit nombre de changements de religion qui ont eu lieu, et l'ancienne et vieille Eglise ne s'en est guère occupée.

Le comte Frédéric Stolberg, homme très respectable par son caractère et par ses talents, célèbre, dès sa jeunesse, comme poète, comme admirateur passionné de l'antiquité, et comme traducteur d'Homère, a donné le premier, en Allemagne, le signal de ces conversions nouvelles, qui ont eu depuis des imitateurs. Les plus illustres amis du comte de Stolberg, Klopstock, Voss et Jacobi, se sont éloignés de lui pour cette abjuration qui semble désavouer les malheurs et les combats que les réformés ont soutenus pendant trois siècles; cependant M. de Stolberg vient de publier une histoire de la religion de Jésus-Christ faite pour mériter l'approbation de toutes les communions chrétiennes. C'est la première fois qu'on a vu les opinions catholiques défendues de cette manière; et si le comte de Stolberg n'avait pas été élevé dans le protestantisme, peut-être n'aurait-il pas eu l'indépendance d'esprit qui lui sert à faire impression sur les hommes éclairés.

On trouve dans ce livre une connaissance parfaite des saintes écritures, et des recherches très intéressantes sur les différentes religions de l'Asie en rapport avec le christianisme. Les Allemands du Nord, lors même qu'ils se soumettent aux dogmes les plus positifs, savent toujours leur donner l'empreinte de leur philosophie. Le comte de Stolberg attribue à l'Ancien Testament, dans son ouvrage, une beaucoup plus grande part que les écrivains protestants ne lui en accordent d'ordinaire. Il considère le sacrifice comme la base de toute religion, et la mort d'Abel comme le premier type de ce sacrifice qui fonde le christianisme. De quelque manière qu'on juge cette opinion, elle donne beaucoup à penser. La plupart des religions anciennes ont institué des sacrifices humains; mais dans cette barbarie il y avait quelque chose de remarquable : c'est le besoin d'une expiation solennelle. Rien ne peut effacer de l'âme en effet la conviction qu'il y a quelque chose de très mystérieux dans le sang de l'innocent, et que la terre et le ciel s'en émeuvent. Les hommes ont toujours cru que des justes pouvaient obtenir dans cette vie ou dans l'autre le pardon des criminels. Il y a dans le genre humain des idées primitives qui reparaissent plus ou moins défigurées dans tous les temps et chez tous les peuples. Ce sont ces idées sur lesquelles on ne saurait se lasser de méditer, car elles renferment sûrement quelques traces des titres perdus de la race humaine.

La persuasion que les prières et le dévouement du juste peuvent sauver les coupables est sans doute tirée des sentiments que nous éprouvons dans les rapports de la vie, mais rien n'oblige, en fait de croyance religieuse, à rejeter ces inductions : que savons-nous de plus que nos sentiments, et pourquoi prétendrait-on qu'ils ne doivent point s'appliquer aux vérités de la foi ? Que peut-il y avoir dans l'homme que lui-même, et pourquoi, sous prétexte d'anthropomorphisme, l'empêcher de se former, d'après son âme, une image de la divinité ? Nul autre messager ne saurait, je pense, lui en donner des nouvelles.

Le comte de Stolberg s'attache à démontrer que la tradition de la chute de l'homme a existé chez tous les peuples de la terre, et particulièrement en Orient, et que tous les hommes ont eu dans le cœur le souvenir d'un bonheur dont ils avaient été privés. En effet, il y a dans l'esprit humain deux tendances aussi distinctes que la gravitation et l'impulsion dans le monde physique : c'est l'idée d'une décadence et celle d'un perfectionnement. On dirait que nous éprouvons tout à la fois le regret de quelques beaux dons qui nous étaient accordés gratuitement, et l'espérance de quelques biens que nous pouvons acquérir par nos efforts; de manière que la doctrine de la perfectibilité et celle de l'âge d'or réunies et confondues excitent tout à la fois dans l'homme le chagrin d'avoir perdu et l'émulation de recouvrer. Le sentiment est mélancolique, et l'esprit audacieux : l'un regarde en arrière, l'autre en avant; de cette rêverie et de cet élan naît la véritable supériorité de l'homme, le mélange de contemplation et d'activité, de résignation et de volonté qui lui permet de rattacher au ciel sa vie dans ce monde.

Stolberg n'appelle chrétiens que ceux qui reçoivent avec la simplicité des enfants les paroles de l'écriture sainte; mais il porte dans l'interprétation de ces paroles un esprit de philosophie qui ôte aux opinions catholiques ce qu'elles ont de dogmatique et d'intolérant. En quoi diffèrent-ils donc entre eux ces hommes religieux dont l'Allemagne s'honore, et pourquoi les noms de catholique ou de protestant les sépareraient-ils ? Pourquoi seraient-ils infidèles aux tombeaux de leurs aïeux pour quitter ces noms ou pour les reprendre ? Klopstock n'a-t-il pas consacré sa vie entière à faire d'un beau poème le temple de l'Evangile ? Herder n'est-il pas, comme Stolberg, adorateur de la Bible ? Ne pénètre-t-il pas dans toutes les beautés de la langue primitive et des sentiments d'origine céleste qu'elle exprime ? Jacobi ne reconnaît-il pas la divinité dans toutes les grandes pensées de l'homme ? Aucun de ces hommes recommanderait-il la religion uniquement comme un frein pour le peuple, comme un moyen de sûreté publique, comme un garant de plus dans les contrats de ce monde ? Ne savent-ils pas tous que les esprits supérieurs ont encore plus besoin de piété que les hommes du peuple ? Car le travail maintenu par l'autorité sociale peut occuper et guider la classe laborieuse dans tous les instants de sa vie, tandis que les hommes oisifs sont sans cesse en proie aux passions et aux sophismes qui agitent l'existence et remettent tout en question.

On a prétendu que c'était une sorte de frivolité, dans les écrivains allemands, de présenter comme l'un des mérites de la religion chrétienne l'influence favorable qu'elle exerçait sur les arts, l'imagination et la poésie; et le même reproche a été fait à cet égard au bel ouvrage de M. de Chateaubriand, sur *le Génie du christianisme*. Les esprits vraiment frivoles ce sont ceux qui prennent des vues courtes pour des vues profondes, et se persuadent qu'on peut procéder avec la nature humaine par voie d'exclusion, et supprimer la plupart des désirs et des besoins de l'âme. C'est une des grandes preuves de la divinité de la religion chrétienne que son analogie parfaite avec toutes nos facultés morales; seulement il ne me paraît pas qu'on puisse considérer la poésie du christianisme sous le même aspect que la poésie du paganisme.

Comme tout était extérieur dans le culte païen, la pompe des images y est prodiguée; le sanctuaire du christianisme étant au fond du cœur, la poésie qu'il inspire doit toujours naître de l'attendrissement. Ce n'est pas la splendeur du ciel chrétien qu'on peut opposer à l'Olympe, mais la douleur et l'innocence, la vieillesse et la mort qui prennent un caractère d'élévation et de repos à l'abri de ces espérances religieuses dont les ailes s'étendent sur les misères de la vie. Il n'est donc pas vrai, ce me semble, que la religion protestante soit dépourvue de poésie, parce que les pratiques du culte y ont moins d'éclat que dans la religion catholique. Des cérémonies plus ou moins bien exécutées, selon la richesse des villes et la magnificence des édifices, ne sauraient être la cause principale de l'impression que produit le service divin; ce sont ces rapports avec nos sentiments intérieurs qui nous émeuvent, rapports qui peuvent exister dans la simplicité comme dans la pompe.

J'étais il y a quelque temps dans une église de campagne dépouillée de tout ornement, aucun tableau n'en décorait les blanches murailles, elle était nouvellement bâtie, et nul souvenir d'un long passé ne la rendait vénérable : la musique même, que les saints les plus austères ont placée dans le ciel comme la jouissance des bienheureux, se faisait à peine entendre, et les psaumes étaient chantés par des voix sans harmonie, que les travaux de la terre et le poids des années rendaient rauques et confuses; mais au milieu de cette réunion rustique, où manquaient toutes les splendeurs humaines, on voyait un homme pieux dont le cœur était profondément ému par la mission qu'il remplissait [1]. Ses regards, sa physionomie pouvaient servir de modèle à quelques-uns des tableaux dont les autres temples sont parés; ses accents répondaient au concert des anges. Il y avait là devant nous une créature mortelle, convaincue de notre immortalité, de celle de nos amis que nous avons perdus, de celle de nos enfants qui nous survivront de si peu dans la carrière du temps! et la persuasion intime d'une âme pure semblait une révélation nouvelle.

Il descendit de sa chaire pour donner la communion

1. M. Célérier, pasteur de Satigny, près de Genève. (Note de Mme de Staël.)

aux fidèles qui vivent à l'abri de son exemple. Son fils était comme lui ministre de l'Eglise, et, sous des traits plus jeunes, il avait, ainsi que son père, une expression pieuse et recueillie. Alors, selon l'usage, le père et le fils se donnèrent mutuellement le pain et la coupe qui servent chez les protestants de commémoration au plus touchant des mystères; le fils ne voyait dans son père qu'un pasteur plus avancé que lui dans l'état religieux qu'il voulait suivre; le père respectait dans son fils la sainte vocation qu'il avait embrassée. Tous deux s'adressèrent en communiant ensemble les passages de l'Evangile faits pour resserrer d'un même lien les étrangers comme les amis; et, renfermant dans leur cœur tous les deux leurs sentiments les plus intimes, ils semblaient oublier leurs relations personnelles en présence de la divinité, pour qui les pères et les fils sont tous également des serviteurs du tombeau et des enfants de l'espérance.

Quelle poésie, quelle émotion, source de toute poésie, pouvait manquer au service divin dans un tel moment!

Les hommes dont les affections sont désintéressées et les pensées religieuses; les hommes qui vivent dans le sanctuaire de leur conscience, et savent y concentrer, comme dans un miroir ardent, tous les rayons de l'univers; ces hommes, dis-je, sont les prêtres du culte de l'âme, et rien ne doit jamais les désunir. Un abîme sépare ceux qui se conduisent par le calcul et ceux qui sont guidés par le sentiment; toutes les autres différences d'opinions ne sont rien, celle-là seule est radicale. Il se peut qu'un jour un cri d'union s'élève, et que l'universalité des chrétiens aspire à professer la même religion théologique, politique et morale; mais avant que ce miracle soit accompli, tous les hommes qui ont un cœur et qui lui obéissent doivent se respecter mutuellement.

CHAPITRE V

DE LA DISPOSITION RELIGIEUSE APPELÉE MYSTICITÉ

La disposition religieuse, appelée *mysticité*, n'est qu'une manière plus intime de sentir et de concevoir le christianisme. Comme dans le mot de mysticité est renfermé celui de mystère, on a cru que les mystiques professaient des dogmes extraordinaires et faisaient une secte à part. Il n'y a de mystères chez eux que ceux du sentiment appliqués à la religion, et le sentiment est à la fois ce qu'il y a de plus clair, de plus simple et de plus inexplicable : il faut distinguer cependant les *théosophes*, c'est-à-dire ceux qui s'occupent de la théologie philosophique, tels que Jacob Boehme, Saint-Martin, etc., des simples mystiques; les premiers veulent pénétrer le secret de la création; les seconds s'en tiennent à leur propre cœur. Plusieurs pères de l'Eglise, Thomas A-Kempis, Fénelon, saint François de Sales, etc.; et chez les protestants un grand nombre d'écrivains anglais et allemands ont été des mystiques, c'est-à-dire des hommes qui faisaient de la religion un amour, et la mêlaient à toutes leurs pensées comme à toutes leurs actions.

Le sentiment religieux, qui est la base de toute la doctrine des mystiques, consiste dans une paix intérieure pleine de vie. Les agitations des passions ne laissent point de calme : la tranquillité de la sécheresse et de la médiocrité d'esprit tue la vie de l'âme; il n'y a que dans le sentiment religieux qu'on trouve une réunion parfaite du mouvement et du repos. Cette disposition n'est continuelle, je crois, dans aucun homme, quelque pieux qu'il puisse être; mais le souvenir et l'espérance de ces saintes émotions décident de la conduite de ceux qui les ont éprouvées.

Si l'on considère les peines et les plaisirs de la vie comme l'effet du hasard ou du bien joué, alors le désespoir et la joie doivent être pour ainsi dire des mouvements convulsifs. Car quel hasard que celui qui dispose de notre existence ? Quel orgueil ou quel regret ne doit-on pas éprouver, quand il s'agit d'une démarche qui a pu influer sur tout notre sort ? A quels tourments d'incertitude ne devrait-on pas être livré si notre raison disposait seule de notre destinée dans ce monde ? Mais si l'on croit, au contraire, qu'il n'y a que deux choses importantes pour le bonheur, la pureté de l'intention et la résignation à l'événement, quel qu'il soit, lorsqu'il ne dépend plus de nous, sans doute beaucoup de circonstances nous feront encore cruellement souffrir, mais aucune ne rompra nos liens avec le ciel. Lutter contre l'impossible est ce qui engendre en nous les sentiments les plus amers; et la colère de Satan n'est autre chose que la liberté aux prises avec la nécessité, et ne pouvant ni la dompter ni s'y soumettre.

L'opinion dominante parmi les chrétiens mystiques, c'est que le seul hommage qui puisse plaire à Dieu c'est celui de la volonté dont il a fait don à l'homme : quelle offrande plus désintéressée pouvons-nous, en effet, présenter à la divinité ? Le culte, l'encens, les hymnes ont presque toujours pour but d'obtenir les prospérités de la terre, et c'est ainsi que la flatterie de ce monde entoure les monarques : mais se résigner à la volonté de Dieu, ne vouloir rien que ce qu'il veut, c'est l'acte religieux le plus pur dont l'âme humaine soit capable. Trois sommations sont faites à l'homme pour obtenir de lui cette résignation, la jeunesse, l'âge mûr et la vieillesse : heureux ceux qui se soumettent à la première!

C'est l'orgueil en toutes choses qui met le venin dans la blessure : l'âme révoltée accuse le ciel, l'homme religieux laisse la douleur agir sur lui, selon l'intention de celui qui l'envoie; il se sert de tous les moyens qui sont en sa puissance pour l'éviter ou pour la soulager : mais quand l'événement est irrévocable, les caractères sacrés de la volonté suprême y sont empreints.

Quel malheur accidentel peut être comparé à la vieillesse et à la mort? Et cependant presque tous les hommes s'y résignent, parce qu'il n'y a point d'armes contre elles : d'où vient donc que chacun se révolte contre les malheurs particuliers, tandis que tous se plient sous le malheur universel ? C'est qu'on traite le sort comme un gouvernement à qui l'on permet de faire souffrir tout le monde, pourvu qu'il n'accorde de privilèges à personne. Les malheurs que nous avons en commun avec nos semblables sont aussi durs, et nous causent autant de souffrance que nos malheurs particuliers; et cependant ils n'excitent presque jamais en nous la même rébellion. Pourquoi les hommes ne se disent-ils pas qu'il faut supporter ce qui les concerne personnellement, comme ils supportent la condition de l'humanité en général ? C'est qu'on croit trouver de l'injustice dans son partage individuel. Singulier orgueil de l'homme de vouloir juger la divinité avec l'instrument qu'il a reçu d'elle ? Que sait-il de ce qu'éprouve un autre ? Que sait-il de lui-même ? Que sait-il de rien, excepté de son sentiment intérieur ? Et ce sentiment, plus il est intime, plus il contient le secret de notre félicité; car n'est-ce pas dans le fond de nous-mêmes que nous sentons le bonheur ou le malheur ? L'amour religieux ou l'amour-propre pénètrent seuls jusqu'à la source de nos pensées les plus cachées. Sous le nom d'amour religieux sont renfermées toutes les affections désintéressées, et sous celui d'amour-propre tous les penchants égoïstes : de quelque manière que le sort nous seconde ou nous contrarie, c'est toujours de l'ascendant de l'un de ces amours sur l'autre que dépend la jouissance calme ou le malaise inquiet.

C'est manquer, ce me semble, tout à fait de respect à la Providence que de nous supposer en proie à ces fantômes qu'on appelle les événements : leur réalité consiste dans ce qu'ils produisent sur l'âme, et il y a une égalité parfaite entre toutes les situations et toutes les destinées, non pas vues extérieurement, mais jugées d'après leur influence sur le perfectionnement religieux. Si chacun de nous veut examiner attentivement la trame de sa propre vie, il y verra deux tissus parfaitement distincts; l'un qui semble en entier soumis aux causes et aux effets naturels; l'autre dont la tendance tout à fait mystérieuse ne se comprend qu'avec le temps. C'est comme les tapisseries de haute lice, dont on travaille les peintures à l'envers, jusqu'à ce que mises en place on en puisse juger l'effet. On finit par apercevoir même dans cette vie pourquoi l'on a souffert, pourquoi l'on n'a pas obtenu ce qu'on désirait. L'amélioration de notre propre cœur nous révèle l'intention bienfaisante qui nous a soumis à la peine; car les prospérités de la terre auraient même quelque chose de redoutable si elles tombaient sur nous après que nous nous serions rendus coupables de grandes fautes : on se croirait alors abandonné par la main de celui qui nous livrerait au bonheur ici-bas, comme à notre seul avenir.

Ou tout est hasard, ou il n'y en a pas un seul dans ce monde, et s'il n'y en a pas, le sentiment religieux consiste à se mettre en harmonie avec l'ordre universel, malgré l'esprit de rébellion ou d'envahissement que l'égoïsme inspire à chacun de nous en particulier. Tous les dogmes et tous les cultes sont les formes diverses que ce sentiment religieux a revêtues selon les temps et selon les pays; il peut se dépraver par la terreur, quoiqu'il soit fondé sur la confiance; mais il consiste toujours dans la conviction qu'il n'y a rien d'accidentel dans les événements, et que notre seule manière d'influer sur le sort c'est en agissant sur nous-mêmes. La raison n'en règne pas moins dans tout ce qui tient à la conduite de la vie; mais quand cette ménagère de l'existence l'a arrangée le mieux qu'elle a pu, le fond de notre cœur appartient toujours à l'amour, et, ce qu'on appelle mysticité, c'est cet amour dans sa pureté la plus parfaite.

L'élévation de l'âme vers son Créateur est le culte suprême des chrétiens mystiques; mais ils ne s'adressent point à Dieu pour demander telle ou telle prospérité de cette vie. Un écrivain français qui a des lueurs sublimes, M. de Saint-Martin, a dit *que la prière était la respiration de l'âme*. Les mystiques sont pour la plupart convaincus qu'il y a réponse à cette prière, et que la grande révélation du christianisme peut se renouveler en quelque sorte dans l'âme chaque fois qu'elle s'élève avec ardeur vers le ciel. Quand on croit qu'il n'existe plus de communication immédiate entre l'Etre Suprême et l'homme, la prière n'est pour ainsi dire qu'un monologue; mais elle devient un acte bien plus secourable lorsqu'on est persuadé que la divinité se fait sentir au fond de notre cœur. En effet, on ne saurait nier, ce me semble, qu'il ne se passe en nous des mouvements qui ne nous viennent en rien du dehors, et qui nous calment ou nous soutiennent, sans qu'on puisse les attribuer à la liaison ordinaire des événements de la vie.

Des hommes qui ont mis de l'amour-propre dans une doctrine en entier fondée sur l'abnégation de l'amour-propre ont tiré parti de ces secours inattendus pour se faire des illusions de tout genre : ils se sont crus des élus ou des prophètes; ils se sont imaginé qu'ils avaient des visions; enfin ils sont entrés en superstition vis-à-vis d'eux-mêmes. Que ne peut l'orgueil humain, puisqu'il s'insinue dans le cœur sous la forme même de l'humilité! Mais il n'en est pas moins vrai que rien n'est plus simple et plus pur que les rapports de l'âme avec Dieu, tels qu'ils sont conçus par ce qu'on a coutume d'appeler les mystiques, c'est-à-dire les chrétiens qui mettent l'amour dans la religion.

En lisant les œuvres spirituelles de Fénelon, qui pourra n'être pas attendri! Où trouver tant de lumières, tant de consolations, tant d'indulgence? Il n'y a là ni fanatisme, ni austérités autres que celles de la vertu, ni intolérance, ni exclusion. Les diversités des communions chrétiennes ne peuvent être senties à cette hauteur qui est au-dessus de toutes les formes accidentelles que le temps crée et détruit.

Il serait bien téméraire assurément celui qui se hasarderait à prévoir ce qui tient à de si grandes choses : néanmoins j'oserai dire que tout tend à faire triompher les sentiments religieux dans les âmes. Le calcul a pris un tel empire sur les affaires de ce monde que les caractères qui ne s'y prêtent pas sont naturellement rejetés dans l'extrême opposé. C'est pourquoi tous les penseurs solitaires, d'un bout du monde à l'autre, cherchent à rassembler, dans un même foyer, les rayons épars de la littérature, de la philosophie et de la religion.

On craint en général que la doctrine de la résignation religieuse, appelée dans le siècle dernier le quiétisme, ne dégoûte de l'activité nécessaire dans cette vie. Mais la nature se charge assez de soulever en nous les passions individuelles pour qu'on n'ait pas beaucoup à craindre d'un sentiment qui les calme.

Nous ne disposons ni de notre naissance ni de notre mort, et plus des trois quarts de notre destinée sont décidées par ces deux événements. Nul ne peut changer les données primitives de sa naissance, de son pays, de son siècle, etc. Nul ne peut acquérir la figure ou le génie qu'il n'a pas reçus de la nature; et de combien d'autres circonstances impérieuses encore la vie n'est-elle pas composée? Si notre sort consiste en cent lots divers, il y en a quatre-vingt-dix-neuf qui ne dépendent pas de nous; et toute la fureur de notre volonté se porte sur la faible portion qui semble encore en notre puissance. Or l'action de la volonté même sur cette faible portion est singulièrement incomplète. Le seul acte de la liberté de l'homme qui atteigne toujours son but, c'est l'accomplissement du devoir : l'issue de toutes les autres résolutions dépend en entier des accidents auxquels la prudence même ne peut rien. La plupart des hommes n'obtiennent pas ce qu'ils veulent fortement : et la prospérité même, lorsqu'ils en ont, leur vient souvent par une voie inattendue.

La doctrine de la mysticité passe pour sévère, parce qu'elle commande le détachement de soi, et que cela semble avec raison fort difficile : mais elle est dans le fait la plus douce de toutes; elle consiste dans ce proverbe, *faire de nécessité vertu :* faire de nécessité vertu, dans le sens religieux, c'est attribuer à la Providence le gouvernement de ce monde, et trouver dans cette pensée une consolation intime. Les écrivains mystiques n'exigent rien au-delà de la ligne du devoir, telle que tous les hommes honnêtes l'ont tracée; ils ne commandent point de se faire des peines à soi-même, ils pensent que l'homme ne doit ni appeler sur lui la souffrance ni s'irriter contre elle quand elle arrive.

Quel mal pourrait-il donc résulter de cette croyance qui réunit le calme du stoïcisme avec la sensibilité des chrétiens ? — Elle empêche d'aimer, dira-t-on. Ah ! ce n'est pas l'exaltation religieuse qui refroidit l'âme : un seul intérêt de vanité a plus anéanti d'affections qu'aucun genre d'opinions austères : les déserts même de la Thébaïde n'affaiblissent pas la puissance du sentiment, et rien n'empêche d'aimer que la misère du cœur.

L'on attribue faussement un inconvénient très grave à la mysticité. Malgré la sévérité de ses principes, on prétend qu'elle rend trop indulgent sur les œuvres, à force de ramener la religion aux impressions intérieures de l'âme, et qu'elle porte les hommes à se résigner à leurs propres défauts, comme aux événements inévitables. Rien ne serait assurément plus contraire à l'esprit de l'Evangile que cette manière d'interpréter la soumission à la volonté de Dieu. Si l'on admettait que le sentiment religieux dispense en rien des actions, il en résulterait non seulement une foule d'hypocrites qui prétendraient qu'il ne faut pas les juger par ces vulgaires preuves de religion qu'on appelle les œuvres, et que leurs communications secrètes avec la divinité sont d'un ordre bien supérieur à l'accomplissement des devoirs; mais il y aurait aussi des hypocrites avec eux-mêmes, et l'on tuerait de cette manière la puissance des remords. En effet, qui n'a pas avec un peu d'imagination des moments d'attendrissement religieux ? Qui n'a pas quelquefois prié avec ardeur ? Et si cela suffisait pour être dispensé de la stricte observance des devoirs, la plupart des poètes pourraient se croire plus religieux que saint Vincent de Paul.

Mais c'est à tort que les mystiques ont été accusés de cette manière de voir; leurs ouvrages et leur vie attestent qu'ils sont aussi réguliers dans leur conduite morale que les hommes soumis aux pratiques du culte le plus sévère : ce qu'on appelle de l'indulgence en eux, c'est la pénétration qui fait analyser la nature de l'homme, au lieu de s'en tenir à lui commander l'obéissance. Les mystiques, s'occupant toujours du fond du cœur, ont l'air de pardonner ses égarements parce qu'ils en étudient les causes.

On a souvent accusé les mystiques, et même presque tous les chrétiens, d'être portés à l'obéissance passive envers l'autorité quelle qu'elle soit, et l'on a prétendu que la soumission à la volonté de Dieu, mal comprise, conduisait un peu trop souvent à la soumission aux volontés des hommes. Rien ne ressemble moins toutefois à la condescendance pour le pouvoir que la résignation religieuse. Sans doute elle peut consoler dans l'esclavage, mais c'est parce qu'elle donne alors à l'âme toutes les vertus de l'indépendance. Etre indifférent par religion à la liberté ou à l'oppression du genre humain, ce serait prendre la faiblesse du caractère pour l'humilité chrétienne, et rien n'en diffère davantage. L'humilité chrétienne se prosterne devant les pauvres et les malheureux, et la faiblesse de caractère ménage toujours le crime parce qu'il est fort dans ce monde.

Dans les temps de la chevalerie, lorsque le christianisme avait le plus d'ascendant, il n'a jamais demandé le sacrifice de l'honneur : or, pour les citoyens, la justice et la liberté sont aussi l'honneur. Dieu confond l'orgueil humain, mais non la dignité de l'espèce humaine, car cet orgueil consiste dans l'opinion qu'on a de soi, et cette dignité dans le respect pour les droits des autres.

Les hommes religieux ont du penchant à ne point se mêler des choses de ce monde sans y être appelés par un devoir manifeste, et il faut convenir que tant de passions sont agitées par les intérêts politiques, qu'il est rare de s'en être mêlé sans avoir de reproches à se faire : mais quand le courage de la conscience est évoqué, il n'en est point qui puisse rivaliser avec celui-là.

De toutes les nations, celle qui a le plus de penchant au mysticisme c'est la nation allemande. Avant Luther, plusieurs auteurs, parmi lesquels on doit citer Tauler, avaient écrit sur la religion dans ce sens. Depuis Luther, les moraves ont manifesté cette disposition plus qu'aucune autre secte. Vers la fin du dix-huitième siècle, Lavater a combattu avec une grande force le christianisme raisonné, que les théologiens berlinois avaient soutenu, et sa manière de sentir la religion est à beaucoup d'égards semblable à celle de Fénelon. Plusieurs poètes lyriques, depuis Klopstock jusqu'à nos jours, ont dans leurs écrits une teinte de mysticisme. La religion protestante, qui règne dans le Nord, ne suffit pas à l'imagination des Allemands, et le catholicisme étant opposé, par sa nature, aux recherches philosophiques, les Allemands religieux et penseurs doivent nécessairement se tourner vers une manière de sentir la religion qui puisse s'appliquer à tous les cultes. D'ailleurs l'idéalisme en philosophie a beaucoup d'analogie avec le mysticisme en religion; l'un place toute la réalité des choses de ce monde dans la pensée, et l'autre toute la réalité des choses du ciel dans le sentiment.

Les mystiques pénètrent avec une sagacité inconcevable dans tout ce qui fait naître en nous la crainte ou l'espoir, la souffrance ou le bonheur; et nul ne remonte comme eux à l'origine des mouvements de l'âme. Il y a tant d'intérêt à cet examen que des hommes même assez médiocres d'ailleurs, lorsqu'ils ont dans le cœur la moindre disposition mystique, intéressent et captivent par leur entretien comme s'ils étaient doués d'un génie transcendant. Ce qui rend la société si sujette à l'ennui, c'est que la plupart de ceux avec qui l'on vit ne parlent que des objets extérieurs; et dans ce genre le besoin de l'esprit de conversation se fait beaucoup sentir. Mais la mysticité religieuse porte avec elle une lumière si étendue qu'elle donne une supériorité morale très décidée à ceux mêmes qui ne l'avaient pas reçue de la nature : ils s'appliquent à l'étude du cœur humain, qui est la première des sciences, et se donnent autant de peine pour connaître les passions afin de les apaiser, que les hommes du monde pour s'en servir.

Sans doute il peut se rencontrer encore de grands défauts dans le caractère de ceux dont la doctrine est la plus pure : mais est-ce à leur doctrine qu'il faut s'en prendre ? On rend à la religion un singulier hommage par l'exigence qu'on manifeste envers tous les hommes religieux, du moment qu'on les sait tels. On les trouve inconséquents s'ils ont des torts et des faiblesses; et cependant rien ne peut changer en entier la condition humaine : si la religion donnait toujours la perfection morale, et si la vertu conduisait toujours au bonheur, le choix de la volonté ne serait plus libre, car les motifs qui agiraient sur elle seraient trop puissants.

La religion dogmatique est un commandement; la religion mystique se fonde sur l'expérience intime de notre cœur; la prédication doit nécessairement se ressentir de la direction que suivent à cet égard les ministres de l'Evangile, et peut-être serait-il à désirer qu'on aperçût davantage dans leur manière de prêcher l'influence des sentiments qui commencent à pénétrer tous les cœurs. En Allemagne, où chaque genre est abondant, Zollikofer, Jérusalem et plusieurs autres se sont acquis une juste réputation par l'éloquence de la chaire, et l'on peut lire sur tous les sujets une foule de sermons qui renferment d'excellentes choses; néanmoins, quoiqu'il soit très sage d'enseigner la morale, il importe encore plus de donner les moyens de la suivre, et ces moyens consistent avant tout dans l'émotion religieuse. Presque tous les hommes en savent à peu près autant les uns que les autres sur les inconvénients et les avantages du vice et de la vertu; mais ce dont tout le monde a besoin, c'est de ce qui fortifie la disposition intérieure avec laquelle on peut lutter contre les penchants orageux de notre nature.

S'il n'était question que de bien raisonner avec les hommes, pourquoi les parties du culte qui ne sont que des chants et des cérémonies porteraient-elles autant et plus que les sermons au recueillement de la piété ? La plupart des prédicateurs s'en tiennent à déclamer contre les mauvais penchants, au lieu de montrer comment on y succombe et comment on y résiste; la plupart des prédicateurs sont des juges qui instruisent le procès de l'homme : mais les prêtres de Dieu doivent nous dire ce qu'ils souffrent et ce qu'ils espèrent, comment ils ont modifié leur caractère par de certaines pensées; enfin nous attendons d'eux les mémoires secrets de l'âme dans ses relations avec la divinité.

Les lois prohibitives ne suffisent pas plus dans le gouvernement de chaque individu que dans celui des Etats. L'art social a besoin de mettre en mouvement des intérêts animés pour alimenter la vie humaine; il en est de même des instituteurs religieux de l'homme; ils ne peuvent le préserver des passions qu'en excitant dans son cœur une extase vive et pure : les passions valent encore mieux, sous beaucoup de rapports, qu'une apathie servile, et rien ne peut les dompter qu'un sentiment profond, dont on doit peindre, si on le peut, les jouissances avec autant de force et de vérité qu'on en a mis à décrire le charme des affections terrestres.

Quoi que des gens d'esprit en aient dit, il existe une alliance naturelle entre la religion et le génie. Les mystiques ont presque tous de l'attrait pour la poésie et pour les beaux-arts; leurs idées sont en accord avec la vraie supériorité dans tous les genres, tandis que l'incrédule médiocrité mondaine en est l'ennemie; elle ne peut souffrir ceux qui veulent pénétrer dans l'âme; comme elle a mis ce qu'elle avait de mieux au-dehors, toucher au fond, c'est découvrir sa misère.

La philosophie idéaliste, le christianisme mystique, et la vraie poésie ont, à beaucoup d'égards, le même but et la même source; ces philosophes, ces chrétiens et ces poètes se réunissent tous dans un commun désir. Ils voudraient substituer au factice de la société, non l'ignorance des temps barbares, mais une culture intellectuelle qui ramène à la simplicité par la perfection même des lumières; ils voudraient enfin faire des hommes énergiques et réfléchis, sincères et généreux, de tous ces caractères sans élévation, de tous ces esprits sans idées, de tous ces moqueurs sans gaieté, de tous ces épicuriens sans imagination, qu'on appelle l'espèce humaine faute de mieux.

CHAPITRE VI

DE LA DOULEUR

On a beaucoup blâmé cet axiome des mystiques que *la douleur est un bien*; quelques philosophes de l'antiquité ont affirmé qu'elle n'était pas un mal; il est pourtant bien plus difficile de la considérer avec indifférence qu'avec espoir[1]. En effet, si l'on n'était pas persuadé que le malheur est un moyen de perfectionnement, à quel excès d'irritation ne nous porterait-il pas ? Pourquoi donc nous appeler à la vie pour nous faire dévorer par elle ? Pourquoi concentrer tous les tourments et toutes les merveilles de l'univers dans un faible cœur qui redoute et qui désire ? Pourquoi nous donner la puissance d'aimer et nous arracher ensuite tout ce que nous avons chéri ? Enfin pourquoi la mort, la terrible mort ? Lorsque l'illusion de la terre nous la fait oublier, comme elle se rappelle à nous ! C'est au milieu de toutes les splendeurs de ce monde qu'elle déploie son drapeau funeste.

> Cosi trapassa al trapassar d'un giorno
> Della vita mortal il fiore e'l verde;
> Ne perchè faccia indietro April ritorno,
> Si rinfiora ella mai ne si rinverde[2].

1. Le chancelier Bacon dit que les prospérités sont les bénédictions de l'Ancien Testament, et les adversités celles du Nouveau. (Note de Mme de Staël.)

2. Ainsi passe en un jour la verdure et la fleur de la vie mortelle; c'est en vain que le mois du printemps revient à son tour, elle ne reprend jamais ni sa verdure ni ses fleurs. — *Vers du Tasse, chantés dans les jardins d'Armide.* (Note de Mme de Staël.)

On a vu dans une fête cette princesse [1] qui, mère de huit enfants, réunissait encore le charme d'une beauté parfaite à toute la dignité des vertus maternelles. Elle ouvrit le bal, et les sons mélodieux de la musique signalèrent ces moments consacrés à la joie. Des fleurs ornaient sa tête charmante, et la parure et la danse devaient lui rappeler les premiers jours de sa jeunesse; cependant elle semblait déjà craindre les plaisirs mêmes auxquels tant de succès auraient pu l'attacher. Hélas! de quelle manière ce vague pressentiment s'est réalisé! Tout à coup les flambeaux sans nombre qui remplaçaient l'éclat du jour vont devenir des flammes dévorantes, et les plus affreuses souffrances prendront la place du luxe éclatant d'une fête. Quel contraste! Et qui pourrait se lasser d'y réfléchir? Non jamais les grandeurs et les misères humaines n'ont été rapprochées de si près; et notre mobile pensée, si facilement distraite des sombres menaces de l'avenir, a été frappée dans la même heure par toutes les images brillantes et terribles que la destinée sème d'ordinaire à distance sur la route du temps.

Aucun accident néanmoins n'avait atteint celle qui ne devait mourir que de son choix: elle était en sûreté, elle pouvait renouer le fil de la vie si vertueuse qu'elle menait depuis quinze années; mais une de ses filles était encore en danger, et l'être le plus délicat et le plus timide se précipite au milieu des flammes qui feraient reculer les guerriers. Toutes les mères auraient éprouvé ce qu'elle a dû sentir! Mais qui pourrait se croire assez de force pour l'imiter? Qui pourrait compter assez sur son âme pour ne pas craindre les frissonnements que la nature fait naître à l'aspect d'une mort atroce? Une femme les a bravés, et bien qu'alors un coup funeste l'ait frappée, son dernier acte fut maternel; c'est dans cet instant sublime qu'elle a paru devant Dieu, et l'on n'a pu reconnaître ce qui restait d'elle sur la terre qu'au chiffre de ses enfants, qui marquait encore la place où cet ange avait péri. Ah! tout ce qu'il y a d'horrible dans ce tableau est adouci par les rayons de la gloire céleste. Cette généreuse Pauline sera désormais la sainte des mères, et si leurs regards n'osaient encore s'élever jusqu'au ciel, elles les reposeront sur sa douce figure, et lui demanderont

1. La princesse Pauline de Schwarzenberg. (Note de Mme de Staël.)

d'implorer la bénédiction de Dieu pour leurs enfants.

Si l'on était parvenu à tarir la source de la religion sur la terre, que dirait-on à ceux qui voient tomber la plus pure des victimes ? Que dirait-on à ceux qui l'ont aimée ? Et de quel désespoir, de quel effroi du sort et de ses perfides secrets l'âme ne serait-elle pas remplie ?

Non seulement ce qu'on voit, mais ce qu'on se figure foudroierait la pensée s'il n'y avait rien en nous qui nous affranchît du hasard. N'a-t-on pas vécu dans un cachot obscur où chaque minute était une douleur, où l'on n'avait d'air que ce qu'il en fallait pour recommencer à souffrir ? La mort, selon les incrédules, doit délivrer de tout; mais savent-ils ce qu'elle est ? Savent-ils si cette mort est le néant; et dans quel labyrinthe de terreur la réflexion sans guide ne peut-elle pas nous entraîner ?

Si un homme honnête (et les circonstances d'une vie passionnée peuvent amener ce malheur), si un homme honnête, dis-je, avait fait un mal irréparable à un être innocent, comment, sans le secours de l'expiation religieuse, s'en consolerait-il jamais ? Quand la victime est là dans le cercueil, à qui s'adresser, s'il n'y a pas de communication avec elle, si Dieu lui-même ne fait pas entendre aux morts les pleurs des vivants, si le souverain médiateur des hommes ne dit pas à la douleur : — C'en est assez; au repentir : — Vous êtes pardonné ? On croit que le principal avantage de la religion est de réveiller les remords; mais c'est aussi bien souvent à les apaiser qu'elle sert. Il est des âmes dans lesquelles règne le passé; il en est que les regrets déchirent comme une active mort, et sur lesquelles le souvenir s'acharne comme un vautour; c'est pour elle que la religion est un soulagement du remords.

Une idée toujours la même, et revêtant cependant mille formes diverses, fatigue tout à la fois par son agitation et par sa monotonie. Les beaux-arts, qui redoublent la puissance de l'imagination, accroissent avec elle la vivacité et la douleur. La nature elle-même importune quand l'âme n'est plus en harmonie avec elle; son calme, qu'on trouvait doux, irrite comme l'indifférence ; les merveilles de l'univers s'obscurcissent à nos regards; tout semble apparition même au milieu de l'éclat du jour. La nuit inquiète comme si l'obscurité recelait quelque secret de nos maux, et le soleil resplendissant semble insulter au deuil du cœur. Où fuir tant de souffrances ? Est-ce dans la mort ? Mais l'anxiété du malheur fait douter que le repos soit dans la tombe, et le désespoir est pour les athées mêmes comme une révélation ténébreuse de l'éternité des peines. Que ferions-nous alors, que ferions-nous, ô mon Dieu! si nous ne pouvions nous jeter dans votre sein paternel ? Celui qui le premier appela Dieu notre père en savait plus sur le cœur humain que les plus profonds penseurs du siècle.

Il n'est pas vrai que la religion rétrécisse l'esprit; il l'est encore moins que la sévérité des principes religieux soit à craindre. Je ne connais qu'une sévérité redoutable pour les âmes sensibles, c'est celle des gens du monde; ce sont eux qui ne conçoivent rien, qui n'excusent rien de ce qui est involontaire; ils se sont fait un cœur humain à leur gré pour le juger à leur aise. On pourrait leur adresser ce qu'on disait à messieurs de Port-Royal, qui d'ailleurs méritaient beaucoup d'admiration : « Il vous est facile de comprendre l'homme que vous avez créé; mais celui qui est, vous ne le connaissez pas. »

La plupart des gens du monde sont accoutumés à faire certains dilemmes sur toutes les situations malheureuses de la vie, afin de se débarrasser le plus tôt qu'il est possible de la pitié qu'elles exigent d'eux. *Il n'y a que deux partis à prendre*, disent-ils, *il faut qu'on soit tout un ou tout autre*, *il faut supporter ce qu'on ne peut empêcher*, *il faut se consoler de ce qui est irrévocable.* Ou bien, *qui veut le but*, *veut les moyens; il faut tout faire pour conserver ce dont on ne peut se passer*, etc., etc., et mille autres axiomes de ce genre qui ont tous la forme de proverbes, et qui sont en effet le code de la sagesse vulgaire. Mais quel rapport y a-t-il entre ces axiomes et les angoisses du cœur ? Tout cela sert très bien dans les affaires communes de la vie; mais comment appliquer de tels conseils aux peines morales ? Elles varient toutes selon les individus, et se composent de mille circonstances diverses, inconnues à tout autre qu'à notre ami le plus intime, s'il en est un qui sache s'identifier avec nous. Chaque caractère est presque un monde nouveau pour qui sait observer avec finesse, et je ne connais dans la science du cœur humain aucune idée générale qui s'applique complètement aux exemples particuliers.

Le langage de la religion peut seul convenir à toutes les situations et à toutes les manières de sentir! En lisant les *Rêveries* de J.-J. Rousseau, cet éloquent tableau d'un être en proie à une imagination plus forte que lui, je me suis demandé comment un homme d'esprit formé par le monde et un solitaire religieux auraient essayé de consoler Rousseau. Il se serait plaint d'être haï et persécuté, il se serait dit l'objet de l'envie universelle et la victime d'une conjuration qui s'étendait depuis le peuple jusqu'aux rois; il aurait prétendu que tous ses amis l'avaient trahi et que les services mêmes qu'on lui rendait étaient des pièges : qu'aurait alors répondu à toutes ces plaintes l'homme d'esprit formé par la société ?

« Vous vous exagérez singulièrement, aurait-il dit, l'effet que vous croyez produire; vous êtes sans doute un homme fort distingué, mais comme chacun de nous a pourtant des affaires et même des idées à soi, un livre ne remplit pas toutes les têtes; l'événement de la guerre ou de la paix, et même de moindres intérêts, mais qui nous concernent personnellement, nous occupent beaucoup plus qu'un écrivain, quelque célèbre qu'il puisse être. On vous a exilé, il est vrai, mais tous les pays doivent être égaux à un philosophe comme vous; et à quoi serviraient donc la morale et la religion que vous développez si bien dans vos écrits, si vous ne saviez pas supporter les revers qui vous ont atteint ? Sans doute quelques personnes vous envient parmi vos confrères les hommes de lettres; mais cela ne peut s'étendre aux classes de la société, qui s'embarrasse fort peu de la littérature; d'ailleurs, si la célébrité vous importune réellement, rien de si facile que d'y échapper. N'écrivez plus, au bout de peu d'années on vous oubliera, et vous serez aussi tranquille que si vous n'aviez jamais rien publié. Vous dites que vos amis vous tendent des pièges en faisant semblant de vous rendre service. D'abord n'est-il pas possible qu'il y ait une légère nuance d'exaltation romanesque dans votre manière de juger vos relations personnelles ? Il faut votre belle imagination pour composer *la Nouvelle Héloïse;* mais un peu de raison est nécessaire dans les affaires d'ici-bas, et, quand on le veut bien, on voit les choses telles qu'elles sont. Si pourtant vos amis vous trompent, il faut rompre avec eux; mais vous seriez bien insensé de vous en affliger; car, de deux choses l'une, ou ils sont dignes de votre estime, et dans ce cas vous auriez tort de les soupçonner; ou si vos soupçons sont bien fondés, vous ne devez pas alors regretter de tels amis. »

Après avoir écouté ce dilemme, J.-J. Rousseau aurait

bien pu prendre un troisième parti, celui de se jeter dans la rivière; mais que lui aurait dit le solitaire religieux ?

« Mon fils, je ne connais pas le monde et j'ignore s'il est vrai qu'on vous y veuille du mal; mais s'il en était ainsi, vous auriez cela de commun avec tous les bons qui cependant ont pardonné à leurs ennemis, car Jésus-Christ et Socrate, le Dieu et l'homme en ont donné l'exemple. Il faut que les passions haineuses existent ici-bas pour que l'épreuve des justes soit accomplie. Sainte Thérèse a dit des méchants : — *Les malheureux, ils n'aiment pas*, et ceux-là cependant vivent aussi pour qu'ils aient le temps de se repentir.

« Vous avez reçu du ciel des dons admirables; s'ils vous ont servi à faire aimer ce qui est bon, n'avez-vous pas déjà joui d'avoir été un soldat de la vérité sur la terre ? Si vous avez attendri les cœurs par une éloquence entraînante, vous obtiendrez pour vous quelques-unes des larmes que vous avez fait couler. Vous avez des ennemis près de vous, mais des amis au loin parmi les solitaires qui vous lisent, et vous avez consolé des infortunés mieux que nous ne pouvons vous consoler vous-même. Que n'ai-je votre talent pour me faire entendre de vous ! C'est une belle chose que le talent, mon fils; les hommes cherchent souvent à le dénigrer, ils vous disent à tort que nous le condamnons au nom de Dieu, cela n'est pas vrai. C'est une émotion divine que celle qui inspire l'éloquence; et si vous n'en avez point abusé, sachez supporter l'envie, car une telle supériorité vaut bien les peines qu'elle peut faire éprouver.

« Néanmoins, mon fils, je le crains, l'orgueil se mêle à vos peines, et voilà ce qui leur donne de l'amertume; car toutes les douleurs qui sont restées humbles font couler doucement nos pleurs; mais il y a du poison dans l'orgueil, et l'homme devient insensé quand il s'y livre : c'est un ennemi qui se fait son chevalier pour mieux le perdre.

« Le génie ne doit servir qu'à manifester la bonté suprême de l'âme. Il y a beaucoup de gens qui ont cette bonté sans le talent de l'exprimer; remerciez Dieu de qui vous tenez le charme de ces paroles faites pour enchanter l'imagination des hommes. Mais ne soyez fier que du sentiment qui vous les dicte. Tout s'apaisera pour vous dans la vie, si vous restez toujours religieusement bon, les méchants mêmes se lassent de faire du mal, leur propre venin les épuise, et puis Dieu n'est-il pas là pour avoir soin du passereau qui tombe, et du cœur de l'homme qui souffre ?

« Vous dites que vos amis veulent vous trahir : prenez garde de les accuser injustement : malheur à celui qui aurait repoussé une affection véritable, car ce sont les anges du ciel qui nous l'envoient, ils se sont réservé cette part dans le destin de l'homme! Ne permettez pas à votre imagination de vous égarer. Il faut la laisser planer dans les régions des nuages; mais il n'y a que le cœur pour juger un autre cœur; et vous seriez bien coupable si vous méconnaissiez une amitié sincère : car la beauté de l'âme consiste dans sa généreuse confiance, et la prudence humaine est figurée par un serpent.

« Il se peut toutefois qu'en expiation de quelques égarements dont vos grandes facultés ont été la cause vous soyez condamné sur cette terre à boire la coupe empoisonnée de la trahison d'un ami. S'il en est ainsi, je vous plains, la divinité même vous a plaint en vous punissant : mais ne vous révoltez pas contre ses coups; aimez encore, bien qu'aimer ait déchiré votre cœur. Dans la solitude la plus profonde, dans l'isolement le plus cruel, il ne faut pas laisser tarir en soi la source des affections dévouées. Pendant longtemps on ne croit pas que Dieu puisse être aimé comme on aime ses semblables. Une voix qui nous répond, des regards qui se confondent avec les nôtres, paraissent pleins de vie, tandis que le ciel immense se tait : mais par degrés l'âme s'élève jusqu'à sentir son Dieu près d'elle comme un ami.

« Mon fils, il faut prier comme on aime, en mêlant la prière à toutes nos pensées : il faut prier, car alors on n'est plus seul; et quand la résignation descendra doucement en vous, tournez vos regards vers la nature : on dirait que chacun y retrouve le passé de sa vie, quand il n'en existe plus de traces parmi les hommes. Rêvez à vos chagrins comme à vos plaisirs en contemplant ces nuages tantôt sombres et tantôt brillants que le vent fait disparaître : et soit que la mort vous ait ravi vos amis, soit que la vie plus cruelle encore ait déchiré vos liens avec eux, vous apercevrez dans les étoiles leur image divinisée; ils vous apparaîtront tels que vous les reverrez un jour. »

CHAPITRE VII

DES PHILOSOPHES RELIGIEUX APPELÉS THÉOSOPHES

Lorsque j'ai rendu compte de la philosophie moderne des Allemands, j'ai essayé de tracer une ligne de démarcation entre celle qui s'attache à pénétrer les secrets de l'univers et celle qui se borne à l'examen de la nature de notre âme. La même distinction se fait remarquer parmi les écrivains religieux : les uns dont j'ai déjà parlé dans les chapitres précédents s'en sont tenus à l'influence de la religion sur notre cœur : les autres, tels que Jacob Bœhme, en Allemagne, saint Martin, en France, et bien d'autres encore, ont cru trouver dans la révélation du christianisme des paroles mystérieuses qui pouvaient servir à dévoiler les lois de la création. Il faut en convenir, quand on commence à penser il est difficile de s'arrêter; et soit que la réflexion conduise au scepticisme, soit qu'elle mène à la foi la plus universelle, on est souvent tenté de passer des heures entières, comme les fakirs, à se demander ce que c'est que la vie. Loin de dédaigner ceux qui sont ainsi dévorés par la contemplation, on ne peut s'empêcher de les considérer comme les véritables seigneurs de l'espèce humaine, auprès desquels ceux qui existent sans réfléchir ne sont que des serfs attachés à la glèbe. Mais comment peut-on se flatter de donner quelque consistance à ses pensées, qui, semblables aux éclairs, replongent dans les ténèbres après avoir un moment jeté sur les objets d'incertaines lueurs.

Il peut être intéressant toutefois d'indiquer la direction principale des systèmes théosophes, c'est-à-dire des philosophes religieux qui n'ont cessé d'exister en Allemagne depuis l'établissement du christianisme, et surtout depuis la renaissance des lettres. La plupart des philosophes grecs ont fondé le système du monde sur l'action des éléments; et si l'on en excepte Pythagore et Platon, qui tenaient de l'Orient leur tendance à l'idéalisme, les penseurs de l'antiquité expliquent tous l'organisation de l'univers par des lois physiques. Le christianisme, en allumant la vie intérieure dans le sein de l'homme, devait exciter les esprits à s'exagérer le pouvoir de l'âme sur le corps; les abus auxquels les doctrines les plus pures sont sujettes ont amené les visions, la magie blanche (c'est-à-dire celle qui attribue à la volonté de l'homme sans l'intervention des esprits infernaux la possibilité d'agir sur les éléments), toutes les rêveries bizarres enfin qui naissent de la conviction que l'âme est plus forte que la nature. Les secrets d'alchimistes, de magnétiseurs et d'illuminés s'appuient presque tous sur cet ascendant de la volonté qu'ils portent beaucoup trop loin, mais qui tient de quelque manière néanmoins à la grandeur morale de l'homme.

Non seulement le christianisme, en affirmant la spiritualité de l'âme, a porté les esprits à croire à la puissance illimitée de la foi religieuse ou philosophique, mais la révélation a paru à quelques hommes un miracle continuel qui pouvait se renouveler pour chacun d'eux, et quelques-uns ont cru sincèrement qu'une divination surnaturelle leur était accordée, et qu'il se manifestait en eux des vérités dont ils étaient plutôt les témoins que les inventeurs. Le plus fameux de ces philosophes religieux c'est Jacob Bœhme, un cordonnier allemand, qui vivait au commencement du dix-septième siècle; il a fait tant de bruit dans son temps, que Charles Ier envoya un homme exprès à Görlitz, lieu de sa demeure, pour étudier son livre et le rapporter en Angleterre. Quelques-uns de ses écrits ont été traduits en français par M. de Saint-Martin : ils sont très difficiles à comprendre; cependant l'on ne peut s'empêcher de s'étonner qu'un homme sans culture d'esprit ait été si loin dans la contemplation de la nature. Il la considère en général comme un emblème des principaux dogmes du christianisme; partout il croit voir dans les phénomènes du monde les traces de la chute de l'homme et de sa régénération, les effets du principe de la colère et de celui de la miséricorde; et tandis que les philosophes grecs tâchaient d'expliquer le monde par le mélange des éléments de l'air, de l'eau et du feu, Jacob Bœhme n'admet que la combinaison des forces morales, et s'appuie sur des passages de l'Evangile pour interpréter l'univers.

De quelque manière que l'on considère ces singuliers écrits qui, depuis deux cents ans, ont toujours trouvé des lecteurs ou plutôt des adeptes, on ne peut s'empêcher de remarquer les deux routes opposées que suivent, pour arriver à la vérité, les philosophes spiritualistes et les philosophes matérialistes. Les uns croient que c'est en se dérobant à toutes les impressions du dehors, et en se plongeant dans l'extase de la pensée, qu'on peut deviner la nature : les autres prétendent qu'on ne saurait trop se garder de l'enthousiasme et de l'imagination dans l'examen des phénomènes de l'univers; l'on dirait que l'esprit humain a besoin de s'affranchir du corps ou de l'âme pour comprendre la nature, tandis que c'est dans la mystérieuse réunion des deux que consiste le secret de l'existence.

Quelques savants en Allemagne affirment qu'on trouve dans les ouvrages de Jacob Bœhme des vues très profondes sur le monde physique; l'on peut dire au moins qu'il y a autant d'originalité dans les hypothèses des philosophes religieux sur la création que dans celles de Thalès, de Xénophane, d'Aristote, de Descartes et de Leibniz. Les théosophes déclarent que ce qu'ils pensent leur a été révélé, tandis que les philosophes en général se croient uniquement conduits par leur propre raison; mais puisque les uns et les autres aspirent à connaître le mystère des mystères, que signifient à cette hauteur les mots de raison et de folie ? Et pourquoi flétrir de la dénomination d'insensés ceux qui croient trouver dans l'exaltation de grandes lumières ? C'est un mouvement de l'âme d'une nature très remarquable, et qui ne lui a sûrement pas été donné seulement pour le combattre.

CHAPITRE VIII

DE L'ESPRIT DE SECTE EN ALLEMAGNE

L'habitude de la méditation porte à des rêveries de tout genre sur la destinée humaine. La vie active peut seule détourner notre intérêt de la source des choses, mais tout ce qu'il y a de grand ou d'absurde en fait d'idées est le résultat du mouvement intérieur qu'on ne peut dissiper au-dehors. Beaucoup de gens sont très irrités contre les sectes religieuses ou philosophiques, et leur donnent le nom de folies, et de folies dangereuses. Il me semble que les égarements mêmes de la pensée sont bien moins à craindre, pour le repos et la moralité des hommes, que l'absence de la pensée. Quand on n'a pas en soi cette puissance de réflexion qui supplée à l'activité matérielle, on a besoin d'agir sans cesse et souvent au hasard.

Le fanatisme des idées a quelquefois conduit, il est vrai, à des actions violentes, mais c'est presque toujours parce qu'on a recherché les avantages de ce monde à l'aide des opinions abstraites. Les systèmes métaphysiques sont peu redoutables en eux-mêmes, ils ne le deviennent que quand ils sont réunis à des intérêts d'ambition, et c'est alors de ces intérêts dont il faut s'occuper si l'on veut modifier les systèmes, mais les hommes capables de s'attacher vivement à une opinion indépendamment des résultats qu'elle peut avoir sont toujours d'une noble nature.

Les sectes philosophiques et religieuses qui, sous divers noms, ont existé en Allemagne, n'ont presque point eu de rapport avec les affaires politiques, et le genre de talent nécessaire pour entraîner les hommes à des résolutions vigoureuses s'est rarement manifesté dans ce pays. On peut se disputer sur la philosophie de Kant, sur les questions théologiques, sur l'idéalisme ou *l'empirisme*, sans qu'il en résulte jamais rien que des livres.

L'esprit de secte et l'esprit de parti diffèrent à beaucoup d'égards; l'esprit de parti présente les opinions par ce qu'elles ont de saillant pour les faire comprendre au vulgaire; et l'esprit de secte, surtout en Allemagne, tend toujours vers ce qu'il y a de plus abstrait : il faut, dans l'esprit de parti, saisir le point de vue de la multitude pour s'y placer; les Allemands ne pensent qu'à la théorie, et dût-elle se perdre dans les nuages, ils l'y suivront. L'esprit de parti excite dans les hommes de certaines passions communes qui les réunissent en masse. Les Allemands subdivisent tout à force d'expliquer, de distinguer et de commenter. Ils ont une sincérité philosophique singulièrement propre à la recherche de la vérité, mais point du tout à l'art de la mettre en œuvre. L'esprit de secte n'aspire qu'à convaincre; l'esprit de parti veut rallier. L'esprit de secte se dispute sur les idées; l'esprit de parti veut du pouvoir sur les hommes. Il y a de la discipline dans l'esprit de parti, et de l'anarchie dans l'esprit de secte. L'autorité, quelle qu'elle soit, n'a presque rien à craindre de l'esprit de secte, on le satisfait en laissant une grande latitude à la pensée; mais l'esprit de parti n'est pas si facile à contenter, et ne se borne point à ces conquêtes intellectuelles dans lesquelles chaque individu peut se créer un empire sans destituer un possesseur.

On est en France beaucoup plus susceptible de l'esprit de parti que de l'esprit de secte : on s'y entend trop bien au réel de la vie, pour ne pas transformer en action ce qu'on désire, et en pratique ce qu'on pense; mais peut-être y est-on trop étranger à l'esprit de secte : on n'y tient pas assez aux idées abstraites pour mettre de la chaleur à les défendre; d'ailleurs l'on ne veut être lié par aucun genre d'opinions, afin de s'avancer plus libre au-devant de toutes les circonstances. Il y a plus de bonne foi dans l'esprit de secte que dans l'esprit de parti, ainsi les Allemands doivent être bien plus propres à l'un qu'à l'autre.

Il faut distinguer trois espèces de sectes religieuses

et philosophiques en Allemagne; premièrement les différentes communions chrétiennes qui ont existé, surtout à l'époque de la réformation, lorsque tous les esprits se sont tournés vers les questions théologiques; secondement, les associations secrètes; et enfin les adeptes de quelques systèmes particuliers dont un homme est le chef. Il faut ranger dans la première classe les anabaptistes et les moraves; dans la seconde, la plus ancienne des associations secrètes, les francs-maçons; et dans la troisième, les différents genres d'illuminés.

Les anabaptistes étaient plutôt une secte révolutionnaire que religieuse; et comme ils durent leur existence à des passions politiques et non à des opinions, ils passèrent avec les circonstances. Les moraves, tout à fait étrangers aux intérêts de ce monde, sont, comme je l'ai dit, une communion chrétienne de la plus grande pureté. Les quakers portent au milieu de la société les principes des moraves : ceux-ci se retirent du monde pour être plus sûrs de rester fidèles à ces principes.

La franc-maçonnerie est une institution beaucoup plus sérieuse en Ecosse et en Allemagne qu'en France. Elle a existé dans tous les pays; mais il paraît cependant que c'est de l'Allemagne surtout qu'est venue cette association, transportée ensuite en Angleterre par les Anglo-Saxons, et renouvelée à la mort de Charles Ier par les partisans de la restauration, qui se rassemblèrent près de l'église de Saint-Paul pour rappeler Charles II sur le trône. On croit aussi que les francs-maçons, surtout en Ecosse, se rattachent de quelque manière à l'ordre des templiers. Lessing a écrit sur la franc-maçonnerie un dialogue où son génie lumineux se fait éminemment remarquer. Il affirme que cette association a pour but de réunir les hommes malgré les barrières établies par la société; car si, sous quelques rapports, l'état social forme un lien entre les hommes en les soumettant à l'empire des lois, il les sépare par les différences de rang et de gouvernement : cette fraternité, véritable image de l'âge d'or, a été mêlée dans la franc-maçonnerie à beaucoup d'autres idées qui sont aussi bonnes et morales. On ne saurait se dissimuler cependant qu'il est dans la nature des associations secrètes de porter les esprits vers l'indépendance; mais ces associations sont très favorables au développement des lumières, car tout ce que les hommes font par eux-mêmes et spontanément donne à leur jugement plus de force et d'étendue.

Il se peut aussi que les principes de l'égalité démocratique se propagent par ce genre d'institutions qui met les hommes en évidence d'après leur valeur réelle et non d'après leur rang dans le monde. Les associations secrètes apprennent quelle est la puissance du nombre et de la réunion, tandis que les citoyens isolés sont pour ainsi dire des êtres abstraits les uns pour les autres. Sous ce rapport, ces associations pourraient avoir une grande influence dans l'Etat; mais il est juste cependant de reconnaître que la franc-maçonnerie ne s'occupe en général que des intérêts religieux et philosophiques.

Ses membres se divisent entre eux en deux classes; la franc-maçonnerie philosophique et la franc-maçonnerie hermétique ou égyptienne. La première a pour objet l'Eglise intérieure ou le développement de la spiritualité de l'âme. La seconde se rapporte aux sciences, à celles qui s'occupent des secrets de la nature. Les frères rose-croix, entre autres, sont un des grades de la franc-maçonnerie, et les frères rose-croix dans l'origine étaient alchimistes.

De tout temps et dans tous les pays il a existé des associations secrètes, dont les membres avaient pour but de se fortifier mutuellement dans la croyance à la spiritualité de l'âme, les mystères d'Eleusis chez les païens, la secte des esséniens chez les Hébreux étaient fondés sur cette doctrine, qu'on ne voulait pas profaner en la livrant aux plaisanteries du vulgaire. Il y a près de trente ans qu'à Wilhelms-Bad il y eut une assemblée de francs-maçons, présidée par le duc de Brunswick; cette assemblée avait pour objet la réforme des francs-maçons d'Allemagne, et il paraît que les opinions mystiques en général, et celles de saint Martin en particulier, influèrent beaucoup sur cette réunion. Les institutions politiques, les relations sociales, et souvent même celles de famille, ne prennent que l'extérieur de la vie; il est donc naturel que de tout temps on ait cherché quelque manière intime de se reconnaître et de s'entendre; et tous ceux dont le caractère a quelque profondeur se croient des adeptes, et cherchent à se distinguer par quelques signes du reste des hommes. Les associations secrètes dégénèrent avec le temps; mais leur principe est presque toujours un sentiment d'enthousiasme comprimé par la société.

Il y a trois classes d'illuminés; les illuminés mystiques, les illuminés visionnaires et les illuminés politiques. La première, celle dont Jacob Bœhme, et dans le dernier siècle, Pasqualis et saint Martin peuvent être considérés comme les chefs, tient par divers liens à cette église intérieure, sanctuaire de ralliement pour tous les philosophes religieux; ces illuminés s'occupent uniquement de la religion et de la nature interprétée par les dogmes de la religion.

Les illuminés visionnaires, à la tête desquels on doit placer le Suédois Swedenborg, croient que par la puissance de la volonté ils peuvent faire apparaître des morts et opérer des miracles. Le feu roi de Prusse, Frédéric-Guillaume, a été induit en erreur par la crédulité de ces hommes, ou par leurs ruses qui avaient l'apparence de la crédulité. Les illuminés idéalistes dédaignent ces illuminés visionnaires comme des empiriques; ils méprisent leurs prétendus prodiges, et pensent que la merveille des sentiments de l'âme doit l'emporter à elle seule sur toutes les autres.

Enfin des hommes qui n'avaient pour but que de s'emparer de l'autorité dans tous les Etats, et de se faire donner des places, ont pris le nom d'illuminés; leur chef était un Bavarois, Weisshaupt, homme d'un esprit supérieur, et qui avait très bien senti la puissance qu'on pouvait acquérir en réunissant les forces éparses des individus, et en les dirigeant toutes vers un même but. Un secret, quel qu'il soit, flatte l'amour-propre des hommes; et quand on leur dit qu'ils sont de quelque chose dont leurs pareils ne sont pas, on acquiert toujours de l'empire sur eux. L'amour-propre se blesse de ressembler à la multitude; et dès qu'on veut donner des marques de distinction connues ou cachées, on est sûr de mettre en mouvement l'imagination de la vanité, la plus active de toutes.

Les illuminés politiques n'avaient pris des autres illuminés que quelques signes pour se reconnaître; mais les intérêts, et non les opinions, leur servaient de point de ralliement. Ils avaient pour but, il est vrai, de réformer l'ordre social sur de nouveaux principes; toutefois, en attendant l'accomplissement de ce grand œuvre, ce qu'ils voulaient d'abord, c'était de s'emparer des emplois publics. Une telle secte a bien des adeptes par tous pays, qui s'initient d'eux-mêmes à ses secrets : en Allemagne cependant cette secte est la seule peut-être qui ait été fondée sur une combinaison politique; toutes les autres sont nées d'un enthousiasme quelconque, et n'ont eu que la recherche de la vérité pour but.

Parmi les hommes qui s'efforcent de pénétrer les secrets de la nature, il faut compter les alchimistes, les magnétiseurs, etc.; il est probable qu'il y a beaucoup de folie dans ces prétendues découvertes : mais qu'y peut-on trouver d'effrayant ? Si l'on arrivait à reconnaître dans les phénomènes physiques ce qu'on appelle du merveilleux, on en aurait avec raison de la joie. Il y a des moments où la nature paraît une machine qui se meut constamment par les mêmes ressorts, et c'est alors que son inflexible régularité fait peur; mais quand on croit entrevoir en elle quelque chose de spontané comme la pensée, un espoir confus s'empare de l'âme, et nous dérobe au regard fixe de la nécessité.

Au fond de tous ces essais et de tous ces systèmes scientifiques et philosophiques il y a toujours une tendance très marquée vers la spiritualité de l'âme. Ceux qui veulent deviner les secrets de la nature sont très opposés aux matérialistes; car c'est toujours dans la pensée qu'ils cherchent la solution de l'énigme du monde physique. Sans doute un tel mouvement dans les esprits pourrait conduire à de grandes erreurs; mais il en est ainsi de tout ce qui est animé; dès qu'il y a vie, il y a danger.

Les efforts individuels finiraient par être interdits si l'on s'asservissait à la méthode qui régulariserait les mouvements de l'esprit comme la discipline commande à ceux du corps. Le problème consiste donc à guider les facultés sans les comprimer, et l'on voudrait qu'il fût possible d'adapter à l'imagination des hommes l'art encore inconnu de s'élever avec des ailes, et de diriger le vol dans les airs.

CHAPITRE IX

DE LA CONTEMPLATION DE LA NATURE

En parlant de l'influence de la nouvelle philosophie sur les sciences, j'ai déjà fait mention de quelques-uns des nouveaux principes adoptés en Allemagne, relativement à l'étude de la nature; mais comme la religion et l'enthousiasme ont une grande part dans la contemplation de l'univers, j'indiquerai d'une manière générale les vues politiques et religieuses qu'on peut recueillir à cet égard dans les ouvrages allemands.

Plusieurs physiciens, guidés par un sentiment de pitié, ont cru devoir s'en tenir à l'examen des causes finales; ils ont essayé de prouver que tout dans le monde tend au maintien et au bien-être physique des individus et des espèces. On peut faire, ce me semble, des objections très fortes contre ce système. Sans doute il est aisé de voir que dans l'ordre des choses les moyens répondent admirablement à leurs fins; mais dans cet enchaînement universel où s'arrêtent ces causes qui sont effets, et ces effets qui sont causes, veut-on rapporter tout à la conservation de l'homme, on aura de la peine à concevoir ce qu'elle a de commun avec la plupart des êtres. D'ailleurs c'est attacher trop de prix à l'existence matérielle que de la donner pour dernier but à la création.

Ceux qui, malgré la foule immense des malheurs particuliers, attribuent un certain genre de bonté à la nature, la considèrent comme un spéculateur en grand qui se retire sur le nombre. Ce système ne convient pas même à un gouvernement, et des écrivains scrupuleux en économie politique l'ont combattu. Que serait-ce donc lorsqu'il s'agit des intentions de la divinité ? Un homme religieusement considéré est autant que la race humaine entière; et dès qu'on a conçu l'idée d'une âme immortelle, il ne doit pas être possible d'admettre le plus ou le moins d'importance d'un individu relativement à tous. Chaque être intelligent est d'une valeur infinie, puisqu'il doit durer toujours. C'est donc d'après un point de vue plus élevé que les philosophes allemands ont considéré l'univers.

Il en est qui croient voir en tout deux principes, celui du bien et celui du mal, se combattant sans cesse; et soit qu'on attribue ce combat à une puissance infernale, soit, ce qui est plus simple à penser, que le monde physique puisse être l'image des bons et des mauvais penchants de l'homme, toujours est-il vrai que ce monde offre à l'observation deux faces absolument contraires.

Il y a, l'on ne saurait le nier, un côté terrible dans la nature comme dans le cœur humain, et l'on y sent une redoutable puissance de colère. Quelle que soit la bonne intention des partisans de l'optimisme, plus de profondeur se fait remarquer, ce me semble, dans ceux qui ne nient pas le mal, mais qui comprennent la connexion de ce mal avec la liberté de l'homme, avec l'immortalité qu'elle peut lui mériter.

Les écrivains mystiques dont j'ai parlé dans les chapitres précédents voient dans l'homme l'abrégé du monde, et dans le monde l'emblème des dogmes du christianisme. La nature leur paraît l'image corporelle de la divinité, et ils se plongent toujours plus avant dans la signification profonde des choses et des êtres.

Parmi les écrivains allemands qui se sont occupés de la contemplation de la nature sous des rapports religieux, deux méritent une attention particulière : Novalis comme poète, et Schubert comme physicien. Novalis, homme d'une naissance illustre, était initié dès sa jeunesse dans les études de tout genre que la nouvelle école a développées en Allemagne; mais son âme pieuse a donné un grand caractère de simplicité à ses poésies. Il est mort à vingt-six ans; et c'est lorsqu'il n'était déjà plus que les chants religieux qu'il a composés ont acquis en Allemagne une célébrité touchante. Le père de ce jeune homme est morave; et quelque temps après la mort de son fils il alla visiter une communauté de ses frères en religion, et dans leur église il entendit chanter les poésies de son fils, que les moraves avaient choisies pour s'édifier, sans en connaître l'auteur.

Parmi les œuvres de Novalis on distingue des hymnes à la nuit qui peignent avec une grande force le recueillement qu'elle fait naître dans l'âme. L'éclat du jour peut convenir à la joyeuse doctrine du paganisme; mais le ciel étoilé paraît le véritable temple du culte le plus pur. C'est dans l'obscurité des nuits, dit un poète allemand, que l'immortalité s'est révélée à l'homme, la lumière du soleil éblouit les yeux qui croient voir. Des stances de Novalis sur la vie des mineurs renferment une poésie animée d'un très grand effet; il interroge la terre qu'on rencontre dans les profondeurs parce qu'elle fut le témoin des diverses révolutions que la nature a subies; et il exprime un désir énergique de pénétrer toujours plus avant vers le centre du globe. Le contraste de cette immense curiosité avec la vie si fragile qu'il faut exposer pour la satisfaire cause une émotion sublime. L'homme est placé sur la terre entre l'infini des cieux et l'infini des abîmes, et sa vie, dans le temps, est aussi de même entre deux éternités. De toutes parts entouré par des idées et des objets sans bornes, des pensées innombrables lui apparaissent comme des milliers de lumières qui se confondent et l'éblouissent.

Novalis a beaucoup écrit sur la nature en général, il se nomme lui-même, avec raison, le disciple de Saïs, parce que c'est dans cette ville qu'était fondé le temple d'Isis, et que les traditions qui nous restent des mystères des Egyptiens portent à croire que leurs prêtres avaient une connaissance approfondie des lois de l'univers.

« L'homme est avec la nature, dit Novalis, dans des relations presque aussi variées, presque aussi inconcevables que celles qu'il entretient avec ses semblables, et comme elle se met à la portée des enfants et se complaît avec leurs simples cœurs, de même elle se montre sublime aux esprits élevés et divine aux êtres divins. L'amour de la nature prend diverses formes, et tandis qu'elle n'excite dans les uns que la joie et la volupté, elle inspire aux autres la religion la plus pieuse, celle qui donne à toute la vie une direction et un appui. Déjà chez les peuples anciens il y avait des âmes sérieuses pour qui l'univers était l'image de la divinité, et d'autres qui se croyaient seulement invitées au banquet qu'elle donne : l'air n'était, pour ces convives de l'existence, qu'une boisson rafraîchissante, les étoiles que des flambeaux qui présidaient aux danses pendant la nuit, et les plantes et les animaux que les magnifiques apprêts d'un splendide repas; la nature ne s'offrait pas à leurs yeux comme un temple majestueux et tranquille, mais comme le théâtre brillant des fêtes toujours nouvelles.

« Dans ce même temps néanmoins des esprits plus profonds s'occupaient sans relâche à reconstruire le monde idéal, dont les traces avaient déjà disparu; ils se partageaient en frères les travaux les plus sacrés; les uns cherchaient à reproduire, par la musique, les voix de la forêt et de l'air; les autres imprimaient l'image et le pressentiment d'une race plus noble sur la pierre et sur l'airain, changeaient les rochers en édifices et mettaient au jour les trésors cachés dans la terre. La nature civilisée par l'homme sembla répondre à ses souhaits : l'imagination de l'artiste osa l'interroger, et l'âge d'or parut renaître à l'aide de la pensée.

« Il faut, pour connaître la nature, devenir un avec elle. Une vie poétique et recueillie, un âme sainte et religieuse, toute la force et toute la fleur de l'existence humaine, sont nécessaires pour la comprendre, et le véritable observateur est celui qui sait découvrir l'analogie de cette nature avec l'homme, et celle de l'homme avec le ciel. »

Schubert a composé un livre sur la nature qu'on ne saurait se lasser de lire, tant il est rempli d'idées qui excitent à la méditation; il présente le tableau de faits nouveaux, dont l'enchaînement est conçu sous de nouveaux rapports. Deux idées principales restent de son ouvrage; les Indiens croient à la métempsycose descendante, c'est-à-dire à celle qui condamne l'âme de l'homme à passer dans les animaux et dans les plantes, pour le punir d'avoir mal usé de la vie. L'on peut difficilement se figurer un système d'une plus profonde tristesse, et les ouvrages des Indiens en portent la douloureuse empreinte. On croit voir partout, dans les animaux et les plantes, la pensée captive et le sentiment renfermé s'efforcer en vain de se dégager des formes grossières et muettes qui les enchaînent. Le système de Schubert est plus consolant, il se représente la nature comme une métempsycose ascendante, dans laquelle, depuis la pierre jusqu'à l'existence humaine, il y a une promotion continuelle qui fait avancer le principe vital de degrés en degrés, jusqu'au perfectionnement le plus complet.

Schubert croit aussi qu'il a existé des époques où l'homme avait un sentiment si vif et si délicat des phénomènes existants, qu'il devinait par ses propres impressions les secrets les plus cachés de la nature. Ces facultés primitives se sont émoussées, et c'est souvent l'irritabilité maladive des nerfs qui, en affaiblissant la puissance du raisonnement, rend à l'homme l'instinct qu'il devait jadis à la plénitude même de ses forces. Les travaux des philosophes, des savants et des poètes en Allemagne, ont pour but de diminuer l'aride puissance du raisonnement sans obscurcir en rien les lumières. C'est ainsi que l'imagination du monde ancien peut renaître comme le phénix des cendres de toutes les erreurs.

La plupart des physiciens ont voulu expliquer, ainsi que je l'ai déjà dit, la nature comme un bon gouvernement dans lequel tout est conduit d'après de sages principes administratifs, mais c'est en vain qu'on veut transporter ce système prosaïque dans la création. Le terrible ni même le beau ne sauraient être expliqués par cette théorie circonscrite, et la nature est tour à tour trop cruelle et trop magnifique pour qu'on puisse la soumettre au genre de calcul admis dans le jugement des choses de ce monde.

Il y a des objets hideux en eux-mêmes, dont l'impression sur nous est inexplicable; de certaines figures d'animaux, de certaines formes de plantes, de certaines combinaisons de couleurs, révoltent nos sens, bien que nous ne puissions nous rendre compte des causes de cette répugnance; on dirait que ces contours disgracieux, que ces images rebutantes rappellent la bassesse et la perfidie, quoique rien dans les analogies du raisonnement ne puisse expliquer une telle association d'idées. La physionomie de l'homme ne tient point uniquement, comme l'ont prétendu quelques écrivains, au dessin plus ou moins prononcé des traits; il passe dans le regard et dans les mouvements du visage je ne sais quelle expression de l'âme impossible à méconnaître, et c'est surtout dans la figure humaine qu'on apprend ce qu'il y a d'extraordinaire et d'inconnu dans les harmonies de l'esprit et du corps.

Les accidents et les malheurs, dans l'ordre physique, ont quelque chose de si rapide, de si impitoyable, de si inattendu, qu'ils paraissent tenir du prodige, la maladie et ses fureurs sont comme une vie méchante qui s'empare tout à coup de la vie paisible. Les affections du cœur nous font sentir la barbarie de cette nature qu'on veut nous représenter comme si douce. Que de dangers menacent une tête chérie! Sous combien de métamorphoses la mort ne se déguise-t-elle pas autour de nous! Il n'y a pas un beau jour qui ne puisse receler la foudre, pas une fleur dont les sucs ne puissent être empoisonnés, pas un souffle de l'air qui ne puisse rapporter avec lui une contagion funeste, et la nature semble une amante jalouse prête à percer le sein de l'homme au moment même où il s'enivre de ses dons.

Comment comprendre le but de tous ces phénomènes si l'on s'en tient à l'enchaînement ordinaire de nos manières de juger ? Comment peut-on considérer les animaux sans se plonger dans l'étonnement que fait naître leur mystérieuse existence ? Un poète les a nommés *les rêves de la nature, dont l'homme est le réveil.* Dans quel but ont-ils été créés ? Que signifient ces regards qui semblent couverts d'un nuage obscur, derrière lequel une idée voudrait se faire jour ? Quels rapports ont-ils avec nous ? Qu'est-ce que la part de vie dont ils jouissent ? Un oiseau survit à l'homme de génie, et je ne sais quel bizarre désespoir saisit le cœur quand on a perdu ce qu'on aime et qu'on voit le souffle de l'existence animer encore un insecte, qui se meut sur la terre d'où le plus noble objet a disparu.

La contemplation de la nature accable la pensée; on se sent avec elle des rapports qui ne tiennent ni au bien ni au mal qu'elle peut nous faire; mais son âme visible vient chercher la nôtre dans son sein, et s'entretient avec nous. Quand les ténèbres nous épouvantent, ce ne sont pas toujours les périls auxquels ils nous exposent que nous redoutons, mais c'est la sympathie de la nuit avec tous les genres de privations et de douleurs dont nous sommes pénétrés. Le soleil au contraire est comme une émanation de la divinité, comme le messager éclatant d'une prière exaucée; ses rayons descendent sur la terre, non seulement pour guider les travaux de l'homme, mais pour exprimer de l'amour à la nature.

Les fleurs se retournent vers la lumière, afin de l'accueillir; elles se referment pendant la nuit, et le matin et le soir elles semblent exhaler en parfums odoriférants leurs hymnes de louanges. Quand on élève ces fleurs dans l'obscurité, pâles, elles ne revêtent plus leurs couleurs accoutumées, mais quand on les rend au jour, le soleil réfléchit en elles ses rayons variés comme dans l'arc-en-ciel, et l'on dirait qu'il se mire avec orgueil dans la beauté dont il les a parées. Le sommeil des végétaux pendant de certaines heures et de certaines saisons de l'année est d'accord avec le mouvement de la terre; elle entraîne dans les régions qu'elle parcourt la moitié des plantes, des animaux et des hommes endormis. Les passagers de ce grand vaisseau qu'on appelle le monde se laissent bercer dans le cercle que décrit leur voyageuse demeure.

La paix et la discorde, l'harmonie et la dissonance, qu'un lien secret réunit, sont les premières lois de la nature, et, soit qu'elle se montre redoutable ou charmante, l'unité sublime qui la caractérise se fait toujours reconnaître. La flamme se précipite en vagues comme les torrents; les nuages qui parcourent les airs prennent quelquefois la forme des montagnes et des vallées, et semblent imiter en se jouant l'image de la terre. Il est dit dans la *Genèse* « que le Tout-Puissant sépara les eaux de la terre des eaux du ciel, et les suspendit dans les airs ». Le ciel est en effet un noble allié de l'Océan; l'azur du firmament se fait voir dans les ondes, et les vagues se peignent dans les nues. Quelquefois quand l'orage se prépare dans l'atmosphère, la mer frémit au loin, et l'on dirait qu'elle répond par le trouble de ses flots au mystérieux signal qu'elle a reçu de la tempête.

M. de Humboldt dit, dans ses vues scientifiques et poétiques sur l'Amérique méridionale, qu'il a été témoin d'un phénomène observé dans l'Egypte, et qu'on appelle *mirage*. Tout à coup, dans les déserts les plus arides, la réverbération de l'air prend l'apparence des lacs ou de la mer, et les animaux eux-mêmes, haletants de soif, s'élancent vers ces images trompeuses, espérant s'y désaltérer. Les diverses figures que la gelée trace sur le verre offrent encore un nouvel exemple de ces analogies merveilleuses, les vapeurs condensées par le froid dessinent des paysages semblables à ceux qui se font remarquer dans ces contrées septentrionales : des forêts de pins, des montagnes hérissées reparaissent sous ces blanches couleurs, et la nature glacée se plaît à contrefaire ce que la nature animée a produit.

Non seulement la nature se répète elle-même, mais elle semble vouloir imiter les ouvrages des hommes et leur donner ainsi un témoignage singulier de sa correspondance avec eux. On raconte que dans les îles voisines du Japon les nuages présentent aux regards l'aspect de bâtiments réguliers. Les beaux-arts ont aussi leur type dans la nature, et ce luxe de l'existence est plus soigné par elle encore que l'existence même : la symétrie des formes dans le règne végétal et minéral a servi de modèle aux architectes, et le reflet des objets et des couleurs dans l'onde donne l'idée des illusions de la peinture; le vent, dont le murmure se prolonge sous les feuilles tremblantes, nous révèle la musique. Et l'on dit même que sur les côtes de l'Asie, où l'atmosphère est plus pure, on entend quelquefois le soir une harmonie plaintive et douce que la nature semble adresser à l'homme, afin de lui apprendre qu'elle respire, qu'elle aime et qu'elle souffre.

Souvent à l'aspect d'une belle contrée on est tenté de croire qu'elle a pour unique but d'exciter en nous des sentiments élevés et nobles. Je ne sais quel rapport existe entre les cieux et la fierté du cœur, entre les rayons de la lune qui reposent sur la montagne et le calme de la conscience, mais ces objets nous parlent un beau langage, et l'on peut s'abandonner au tressaillement qu'ils causent, l'âme s'en trouvera bien. Quand le soir, à l'extrémité du paysage, le ciel semble toucher de si près à la terre, l'imagination se figure par-delà l'horizon un asile de l'espérance, une patrie de l'amour, et la nature semble répéter silencieusement que l'homme est immortel.

La succession continuelle de mort et de naissance, dont le monde physique est le théâtre, produirait l'impression la plus douloureuse, si l'on ne croyait pas y voir la trace de la résurrection de toutes choses, et c'est le véritable point de vue religieux de la contemplation de la nature que cette manière de la considérer. On finirait par mourir de pitié si l'on se bornait en tout à la terrible idée de l'irréparable : aucun animal ne périt sans qu'on puisse le regretter, aucun arbre ne tombe sans que l'idée qu'on ne le reverra plus dans sa beauté n'excite en nous une réflexion douloureuse. Enfin les objets inanimés eux-mêmes font mal quand leur décadence oblige à s'en séparer : la maison, les meubles, qui ont servi a ceux que nous avons aimés, nous intéressent, et ces objets mêmes excitent en nous quelquefois une sorte de sympathie indépendante des souvenirs qu'ils retracent; on regrette la forme qu'on leur a connue, comme si cette forme en faisait des êtres qui nous ont vus vivre, et qui devaient nous voir mourir. Si le temps n'avait pas pour antidote l'éternité, on s'attacherait à chaque moment pour le retenir, à chaque son pour le fixer, à chaque regard pour en prolonger l'éclat, et les jouissances n'existeraient que l'instant qu'il nous faut pour sentir qu'elles passent, et pour arroser de larmes leurs traces, que l'abîme des jours doit aussi dévorer.

Une réflexion nouvelle m'a frappée dans les écrits qui m'ont été communiqués par un homme dont l'imagination est pensive et profonde; il compare ensemble les ruines de la nature, celles de l'art et celles de l'humanité. « Les premières, dit-il, sont philosophiques, les secondes poétiques, et les dernières mystérieuses. » Une chose bien digne de remarque en effet c'est l'action si différente des années sur la nature, sur les ouvrages du génie et sur les créatures vivantes. Le temps n'outrage que l'homme : quand les rochers s'écroulent, quand les montagnes s'abîment dans les vallées, la terre change seulement de face; un aspect nouveau excite dans notre esprit de nouvelles pensées, et la force vivifiante subit une métamorphose, mais non un dépérissement; les ruines des beaux-arts parlent à l'imagination, elle reconstruit ce que le temps a fait disparaître, et jamais peut-être un chef-d'œuvre dans tout son éclat n'a pu donner l'idée de la grandeur autant que les ruines mêmes de ce chef-d'œuvre. On se représente les monuments à demi détruits revêtus de toutes les beautés qu'on suppose toujours à ce qu'on regrette : mais qu'il est loin d'en être ainsi des ravages de la vieillesse!

A peine peut-on croire que la jeunesse embellissait ce visage dont la mort a déjà pris possession : quelques physionomies échappent par la splendeur de l'âme à la dégradation; mais la figure humaine dans sa décadence prend souvent une expression vulgaire qui permet à peine la pitié! Les animaux perdent avec les années, il est vrai, leur force et leur agilité, mais l'incarnat de la vie ne se change point pour eux en livides couleurs, et leurs yeux éteints ne ressemblent pas à des lampes funéraires qui jettent de pâles clartés sur un visage flétri.

Lors même qu'à la fleur de l'âge la vie se retire du sein de l'homme, ni l'admiration que font naître les bouleversements de la nature, ni l'intérêt qu'excitent les débris des monuments, ne peuvent s'attacher au corps inanimé de la plus belle des créatures. L'amour qui chérissait cette figure enchanteresse, l'amour ne peut en supporter les restes, et rien de l'homme ne demeure après lui sur la terre qui ne fasse frémir même ses amis.

Ah! quel enseignement que les horreurs de la destruction acharnée ainsi sur la race humaine! N'est-ce pas pour annoncer à l'homme que sa vie est ailleurs ? La nature l'humilierait-elle à ce point si la divinité ne voulait pas le relever ?

Les vraies causes finales de la nature ce sont ses rapports avec notre âme et avec notre sort immortel; les objets physiques eux-mêmes ont une destination qui ne se borne point à la courte existence de l'homme ici-bas; ils sont là pour concourir au développement de nos pensées, à l'œuvre de notre vie morale. Les phénomènes de la nature ne doivent pas être compris seulement d'après les lois de la matière, quelque bien combinées qu'elles soient; ils ont un sens philosophique et un but religieux, dont la contemplation la plus attentive ne pourra jamais connaître toute l'étendue.

CHAPITRE X

DE L'ENTHOUSIASME

Beaucoup de gens sont prévenus contre l'enthousiasme; ils le confondent avec le fanatisme, et c'est une grande erreur. Le fanatisme est une passion exclusive dont une opinion est l'objet; l'enthousiasme se rallie à l'harmonie universelle : c'est l'amour du beau, l'élévation de l'âme, la jouissance du dévouement, réunis dans un même sentiment qui a de la grandeur et du calme. Le sens de ce mot chez les Grecs en est la plus noble définition : l'enthousiasme signifie *Dieu en nous*. En effet, quand l'existence de l'homme est expansive elle a quelque chose de divin.

Tout ce qui nous porte à sacrifier notre propre bien-être ou notre propre vie est presque toujours de l'enthousiasme : car le droit chemin de la raison égoïste doit être de se prendre soi-même pour but de tous ses efforts, et de n'estimer dans ce monde que la santé, l'argent et le pouvoir. Sans doute la conscience suffit pour conduire le caractère le plus froid dans la route de la vertu; mais l'enthousiasme est à la conscience ce que l'honneur est au devoir : il y a en nous un superflu d'âme qu'il est doux de consacrer à ce qui est beau, quand ce qui est bien est accompli. Le génie et l'imagination ont aussi besoin qu'on soigne un peu leur bonheur dans ce monde; et la loi du devoir, quelque sublime qu'elle soit, ne suffit pas pour faire goûter toutes les merveilles du cœur et de la pensée.

On ne saurait le nier, les intérêts de la personnalité pressent l'homme de toutes parts; il y a même dans ce qui est vulgaire une certaine jouissance dont beaucoup de gens sont très susceptibles, et l'on retrouve souvent les traces de penchants ignobles sous l'apparence des manières les plus distinguées. Les talents supérieurs ne garantissent pas toujours de cette nature dégradée qui dispose sourdement de l'existence des hommes, et leur fait placer leur bonheur plus bas qu'eux-mêmes. L'enthousiasme seul peut contre-balancer la tendance à l'égoïsme, et c'est à ce signe divin qu'il faut reconnaître les créatures immortelles. Lorsque vous parlez à quelqu'un sur des sujets dignes d'un saint respect, vous apercevez d'abord s'il éprouve un noble frémissement, si son cœur bat pour des sentiments élevés, s'il a fait alliance avec l'autre vie, ou bien s'il n'a qu'un peu d'esprit qui lui sert à diriger le mécanisme de l'existence. Et qu'est-ce donc que l'être humain, quand on ne voit en lui qu'une prudence dont son propre avantage est l'objet ? L'instinct des animaux vaut mieux, car il est quelquefois généreux et fier; mais ce calcul, qui semble l'attribut de la raison, finit par rendre incapable de la première des vertus, le dévouement.

Parmi ceux qui s'essaient à tourner des sentiments exaltés en ridicule, plusieurs en sont pourtant susceptibles à leur insu. La guerre, fût-elle entreprise par des vues personnelles, donne toujours quelques-unes des jouissances de l'enthousiasme; l'enivrement d'un jour de bataille, le plaisir singulier de s'exposer à la mort, quand toute notre nature nous commande d'aimer la vie, c'est encore à l'enthousiasme qu'il faut l'attribuer. La musique militaire, le hennissement des chevaux, l'explosion de la poudre, cette foule de soldats revêtus des mêmes couleurs, émus par le même désir, se rangeant autour des mêmes bannières, font éprouver une émotion qui triomphe de l'instinct conservateur de l'existence; et cette jouissance est si forte, que ni les fatigues, ni les souffrances, ni les périls ne peuvent en déprendre les âmes. Quiconque a vécu de cette vie n'aime qu'elle. Le but atteint ne satisfait jamais; c'est l'action de se risquer qui est nécessaire, c'est elle qui fait passer l'enthousiasme dans le sang; et quoiqu'il soit plus pur au fond de l'âme, il est encore d'une noble nature lors même qu'il a pu devenir une impulsion presque physique.

On accuse souvent l'enthousiasme sincère de ce qui ne peut être reproché qu'à l'enthousiasme affecté; plus un sentiment est beau, plus la fausse imitation de ce sentiment est odieuse. Usurper l'admiration des hommes est ce qu'il y a de plus coupable, car on tarit en eux la source des bons mouvements en les faisant rougir de les avoir éprouvés. D'ailleurs rien n'est plus pénible que les sons faux qui semblent sortir du sanctuaire même de l'âme; la vanité peut s'emparer de tout ce qui est extérieur, il n'en résultera d'autre mal que de la prétention et de la disgrâce; mais quand elle se met à contrefaire les sentiments les plus intimes, il semble qu'elle viole le dernier asile où l'on espérait lui échapper. Il est facile cependant de reconnaître la sincérité de l'enthousiasme; c'est une mélodie si pure que le moindre désaccord en détruit tout le charme; un mot, un accent, un regard expriment l'émotion concentrée qui répond à toute une vie. Les personnes qu'on appelle sévères dans le monde ont très souvent en elles quelque chose d'exalté. La force qui soumet les autres peut n'être qu'un froid calcul. La force qui triomphe de soi-même est toujours inspirée par un sentiment généreux.

Loin qu'on puisse redouter les excès de l'enthousiasme, il porte peut-être en général à la tendance contemplative qui nuit à la puissance d'agir : les Allemands en sont une preuve; aucune nation n'est plus capable de sentir et de penser; mais quand le moment de prendre un parti est arrivé, l'étendue même des conceptions nuit à la décision de caractère. Le caractère et l'enthousiasme diffèrent à beaucoup d'égards; il faut choisir son but par l'enthousiasme, mais l'on doit y marcher par le caractère : la pensée n'est rien sans l'enthousiasme, ni l'action sans le caractère; l'enthousiasme est tout pour les nations littéraires; le caractère est tout pour les nations agissantes : les nations libres ont besoin de l'un et de l'autre.

L'égoïsme se plaît à parler sans cesse des dangers de l'enthousiasme ; c'est une véritable dérision que cette prétendue crainte; si les habiles de ce monde voulaient être sincères, ils diraient que rien ne leur convient mieux que d'avoir affaire à ces personnes pour qui tant de moyens sont impossibles, et qui peuvent si facilement renoncer à ce qui occupe la plupart des hommes.

Cette disposition de l'âme a de la force malgré sa douceur, et celui qui la ressent sait y puiser une noble constance. Les orages des passions s'apaisent, les plaisirs de l'amour-propre se flétrissent, l'enthousiasme seul est inaltérable; l'âme elle-même s'affaisserait dans l'existence physique, si quelque chose de fier et d'animé ne l'arrachait pas au vulgaire ascendant de l'égoïsme : cette dignité morale, à laquelle rien ne saurait porter atteinte, est ce qu'il y a de plus admirable dans le don de l'existence : c'est pour elle que dans les peines les plus amères il est encore beau d'avoir vécu, comme il serait beau de mourir.

Examinons l'influence de l'enthousiasme sur les lumières et sur le bonheur. Ces dernières réflexions termineront le cours des pensées auxquelles les différents sujets que j'avais à parcourir m'ont conduite.

CHAPITRE XI

DE L'INFLUENCE DE L'ENTHOUSIASME SUR LES LUMIÈRES

Ce chapitre est à quelques égards le résumé de tout mon ouvrage, car l'enthousiasme étant la qualité vraiment distinctive de la langue allemande, on peut juger de l'influence qu'il exerce sur les lumières d'après les progrès de l'esprit humain en Allemagne. L'enthousiasme prête à la vie ce qui est invisible, et de l'intérêt à ce qui n'a point d'action immédiate sur notre bien-être dans ce monde; il n'y a donc point de sentiment plus propre à la recherche des vérités abstraites; aussi sont-elles cultivées en Allemagne avec une ardeur et une loyauté remarquables.

Les philosophes que l'enthousiasme inspire sont peut-être ceux qui ont le plus d'exactitude et de patience dans leurs travaux; ce sont en même temps ceux qui songent le moins à briller; ils aiment la science pour elle-même, et ne se comptent pour rien dès qu'il s'agit de l'objet de leur culte : la nature physique suit sa marche invariable à travers la destruction des individus; la pensée de l'homme prend un caractère sublime quand il parvient à se considérer lui-même d'un point de vue universel; il sert alors en silence aux triomphes de la vérité, et la vérité est comme la nature, une force qui n'agit que par un développement progressif et régulier.

On peut dire avec quelque raison que l'enthousiasme porte à l'esprit de système; quand on tient beaucoup à ses idées, on voudrait y tout rattacher; mais en général il est plus aisé de traiter avec les opinions sincères qu'avec les opinions adoptées par vanité. Si dans les rapports avec les hommes on n'avait à faire qu'à ce qu'ils pensent réellement, on pourrait facilement s'entendre; c'est ce qu'ils font semblant de penser qui amène la discorde.

On a souvent accusé l'enthousiasme d'induire en erreur, mais peut-être un intérêt superficiel trompe-t-il bien davantage; car, pour pénétrer l'essence des choses, il faut une impulsion qui nous excite à nous en occuper avec ardeur. En considérant d'ailleurs la destinée humaine en général, je crois qu'on peut affirmer que nous ne rencontrerons jamais le vrai que par l'élévation de l'âme; tout ce qui tend à nous rabaisser est mensonge, et c'est, quoi qu'on en dise, du côté des sentiments vulgaires qu'est l'erreur.

L'enthousiasme, je le répète, ne ressemble en rien au fanatisme, et ne peut égarer comme lui. L'enthousiasme est tolérant, non par indifférence, mais parce qu'il nous fait sentir l'intérêt et la beauté de toutes choses. La raison ne donne point de bonheur à la place de ce qu'elle ôte, l'enthousiasme trouve dans la rêverie du cœur et dans l'étendue de la pensée ce que le fanatisme et la passion renferment dans une seule idée ou dans un seul objet. Ce sentiment est par son universalité même très favorable à la pensée et à l'imagination.

La société développe l'esprit, mais c'est la contemplation seule qui forme le génie. L'amour-propre est le mobile des pays où la société domine, et l'amour-propre conduit nécessairement à la moquerie qui détruit tout enthousiasme.

Il est assez amusant, on ne saurait le nier, d'apercevoir le ridicule et de le peindre avec grâce et gaieté; peut-être vaudrait-il mieux se refuser à ce plaisir, mais ce n'est pourtant pas là le genre de moquerie dont les suites sont le plus à craindre; celle qui s'attache aux idées et aux sentiments est la plus funeste de toutes, car elle s'insinue dans la source des affections fortes et dévouées. L'homme a un grand empire sur l'homme, et, de tous les maux qu'il peut faire à son semblable, le plus grand peut-être est de placer le fantôme du ridicule entre les mouvements généreux et les actions qu'ils peuvent inspirer.

L'amour, le génie, le talent, la douleur même, toutes ces choses saintes sont exposées à l'ironie, et l'on ne saurait calculer jusqu'à quel point l'empire de cette ironie peut s'étendre. Il y a quelque chose de piquant dans la méchanceté : il y a quelque chose de faible dans la bonté. L'admiration pour les grandes choses peut être déjouée par la plaisanterie; et celui qui ne met d'importance à rien a l'air d'être au-dessus de tout : si donc l'enthousiasme ne défend pas notre cœur et notre esprit, ils se laissent prendre de toutes parts par ce dénigrement du beau qui réunit l'insolence à la gaieté.

L'esprit social est fait de manière que souvent on se commande de rire, et que plus souvent encore on est honteux de pleurer; d'où cela vient-il ? De ce que l'amour-propre se croit plus en sûreté dans la plaisanterie que dans l'émotion. Il faut bien compter sur son esprit pour oser être sérieux contre une moquerie; il faut beaucoup de force pour laisser voir des sentiments qui peuvent être tournés en ridicule. Fontenelle disait : *J'ai quatre-vingts ans, je suis Français, et je n'ai pas donné dans toute ma vie le plus petit ridicule à la plus petite vertu.* Ce mot supposait une profonde connaissance de la société. Fontenelle n'était pas un homme sensible, mais il avait beaucoup d'esprit; et toutes les fois qu'on est doué d'une supériorité quelconque, on sent le besoin du sérieux dans la nature humaine. Il n'y a que les gens médiocres qui voudraient que le fond de tout fût du sable, afin que nul homme ne laissât sur la terre une trace plus durable que la leur.

Les Allemands n'ont point à lutter chez eux contre les ennemis de l'enthousiasme, et c'est un grand obstacle de moins pour les hommes distingués. L'esprit s'aiguise dans le combat; mais le talent a besoin de confiance. Il faut croire à l'admiration, à la gloire, à l'immortalité, pour éprouver l'inspiration du génie; et ce qui fait la différence des siècles entre eux, ce n'est pas la nature toujours prodigue des mêmes dons, mais l'opinion dominante à l'époque où l'on vit : si la tendance de cette opinion est vers l'enthousiasme, il s'élève de toutes parts de grands hommes; si l'on proclame le découragement comme ailleurs on exciterait à de nobles efforts, il ne reste plus rien en littérature que des juges du temps passé.

Les événements terribles dont nous avons été les témoins ont blasé les âmes, et tout ce qui tient à la pensée paraît terne à côté de la toute-puissance de l'action. La diversité des circonstances a porté les esprits à soutenir tous les côtés des mêmes questions; il en est résulté qu'on ne croit plus aux idées, ou qu'on les considère tout au plus comme des moyens. La conviction semble n'être pas de notre temps, et quand un homme dit qu'il est de telle opinion, on prend cela pour une manière délicate d'indiquer qu'il a tel intérêt.

Les hommes les plus honnêtes se font alors un système qui change en dignité leur paresse : ils disent qu'on ne peut rien à rien, ils répètent, avec l'ermite de Prague dans Shakespeare, que *ce qui est, est*, et que les théories n'ont point d'influence sur le monde. Ces hommes finissent par rendre vrai ce qu'ils disent; car avec une telle manière de penser on ne saurait agir sur les autres; et si l'esprit consistait à voir seulement le pour et le contre de tout, il ferait tourner les objets autour de nous de telle manière qu'on ne pourrait jamais marcher d'un pas ferme sur un terrain aussi chancelant.

L'on voit aussi des jeunes gens, ambitieux de paraître détrompés de tout enthousiasme, affecter un mépris réfléchi pour les sentiments exaltés; ils croient montrer ainsi une force de raison précoce; mais c'est une décadence prématurée dont ils se vantent. Ils sont pour le talent comme ce vieillard qui demandait *si l'on avait encore de l'amour*. L'esprit dépourvu d'imagination prendrait volontiers en dédain même la nature, si elle n'était pas plus forte que lui.

On fait beaucoup de mal sans doute à ceux qu'animent encore de nobles désirs, en leur opposant sans cesse tous les arguments qui devraient troubler l'espoir le plus confiant; néanmoins la bonne foi ne peut se lasser, car ce n'est pas ce que les choses paraissent, mais ce qu'elles sont qui l'occupe. De quelque atmosphère qu'on soit environné, jamais une parole sincère n'a été complètement perdue; s'il n'y a qu'un jour pour le succès, il y a des siècles pour le bien que la vérité peut faire.

Les habitants du Mexique portent chacun, en passant sur le grand chemin, une petite pierre à la grande pyramide qu'ils élèvent au milieu de leur contrée. Nul ne lui donnera son nom; mais tous auront contribué à ce monument qui doit survivre à tous.

CHAPITRE XII ET DERNIER

INFLUENCE DE L'ENTHOUSIASME SUR LE BONHEUR

Il est temps de parler de bonheur! J'ai écarté ce mot avec un soin extrême, parce que depuis près d'un siècle surtout on l'a placé dans des plaisirs si grossiers, dans une vie si égoïste, dans des calculs si rétrécis, que l'image même en est profanée. Mais on peut le dire cependant avec confiance, l'enthousiasme est de tous les sentiments celui qui donne le plus de bonheur, le seul qui en donne véritablement, le seul qui sache nous faire supporter la destinée humaine dans toutes les situations où le sort peut nous placer.

C'est en vain qu'on veut se réduire aux jouissances matérielles, l'âme revient de toutes parts, l'orgueil, l'ambition, l'amour-propre, tout cela c'est encore de l'âme, quoiqu'un souffle empoisonné s'y mêle. Quelle misérable existence cependant que celle de tant d'hommes en ruse avec eux-mêmes presque autant qu'avec les autres et repoussant les mouvements généreux qui renaissent dans leur cœur comme une maladie de l'imagination que le grand air doit dissiper! Quelle pauvre existence aussi que celle de beaucoup d'hommes qui se contentent de ne pas faire du mal, et traitent de folie la source d'où dérivent les belles actions et les grandes pensées! Ils se renferment par vanité dans une médiocrité tenace, qu'ils auraient pu rendre accessible aux lumières du dehors; ils se condamnent à cette monotonie d'idées, à cette froideur de sentiment qui laisse passer les jours sans en tirer ni fruits, ni progrès, ni souvenirs; et si le temps ne sillonnait pas leurs traits, quelles traces auraient-ils gardées de son passage ? S'il ne fallait pas vieillir et mourir, quelle réflexion sérieuse entrerait jamais dans leur tête ?

Quelques raisonneurs prétendent que l'enthousiasme dégoûte de la vie commune, et que ne pouvant pas rester toujours dans cette disposition, il vaut mieux ne l'éprouver jamais : et pourquoi donc ont-ils accepté d'être jeunes, de vivre même, puisque cela ne devait pas toujours durer ? Pourquoi donc ont-ils aimé, si tant est que cela leur soit jamais arrivé, puisque la mort pouvait les séparer des objets de leur affection ? Quelle triste économie que celle de l'âme ! elle nous a été donnée pour être développée, perfectionnée, prodiguée même dans un noble but.

Plus on engourdit la vie, plus on se rapproche de l'existence matérielle, et plus l'on diminue, dira-t-on, la puissance de souffrir. Cet argument séduit un grand nombre d'hommes, il consiste à tâcher d'exister le moins possible. Cependant il y a toujours dans la dégradation une douleur dont on ne se rend pas compte, et qui poursuit sans cesse en secret : l'ennui, la honte, et la fatigue qu'elle cause sont revêtus des formes de l'impertinence et du dédain par la vanité; mais il est bien rare qu'on s'établisse en paix dans cette façon d'être sèche et bornée, qui laisse sans ressource en soi-même quand les prospérités extérieures nous délaissent. L'homme a la conscience du beau comme celle du bon, et la privation de l'un lui fait sentir le vide ainsi que la déviation de l'autre, le remords.

On accuse l'enthousiasme d'être passager; l'existence serait trop heureuse si l'on pouvait retenir des émotions si belles; mais c'est parce qu'elles se dissipent aisément qu'il faut s'occuper de les conserver. La poésie et les beaux-arts servent à développer dans l'homme ce bonheur d'illustre origine qui relève les cœurs abattus, et met à la place de l'inquiète satiété de la vie le sentiment habituel de l'harmonie divine dont nous et la nature faisons partie. Il n'est aucun devoir, aucun plaisir, aucun sentiment qui n'emprunte de l'enthousiasme je ne sais quel prestige d'accord avec le pur charme de la vérité.

Les hommes marchent tous au secours de leur pays quand les circonstances l'exigent; mais s'ils sont inspirés par l'enthousiasme de leur patrie, de quel beau mouvement ne se sentent-ils pas saisis! Le sol qui les a vus naître, la terre de leurs aïeux, *la mer qui baigne les rochers* [1], de longs souvenirs, une longue espérance, tout se soulève autour d'eux comme un appel au combat; chaque battement de leur cœur est une pensée d'amour et de fierté. Dieu l'a donnée cette patrie aux hommes qui peuvent la défendre, aux femmes qui pour elle consentent aux dangers de leurs frères, de leurs époux et de leurs fils. A l'approche des périls qui la menacent, une fièvre sans frisson comme sans délire hâte le cours du sang dans les veines; chaque effort dans une telle lutte vient du recueillement intérieur le plus profond. L'on n'aperçoit d'abord sur le visage de ces généreux citoyens que du calme, il y a trop de dignité dans leurs émotions pour qu'ils s'y livrent au-dehors; mais que le signal se fasse entendre, que la bannière nationale flotte dans les airs, et vous verrez des regards jadis si doux, si prêts à le redevenir à l'aspect du malheur, tout à coup animés par une volonté sainte et terrible! ni les blessures ni le sang même ne feront plus frémir; ce n'est plus de la douleur, ce n'est plus de la mort, c'est une offrande au Dieu des armées, nul regret, nulle incertitude ne se mêlent alors aux résolutions les plus désespérées, et quand le cœur est entier dans ce qu'il veut, l'on jouit admirablement de l'existence. Dès que l'homme se divise au-dedans de lui-même, il ne sent plus la vie que comme un mal, et si de tous les sentiments l'enthousiasme est celui qui rend le plus heureux, c'est qu'il réunit plus qu'aucun autre toutes les forces de l'âme dans le même foyer.

Les travaux de l'esprit ne semblent à beaucoup d'écrivains qu'une occupation presque mécanique, et qui remplit leur vie comme toute autre profession pourrait le faire; c'est encore quelque chose de préférer celle-là; mais de tels hommes ont-ils l'idée du sublime bonheur de la pensée quand l'enthousiasme l'anime? Savent-ils de quel espoir l'on se sent pénétré quand on croit manifester par le don de l'éloquence une vérité profonde, une vérité qui forme un généreux lien entre nous et toutes les âmes en sympathie avec la nôtre?

1. Il est aisé d'apercevoir que je tâchais, par cette phrase et par celles qui suivent, de désigner l'Angleterre; en effet, je n'aurais pu parler de la guerre avec enthousiasme, sans me la représenter comme celle d'une nation libre combattant pour son indépendance. (Note de Mme de Staël.)

Les écrivains sans enthousiasme ne connaissent, de la carrière littéraire, que les critiques, les rivalités, les jalousies, tout ce qui doit menacer la tranquillité quand on se mêle aux passions des hommes; ces attaques et ces injustices font quelquefois du mal; mais la vraie, l'intime jouissance du talent, peut-elle en être altérée? Quand un livre paraît, que de moments heureux n'a-t-il pas déjà valus à celui qui l'écrivit selon son cœur et comme un acte de son culte! Que de larmes pleines de douceur n'a-t-il pas répandues dans sa solitude sur les merveilles de la vie, l'amour, la gloire, la religion? Enfin dans ses rêveries n'a-t-il pas joui de l'air comme l'oiseau, des ondes comme un chasseur altéré, des fleurs comme un amant qui croit respirer encore les parfums dont sa maîtresse est environnée? Dans le monde on se sent oppressé par ses facultés, et l'on souffre souvent d'être seul de sa nature au milieu de tant d'êtres qui vivent à si peu de frais; mais le talent créateur suffit, pour quelques instants du moins, à tous nos vœux; il a ses richesses et ses couronnes, il offre à nos regards les images lumineuses et pures d'un monde idéal, et son pouvoir s'étend quelquefois jusqu'à nous faire entendre dans notre cœur la voix d'un objet chéri.

Croient-ils connaître la terre, croient-ils avoir voyagé ceux qui ne sont pas doués d'une imagination enthousiaste? Leur cœur bat-il pour l'écho des montagnes? L'air du Midi les a-t-il enivrés de sa suave langueur? Comprennent-ils la diversité des pays, l'accent et le caractère des idiomes étrangers? Les chants populaires et les danses nationales leur découvrent-ils les mœurs et le génie d'une contrée? Suffit-il d'une seule sensation pour réveiller en eux une foule de souvenirs?

La nature peut-elle être sentie par des hommes sans enthousiasme? Ont-ils pu lui parler de leurs froids intérêts, de leurs misérables désirs? Que répondraient la mer et les étoiles aux vanités étroites de chaque homme pour chaque jour? Mais si notre âme est émue, si elle cherche un Dieu dans l'univers, si même elle veut encore de la gloire et de l'amour, il y a des nuages qui lui parlent, des torrents qui se laissent interroger, et le vent dans la bruyère semble daigner nous dire quelque chose de ce qu'on aime.

Les hommes sans enthousiasme croient goûter des jouissances par les arts; ils aiment l'élégance du luxe, ils veulent se connaître en musique et en peinture, afin d'en parler avec grâce, avec goût, et même avec ce ton de supériorité qui convient à l'homme du monde, lorsqu'il s'agit de l'imagination ou de la nature; mais tous ces arides plaisirs, que sont-ils à côté du véritable enthousiasme ? En contemplant le regard de la Niobé, de cette douleur calme et terrible qui semble accuser les Dieux d'avoir été jaloux du bonheur d'une mère, quel mouvement s'élève dans notre sein! Quelle consolation l'aspect de la beauté ne fait-il pas éprouver, car la beauté est aussi de l'âme, et l'admiration qu'elle inspire est noble et pure! Ne faut-il pas pour admirer l'Apollon sentir en soi-même un genre de fierté qui foule aux pieds tous les serpents de la terre ? Ne faut-il pas être chrétien pour pénétrer la physionomie des vierges de Raphaël et de saint Jérôme du Dominiquin ? Pour retrouver la même expression dans la grâce enchanteresse et dans le visage abattu, dans la jeunesse éclatante et dans les traits défigurés ? La même expression qui part de l'âme et traverse comme un rayon céleste l'aurore de la vie ou les ténèbres de l'âge avancé ?

Y a-t-il de la musique pour ceux qui ne sont pas capables d'enthousiasme ? Une certaine habitude leur rend les sons harmonieux nécessaires, ils en jouissent comme de la saveur des fruits ou de la décoration des couleurs; mais leur être entier a-t-il retenti comme une lyre, quand au milieu de la nuit le silence a tout à coup été troublé par des chants ou par ces instruments qui ressemblent à la voix humaine ? Ont-ils alors senti le mystère de l'existence dans cet attendrissement qui réunit nos deux natures, et confond dans une même jouissance les sensations et l'âme ? Les palpitations de leur cœur ont-elles suivi le rythme de la musique ? Une émotion pleine de charme leur a-t-elle appris ces pleurs qui n'ont rien de personnel, ces pleurs qui ne demandent point de pitié, mais qui nous délivrent d'une souffrance inquiète excitée par le besoin d'admirer et d'aimer ?

Le goût des spectacles est universel, car la plupart des hommes ont plus d'imagination qu'ils ne croient, et ce qu'ils considèrent comme l'attrait du plaisir, comme une sorte de faiblesse qui tient encore à l'enfance, est souvent ce qu'ils ont de meilleur en eux : ils sont, en présence des fictions, vrais, naturels, émus, tandis que dans le monde, la dissimulation, le calcul et la vanité disposent de leurs paroles, de leurs sentiments et de leurs actions. Mais pensent-ils avoir senti tout ce qu'inspire une tragédie vraiment belle, ces hommes pour qui la peinture des affections les plus profondes n'est qu'une distraction amusante ? Se doutent-ils du trouble délicieux que font éprouver les passions épurées par la poésie ? Ah! combien les fictions nous donnent de plaisir! Elles nous intéressent sans faire naître en nous ni remords ni crainte, et la sensibilité qu'elles développent n'a pas cette âpreté douloureuse dont les affections véritables ne sont presque jamais exemptes.

Quelle magie le langage de l'amour n'emprunte-t-il pas de la poésie et des beaux-arts! Qu'il est beau d'aimer par le cœur et par la pensée! de varier ainsi de mille manières un sentiment qu'un seul mot peut exprimer, mais pour lequel toutes les paroles du monde ne sont encore que misère! de se pénétrer des chefs-d'œuvre de l'imagination qui relèvent tous de l'amour, et de trouver, dans les merveilles de la nature et du génie, quelques expressions de plus pour révéler son propre cœur!

Qu'ont-ils éprouvé ceux qui n'ont point admiré la femme qu'ils aimaient, ceux en qui le sentiment n'est point un hymne du cœur, et pour qui la grâce et la beauté ne sont pas l'image céleste des affections les plus touchantes ? Qu'a-t-elle senti celle qui n'a point vu dans l'objet de son choix un protecteur sublime, un guide fort et doux, dont le regard commande et supplie, et qui reçoit à genoux le droit de disposer de notre sort ? Quelles délices inexprimables les pensées sérieuses ne mêlent-elles pas aux impressions les plus vives! La tendresse de cet ami, dépositaire de notre bonheur, doit nous bénir aux portes du tombeau comme dans les beaux jours de la jeunesse, et tout ce qu'il y a de solennel dans l'existence se change en émotions délicieuses, quand l'amour est chargé, comme chez les Anciens, d'allumer et d'éteindre le flambeau de la vie.

Si l'enthousiasme enivre l'âme de bonheur, par un prestige singulier il soutient encore dans l'infortune; il laisse après lui je ne sais quelle trace lumineuse et profonde qui ne permet pas même à l'absence de nous effacer du cœur de nos amis. Il nous sert aussi d'asile à nous-mêmes contre les peines les plus amères, et c'est le seul sentiment qui puisse calmer sans refroidir.

Les affections les plus simples, celles que tous les cœurs se croient capables de sentir, l'amour maternel, l'amour filial, peut-on se flatter de les avoir connues dans leur plénitude, quand on n'y a pas mêlé d'enthousiasme ? Comment aimer son fils sans se flatter qu'il sera noble et fier, sans souhaiter pour lui la gloire qui multiplierait sa vie, qui nous ferait entendre de toutes parts le nom que notre cœur répète ? Pourquoi ne jouirait-on pas avec transport des talents de son fils, du charme de sa fille ? Quelle singulière ingratitude envers la divinité que l'indifférence pour ses dons ! Ne sont-ils pas célestes, puisqu'ils rendent plus facile de plaire à ce qu'on aime ?

Si quelque malheur cependant ravissait de tels avantages à notre enfant, le même sentiment prendrait alors une autre forme : il exalterait en nous la pitié, la sympathie, le bonheur d'être nécessaire. Dans toutes les circonstances l'enthousiasme anime ou console; et lors même que le coup le plus cruel nous atteint, quand nous perdons celui qui nous a donné la vie, celui que nous aimions comme un ange tutélaire, et qui nous inspirait à la fois un respect sans crainte et une confiance sans bornes, l'enthousiasme vient encore à notre secours; il rassemble dans notre sein quelques étincelles de l'âme qui s'est envolée vers les cieux; nous vivons en sa présence, et nous nous promettons de transmettre un jour l'histoire de sa vie. Jamais, nous le croyons, jamais sa main paternelle ne nous abandonnera tout à fait dans ce monde, et son image attendrie se penchera vers nous pour nous soutenir avant de nous rappeler.

Enfin quand elle arrive la grande lutte, quand il faut à son tour se présenter au combat de la mort, sans doute l'affaiblissement de nos facultés, la perte de nos espérances, cette vie si forte qui s'obscurcit, cette foule de sentiments et d'idées qui habitaient dans notre sein, et que les ténèbres de la tombe enveloppent, ces intérêts, ces affections, cette existence qui se change en fantôme avant de s'évanouir, tout cela fait mal, et l'homme vulgaire paraît, quand il expire, avoir moins à mourir ! Dieu soit béni cependant pour le secours qu'il nous prépare encore dans cet instant; nos paroles seront incertaines, nos yeux ne verront plus la lumière, nos réflexions qui s'enchaînaient avec clarté erreront isolées sur de confuses traces; mais l'enthousiasme ne nous abandonnera pas, ses ailes brillantes planeront sur notre lit funèbre, il soulèvera les voiles de la mort, il nous rappellera ces moments où, pleins d'énergie, nous avions senti que notre cœur était impérissable, et nos derniers soupirs seront peut-être comme une noble pensée qui remonte vers le ciel.

[1] « Oh, France! terre de gloire et d'amour! si l'enthousiasme un jour s'éteignait sur votre sol, si le calcul disposait de tout, et que le raisonnement seul inspirât même le mépris des périls, à quoi vous serviraient votre beau ciel, vos esprits si brillants, votre nature si féconde ? Une intelligence active, une impétuosité savante vous rendraient les maîtres du monde; mais vous n'y laisseriez que la trace des torrents de sable, terribles comme les flots, arides comme le désert! »

1. Cette dernière phrase est celle qui a excité le plus d'indignation à la police contre mon livre; il me semble cependant qu'elle n'aurait pu déplaire aux Français. (Note de Mme de Staël.)

TABLE DES MATIÈRES

TOME II

DEUXIÈME PARTIE

LA LITTÉRATURE ET LES ARTS

(Suite)

TROISIÈME PARTIE

LA PHILOSOPHIE ET LA MORALE

QUATRIÈME PARTIE

LA RELIGION ET L'ENTHOUSIASME

PUBLICATIONS NOUVELLES

BALZAC
Un début dans la vie (613).

BAUDELAIRE
Les Fleurs du mal (527).

BECCARIA
Des Délits et des peines (633).

CASTIGLIONE
Le Livre du courtisan (651).

CHATEAUBRIAND
Vie de Rancé (667).

CHRÉTIEN DE TROYES
Le Chevalier au lion (569). Lancelot ou le chevalier à la charrette (556).

CONRAD
Nostromo (560). Sous les yeux de l'Occident (602).

DUMAS
Les bords du Rhin (592).

FIELDING
Joseph Andrews (558).

FLAUBERT
Mémoires d'un fou. Novembre (581).

FROMENTIN
Une année dans le Sahel (591).

GAUTIER
Le Capitaine Fracasse (656).

GOGOL
Tarass Boulba (577). Les Ames mortes (576).

HUME
Enquête sur les principes de la morale (654). Les Passions. Traité de la nature humaine, livre II - Dissertation sur les passions (557).

KAFKA
Dans la colonie pénitentiaire et autres nouvelles (564).

KANT
Vers la paix perpétuelle. Que signifie s'orienter dans la pensée ? Qu'est-ce que les Lumières ? (573).

KLEIST
La Marquise d'O (586). Le Prince de Hombourg (587).

LAXNESS
La Cloche d'Islande (659).

LOTI
Madame Chrysanthème (570). Le Mariage de Loti (583).

MACHIAVEL
L'Art de la guerre (615).

MARIVAUX
Les Acteurs de bonne foi. La Dispute. L'Épreuve (166).

MAUPASSANT
Notre cœur (650). Boule de suif (584).

MELVILLE
Mardi (594). Omoo (590). Benito Cereno-La Veranda (603).

MORAND
Hiver Caraïbe (538).

MORAVIA
Les Indifférents (662).

NERVAL
Aurélia et autres textes autobiographiques (567).

NIETZSCHE
Le Livre du philosophe (660).

PLATON
Ménon (491). Phédon (489).

PLAUTE
Théâtre (600).

PREVOST
Histoire d'une grecque moderne (612).

QUESNAY
Physiocratie (655).

SHAKESPEARE
Henry V (658). La Tempête (668). Beaucoup de bruit pour rien (670).

SMITH
La Richesse des nations (626 et 598).

STAEL
De l'Allemagne (166 et 167). De la littérature (629).

STEVENSON
L'Ile au Trésor (593). Voyage avec un âne dans les Cévennes (601).

STRINDBERG
Tschandala (575).

TÉRENCE
Théâtre (609)

THACKERAY
Barry Lyndon (559). Le Livre des snobs (605).

Vous trouverez chez votre libraire le catalogue complet des livres de poche GF-Flammarion et Champs-Flammarion.

GF — TEXTE INTÉGRAL — GF

2825-X-1992. — Imp. Bussière, St-Amand (Cher).
N° d'édition 14008. — 1er trimestre 1968. — Printed in France.